GUÉRIR
SANS
MÉDICAMENTS
CHIMIQUES

GUÉRIR SANS MÉDICAMENTS CHIMIQUES

1.078 façons
de retrouver plus vite la santé
à l'aide de
biomédicaments naturels

Par Thomas Courtenay

Éditions France Loisirs

Édition du Club France Loisirs,
avec l'autorisation du Centre du Livre Naturel

Éditions France Loisirs,
123, boulevard de Grenelle, Paris
www.franceloisirs.com

I.S.B.N. : 2-7441-5350-8

TABLE DES MATIÈRES

14

INTRODUCTION

Voici quelques années, on trouvait dans les supermarchés français une boisson appelée "Tang"... du même nom que l'ancienne dynastie impériale chinoise.

C'était une boisson d'un genre particulier : elle avait le goût de l'orange... elle était de couleur orange... mais elle ne contenait absolument pas d'oranges ! En fait, elle était entièrement fabriquée à partir de produits de synthèse, autrement dit : de produits chimiques.

Le "Tang" connut un certain succès pendant quelques temps, surtout auprès des enfants. Pourtant, lorsque le bruit se répandit que cette boisson, dont beaucoup de gens pensaient qu'elle était une sorte de jus de fruits, ne contenait pas du tout de fruits et les consommateurs la boudèrent.

Les parents ont sans doute eu peur pour la santé de leurs enfants et n'ont pas voulu qu'ils boivent un produit entièrement chimique.

Nous avons tous le même parti pris vis-à-vis des produits chimiques. S'il s'agit de les utiliser pour faire le ménage ou désinfecter les toilettes : d'accord ; mais pour ce qui est d'en manger, nous évitons de le faire le plus possible. Intuitivement et aussi parce que de nombreuses études le prouvent, les produits chimiques ne sont pas bons pour la santé : ils peuvent provoquer des allergies, causer des empoisonnements, engendrer des maladies graves s'ils sont consommés trop régulièrement.

Il ne se passe guère d'année sans qu'un produit chimique, utilisé dans l'industrie alimentaire par exemple, ne soit interdit. Vous vous souvenez sans doute de l'amarante, ce colorant qui a servi, pendant des années, à donner une belle teinte rouge au sirop de grenadine et à certains bains de bouche... jusqu'au jour où l'on a appris qu'il était cancérigène !

C'est pour cela que nous regardons les étiquettes des aliments, que nous vérifions s'ils ne contiennent pas des colorants, conservateurs, émulsifiants, etc. Bref, même s'ils sont autorisés, nous n'avons pas confiance en eux.

En fait, il n'existe qu'un seul cas dans lequel nous consommons *sans la moindre crainte* des produits chimiques : lorsque nous sommes malades !

Eh, oui ! En cas de maladie, vous et moi, allons chez le médecin qui nous prescrit immédiatement un ou plusieurs médicaments, lesquels, 9 fois sur 10, sont *de purs produits chimiques.*

Pourquoi agissons-nous de cette manière pour le moins incohérente ? Pourquoi acceptons-nous, quand nous sommes malades, d'absorber des produits qu'en temps normal, nous évitons ?

C'est parce que nous obéissons à une croyance erronée, entretenue généralement depuis notre enfance : nous pensons que lorsque notre organisme cesse de fonctionner de manière normale, il faut qu'un médicament vienne accomplir ce que notre corps n'a pas su faire lui-même.

Cette attitude est compréhensible, mais elle nous conduit à recourir de plus en plus systématiquement aux médicaments, que nous voulons toujours plus efficaces, toujours plus rapides, et en fait, toujours plus forts !

Les médecins commencent d'ailleurs à tirer la sonnette d'alarme : ils ont répondu aux attentes des patients et prescrit beaucoup de médicaments, chaque jour plus nombreux et plus puissants. Mais les effets pervers se font sentir, et ils s'inquiètent.

Par exemple, à trop prescrire d'antibiotiques, même quand ce n'était pas indispensable, ceux-ci sont devenus moins efficaces : les bactéries s'y sont habituées et leur résistent mieux. Or, il faut savoir que les antibiotiques combattent seulement les bactéries, pas les virus : c'est pour cela qu'il n'y a pas lieu d'en prendre en cas de grippe, laquelle est toujours causée par un virus.

Pourtant, des médecins continuent de prescrire des antibiotiques, même en cas d'affection virale, affirmait encore récemment un médecin au journal télévisé. À long terme, ces prescriptions, faciles et rassurantes pour le patient (traité plutôt en "client" à qui l'on doit faire plaisir), mettent en danger la santé publique.

"Les Français consomment 6 à 7 fois plus d'antibiotiques et d'anxiolytiques que les autres Européens, mais ils ne sont pas en meilleure santé", rappelait, fin juin 1998 à la télévision, le ministre français chargé de la Santé.

En effet, plus on prend d'antibiotiques, moins ils sont efficaces ; les bactéries se renforcent et deviennent plus agressives. L'effet pervers est donc double :

1) les bactéries sont plus pathogènes, elles rendent davantage malades ;

2) les malades réagissent moins bien aux remèdes habituels.

Certains spécialistes des maladies infectieuses craignent

maintenant le retour en force d'affections que l'on pensait faciles à combattre, certaines méningites notamment.

Les antibiotiques ne sont qu'un exemple. Les médicaments destinés à lutter contre les troubles du sommeil montrent rapidement leurs limites, eux aussi.

La prise occasionnelle d'un somnifère est sans gravité ; mais en cas de prise quotidienne, un effet d'accoutumance apparaît. Il faut alors en augmenter les doses : ce qui n'est pas une bonne solution, car un jour ou l'autre, ce n'est plus possible, sans même évoquer les dégâts éventuels sur les organes d'élimination, le foie notamment, qui doivent affronter chaque jour des "tonnes" de produits chimiques.

Je pourrais accumuler les exemples avec d'autres catégories de médicaments : les anti-douleurs, les laxatifs, etc.

Mais ce n'est pas tout. Il y a aussi les effets secondaires.

En effet, vous le savez comme moi, les médicaments chimiques détraquent souvent un organe pendant qu'ils en soignent un autre.

C'est ce qu'on appelle les "effets secondaires" ou "indésirables", ou encore, en termes savants, "iatrogènes" : vous prenez un comprimé d'aspirine pour votre mal de tête, et vous vous mettez tout à coup à saigner du nez ; vous absorbez un sirop pour la toux, et vous êtes victime d'un évanouissement.

Ces effets ne sont pas systématiques, heureusement, mais ils sont assez fréquents : si certaines personnes peuvent prendre n'importe quel médicament sans jamais ressentir le moindre effet indésirable, d'autres en revanche doivent être très vigilantes, car elles les développent à chaque fois ou presque.

C'est la réaction de votre corps qui supporte mal l'intrusion, souvent à forte dose, d'une substance qu'il ne connaît pas et à laquelle il n'est donc pas habitué.

Effets secondaires ou indésirables... Accoutumance... Empoisonnement progressif de l'organisme... Y a-t-il une solution ?

Faut-il vous passer de médicaments chimiques ? Et est-ce possible ?

Évidemment, cela dépend de votre cas particulier, mais une chose est certaine : les médicaments, et en particulier les médicaments chimiques, sont à utiliser avec parcimonie. "L'important n'est pas de prendre beaucoup de médicaments, mais de prendre les médicaments dont vous avez besoin", disent souvent les notices présentes dans les boîtes. Et elles ont raison.

Il existe une excellente alternative aux médicaments chimiques, tout à fait envisageable dans un grand nombre de situations : des médicaments composés, principalement ou exclusivement, de substances curatives naturelles, qui tirent toute leur force de guérison de la nature elle-même.

Nous les appelons les biomédicaments ; et ces remèdes, disponibles dans toutes les pharmacies au même titre que les médicaments chimiques, agissent sur votre corps et vous apportent la guérison grâce aux substances naturelles qu'ils contiennent.

Sont-ils aussi efficaces que les médicaments chimiques ? Oui ! Dans bien des cas, ils sont aussi efficaces. Et je dirais même qu'ils sont bien souvent *plus* efficaces. En effet, contrairement aux médicaments chimiques, ils présentent peu ou pas du tout d'effets secondaires, les contre-indications sont rares et les risques, en cas de surdosage accidentel, très faibles.

Les effets secondaires ne sont donc pas une fatalité. En

voici un exemple : les médicaments chimiques pour soigner la prostate provoquent parfois des effets secondaires désastreux sur la sexualité des patients ; les biomédicaments pour la prostate sont, au contraire, aphrodisiaques !

Malheureusement, l'immense majorité des médecins ignore leur existence et continue à prescrire des médicaments chimiques à des hommes qui voient apparaître des troubles sexuels dont ils se seraient bien passés. Je pourrais donner un exemple équivalent concernant l'hypertension artérielle.

Chaque fois que vous le pouvez, vous avez donc intérêt à prendre un biomédicament plutôt qu'un médicament chimique.

Le but de ce livre est de vous apprendre à mieux les connaître. Car, bien qu'ils soient de vrais médicaments, homologués par le Ministère de la Santé et fabriqués par de grands laboratoires pharmaceutiques, peu d'entre nous connaissent leur existence.

Votre médecin les connaît probablement mal, lui aussi.

S'il est comme le mien, c'est sans doute un excellent praticien, doté de remarquables facultés de diagnostic, et toujours à la pointe du progrès. Le mien est systématiquement au courant du dernier médicament qui sort, de la dernière technique chirurgicale utilisée, etc. Seulement voilà, à trop s'intéresser à ce qui vient de sortir, on délaisse un peu ce qui existe déjà, même si ça marche très bien...

C'est le cas des biomédicaments. En fait, ces médicaments ont un "défaut" : ils ne coûtent pas cher ! Je dis "défaut" car, à quelques exceptions près, les laboratoires qui les fabriquent ne font pas de publicité pour eux, ni à la télévision, ni auprès des médecins : ils préfèrent vendre le médicament chimique à 100 Francs plutôt que le biomédicament moins cher !

C'est pour cela que ces derniers sont mal connus. Mais j'espère que ce livre aidera à changer cette situation.

Grâce à lui, vous aurez la possibilité, en fonction de votre problème de santé, d'attirer l'attention de votre médecin sur tel ou tel biomédicament, qu'il sera peut-être ravi de vous prescrire.

En fait, des biomédicaments, vous en prenez peut-être déjà. Si votre médecin vous prescrit du Tanakan®, du Tramisal® ou un autre de ces médicaments composés de Ginkgo Biloba, vous prenez un biomédicament sans le savoir.

À vrai dire, cette plante, le Ginkgo Biloba, est un arbre préhistorique et a des effets merveilleux sur le corps, en particulier pour lutter contre le vieillissement ; il fonctionne d'une manière tellement complexe que les meilleurs chimistes n'ont toujours pas réussi à synthétiser des substances qui produisent des effets aussi remarquables.

C'est cela la puissance de guérison de la nature, par rapport à la chimie.

Un autre exemple me vient à l'esprit. Si vous avez le foie ou la vésicule biliaire fatigués, l'artichaut (la feuille, et non pas le bouton de la fleur que nous mangeons en salade !) donne souvent des résultats merveilleusement surprenants. Pourtant, il faut bien se rendre à l'évidence : on ignore complètement lequel de ses composants a cet effet si bénéfique. C'est la plante elle-même, avec toutes ses richesses, qui guérit. Les biomédicaments composés d'artichaut soignent parfois mieux le foie que beaucoup de médicaments chimiques.

Avez-vous vu le film *Medicine Man*, avec Sean Connery ? Il jouait le rôle d'un savant qui avait fabriqué par hasard, à l'aide d'une plante amazonienne, un remède miracle contre le cancer, mais les analyses ne parvenaient pas à isoler la substance chimique (la "molécule", disent les spécialistes), responsable de cette guérison miracle qui intervenait en quelques heures.

Ce n'est qu'un film, bien sûr, mais cette histoire traduit bien combien la nature est plus complexe que nous le croyons.

Chaque fois que c'est possible, il vaut mieux prendre le médicament fabriqué à partir de la plante elle-même (le bio-médicament) plutôt que sa reconstitution chimique dans une éprouvette : les effets seront bien plus naturels.

Car, en fait, beaucoup de médicaments chimiques trouvent leur origine dans une plante. Demandez à votre pharmacien : il vous confirmera que 80 % d'entre eux ont été créés grâce à des recherches sur les plantes.

Mais une fois que le "principe actif" est isolé, les chimistes tentent de le "re-fabriquer" par des moyens entièrement chimiques. Malheureusement, ce qui est préférable pour un laboratoire, pour des raisons le plus souvent pratiques (il est tellement plus facile de mélanger des substances chimiques dans une éprouvette que de cultiver des dizaines de variétés de plantes !) ne l'est pas forcément dans votre intérêt, ni dans celui de votre santé.

Pourquoi vous soigner avec une "copie chimique" alors que vous pouvez avoir la plante originale ? Surtout que, bien souvent, le corps qui acceptait la plante se rebelle contre sa "copie chimique", provoquant les fameux effets secondaires que nous avons évoqués plus haut.

Justement, à propos des effets secondaires, la "bête noire" de nombreux malades, je voudrais ajouter que les biomédicaments, parce qu'ils sont composés de substances naturel-

les connues depuis des générations, en induisent généralement peu. Il y a au sein de la plante un équilibre qui
n'existe plus si on en sépare les composants ou si on les
reconstitue chimiquement.

Les biomédicaments sont donc, dans bien des cas, supé-
rieurs aux médicaments chimiques, ainsi que nous l'avons
démontré.

En résumé, cet ouvrage se propose de vous aider à mieux
vous soigner grâce à des biomédicaments. Ces remèdes as-
socient la puissance des médicaments traditionnels, fabriqués avec sérieux et convenablement dosés, à la douceur des
substances naturelles.

Que vous souffriez d'un problème de santé bénin ou bien
que votre maladie soit plus grave, vous trouverez dans ce
guide une information de première qualité. Vous aurez plus
de chances de le résoudre efficacement, en respectant davantage votre corps ; car les remèdes que vous absorbez doivent
vous soigner et non pas vous rendre plus malade que vous
ne l'êtes déjà.

Pour les problèmes de santé vraiment très bénins, ceux
pour lesquels vous ne jugez pas nécessaire de consulter un
médecin, ou du moins pas immédiatement (il est rare que
l'on appelle le médecin pour une insomnie ou un mal de tête
à 2 heures du matin !), vous trouverez aussi des solutions
faciles, applicables immédiatement.

Si vous estimez que votre médecin vous propose des traitements trop agressifs, qui vous conviennent mal, vous trouverez aussi des remèdes dont vous pourrez parler avec lui. Il
est possible qu'il les découvre en même temps que vous et
décide de vous les prescrire : aucun médecin ne peut connaître les milliers de médicaments présents dans le *Vidal* !

Si vous êtes de ces personnes qui font confiance à la

médecine classique, mais regrettent la trop grande agressivité de ses traitements, ce livre est pour vous : vous pourrez cumuler les avantages des plantes et autres substances naturelles avec ceux des médicaments classiques. Pourquoi recourir à des médicaments chimiques, certes puissants, mais pas toujours inoffensifs, alors que les plantes apportent souvent une solution douce et durable ?

Il y a davantage. Avec ce livre, vous ne serez plus complètement dépendant de votre médecin ; vous pourrez discuter avec lui de votre santé. En prenant celle-ci en mains, vous serez mieux soigné.

Par ailleurs, si vous prenez l'initiative de demander un biomédicament à votre pharmacien, vous pourrez en discuter avec lui, en toute connaissance de cause. Cela vous évitera de ressortir de l'officine avec un médicament cher et peu efficace : dans le doute, les pharmaciens conseillent souvent d'aller chez le médecin et vendent un médicament peu ou pas efficace, presque un placebo...

En conclusion, je voudrais bien préciser que cet ouvrage n'a pas pour vocation de se substituer à votre médecin. Ce dernier vous connaît, connaît votre état de santé et est à même de vous conseiller les remèdes les plus adéquats. Les biomédicaments, aussi efficaces soient-ils, ne sont pas des "potions magiques" : il est peut-être des cas où vous devrez recourir à des remèdes chimiques. Ce sera à un praticien compétent d'en décider.

Dernière recommandation : même si un biomédicament décrit dans cet ouvrage vous semble équivalent à votre médicament chimique actuel, n'interrompez aucun traitement et ne pratiquez aucune automédication **sans l'accord de votre médecin.**

Permettez-moi, au terme de cette introduction, de vous

souhaiter une lecture instructive et de vous transmettre tous mes vœux de bonne ou de meilleure santé, grâce aux biomédicaments.

QUELQUES CONSEILS PRATIQUES POUR UNE MEILLEURE SANTÉ

Cher Ami Lecteur,

En écrivant "Guérir sans médicaments chimiques", j'ai voulu vous fournir un guide pratique, sérieux et bien documenté, qui vous aide à retrouver une meilleure santé.

J'espère que grâce à mon livre, vous reconnaîtrez mieux les symptômes des maladies, que vous comprendrez mieux quelles en sont les causes probables et qu'ainsi, vous pourrez guérir plus rapidement et plus efficacement.

Chacune des rubriques qui suivent est divisée en trois parties bien distinctes.

D'abord, je vous fournis un certain nombre d'informations qui vous aideront à reconnaître plus facilement le problème de santé. Lorsque la consultation du médecin est indispensable, voire urgente, je vous le signale, bien évidemment. Vous trouverez aussi des informations de diététique pour apprendre à manger mieux : beaucoup de nos problèmes de santé trouvent en effet leur origine dans notre assiette !

Ensuite, je vous expose quelles plantes ou substances

naturelles (il y a quelques minéraux, notamment) sont les mieux à même de favoriser la guérison. Après chaque description, vous lirez une liste de biomédicaments qui contiennent cette plante.

Enfin, sous l'intitulé "les autres biomédicaments", j'ai regroupé les remèdes qui n'avaient pas leur place plus haut. Il peut s'agir d'un biomédicament très important, composé de plusieurs plantes, ou alors d'un remède précieux à avoir dans votre armoire à pharmacie. J'ai regroupé là également les biomédicaments de moindre importance.

Tout est clairement indiqué et vous vous y retrouverez sans difficulté.

Normalement, et sauf mention contraire, un seul biomédicament doit vous apporter le soulagement que vous attendez.

Par souci de convivialité, j'ai entièrement rédigé cet ouvrage en m'adressant à vous, ami lecteur. Cependant, l'emploi systématique du mot "vous" ne doit pas vous faire croire que je vous conseille ou prescris un traitement, un régime alimentaire ou une activité sportive.

Je ne suis ni médecin, ni pharmacien, et quand bien même le serais-je, votre santé est trop précieuse pour être remise entre les mains de quelqu'un qui ne vous connaît pas personnellement.

Votre problème de santé, aussi bénin soit-il, requiert un avis autorisé et un conseil personnalisé : c'est le rôle de votre médecin ou de votre pharmacien, hommes de l'art diplômés et compétents.

J'attire aussi votre attention sur un point important. **Les posologies sont mentionnées à titre purement indicatif.** Il s'agit, sous réserve d'éventuelles coquilles typographiques, des "posologies habituelles" au moment de la rédaction de l'ouvrage. Sachez qu'elles peuvent, dans certains cas particuliers, ne pas vous convenir.

Par ailleurs, les laboratoires ont le droit de modifier, sans préavis, la composition et la "posologie habituelle" des médicaments qu'ils mettent sur le marché. Aussi, je vous invite à consulter votre pharmacien et à lire attentivement la notice avant d'absorber quoi que ce soit, même s'il s'agit d'un remède vendu sans ordonnance.

Cette recommandation doit être respectée avec d'autant plus de scrupules quand le malade est un enfant ou une personne âgée.

Sauf mention contraire, toutes les posologies indiquées concernent des adultes. Si le malade est un enfant, il conviendra le plus souvent de réduire la dose en fonction de son âge et de son poids.

Toutes les informations que je fournis et tous mes commentaires postulent que le patient est en bonne santé et est atteint d'un trouble sans gravité. Vous devez en principe éviter l'automédication, *a fortiori* si le malade est atteint d'une affection grave.

Par ailleurs, si vous suivez déjà un traitement, il est important de ne pas l'interrompre, ni d'absorber de nouveaux médicaments, sans l'accord préalable de votre médecin traitant.

Après ces quelques recommandations dictées par la prudence et ma volonté de vous apporter la meilleure information possible, permettez-moi de vous souhaiter une bonne lecture et de vous adresser mes meilleurs vœux de santé.

Votre bien dévoué,

Thomas Courtenay

Prévenez et guérissez la plupart des maladies par les biomédicaments

Abcès, furoncles

Un abcès est une accumulation de pus dans les tissus ou dans un organe (les poumons, par exemple), à la suite d'une inflammation. Rougeurs et douleurs apparaissent, ainsi que de la fièvre dans certains cas.

Un furoncle est une petite tumeur due à l'inflammation d'un follicule pileux et de la région avoisinante. Le staphylocoque doré est généralement en cause. On appelle furonculose l'apparition de furoncles dans plusieurs endroits du corps. Les furoncles à répétition nécessitent la consultation d'un médecin : ils peuvent en effet révéler un excès d'acide urique ou bien un diabète.

Vous devez purifier votre organisme et votre sang afin qu'abcès et furoncles mûrissent et disparaissent.

Ce truc de "bonne fame" fait disparaître abcès et furoncles plus facilement

Un truc de "bonne fame" pour faire disparaître abcès et furoncles : faites bouillir des oignons et, pendant qu'ils sont encore chauds, faites-en un cataplasme et appliquez-le sur le furoncle. Il mûrira et cicatrisera plus facilement.

LES PLANTES QUI FAVORISENT LA DISPARITION DES ABCÈS ET FURONCLES

Salsepareille : elle purifie votre corps et renforce vos défenses naturelles

La salsepareille *(Smilax medica L.)* est la plante purificatrice de votre corps par excellence.

Cette plante stimulera vos défenses immunitaires et nettoiera vos tissus.

> ➤ Teinture Mère Salsepareille : prendre 30 gouttes, 3 fois par jour.

> ➤ Arkogélules Salsepareille® (Arkopharma, *non remboursé*) : prendre 1 gélule, matin, midi et soir, avec un grand verre d'eau, au moment des repas.

Bardane : pour combattre les problèmes de peau avec succès

Contre les affections de la peau, la bardane *(Arctium lappa L.)* est souveraine. Elle combat acné, eczéma et furoncles avec beaucoup de succès.

Elle nettoie votre peau, élimine les toxines. Son action antibactérienne la rend tout à fait intéressante contre les abcès et furoncles.

Si vos furoncles sont dus au diabète, la bardane vous fera le plus grand bien, car elle fait baisser le taux de sucre dans le sang.

Pour combattre les furoncles, la bardane est généralement associée à la levure de bière.

> ➤ Teinture Mère Bardane : prendre 40 à 50 gouttes, 3 fois par jour.

> ➤ Arkogélules Bardane® (Arkopharma, *non remboursé*) : prendre 1 gélule, matin, midi et soir, avec un grand

verre d'eau, avant les repas. Vous pouvez prendre jusqu'à 5 gélules par jour, si nécessaire.

➤ Élusanes Bardane® (Plantes et Médecines, *non remboursé*) : prendre 1 gélule, matin et soir, au cours des repas, avec un verre d'eau.

Levure de bière : un puissant antibactérien qui rend votre peau plus belle

Ce champignon microscopique est un véritable don de la nature. Il permet de résoudre une multitude de problèmes de santé.

La levure de bière *(Saccharomyces cerevisiae)* est excellente pour soigner les problèmes de peau : ses composants antibactériens, très utiles contre l'acné, agissent aussi en profondeur contre les abcès et furoncles.

La levure de bière est généralement associée à la bardane pour lutter plus efficacement contre les abcès et furoncles.

➤ Arkogélules Levure de bière revivifiable® (Arkopharma, *non remboursé*) : prendre 1 gélule, matin, midi et soir, avec un grand verre d'eau, avant les repas.

➤ Élusanes Levure de bière® (Plantes et Médecines, *non remboursé*) : prendre 2 gélules 2 fois par jour, avec un verre d'eau.

Acné

L'adolescence sans les boutons d'acné : est-ce possible ?

En fait, nous sommes très inégaux devant l'acné. Alors que certains adolescents comptent leurs boutons d'acné sur les doigts d'une main, d'autres en ont le visage couvert en permanence. L'acné touche même certains adultes.

Le secret pour éliminer définitivement votre acné

Le problème peut être d'origine hormonale ; il est aussi la conséquence d'une alimentation inadaptée. Le mauvais fonctionnement des reins et du foie, s'ils éliminent mal les déchets de votre corps, est aussi en cause : ces résidus, mal évacués, "sortent" par la peau. Celle-ci devient grasse, les impuretés s'accumulent, vos pores s'obstruent et des boutons apparaissent.

La disparition de votre acné passe par une meilleure élimination. Les biomédicaments ci-dessous vous aideront efficacement. Buvez beaucoup d'eau, environ 1,5 litre par jour. Et évitez les sucres, confiseries et pâtisseries, les matières grasses – surtout le beurre et la viande grasse – ainsi que l'alcool.

LES PLANTES QUI VOUS AIDENT À FAIRE DISPARAÎTRE L'ACNÉ

Pensée sauvage : ses précieux composants éliminent vos toxines et votre acné en même temps

On l'appelle aussi la "violette des champs". Vous pouvez compter sur la pensée sauvage *(Viola tricolor L.)* si vous souffrez d'une acné modérée ou si vous avez la peau grasse. Les tanins qu'elle vous transmet réduisent la sécrétion de sébum et luttent ainsi contre votre acné.

Par ailleurs, l'acné étant généralement causée par une élimination insuffisante des toxines, la pensée sauvage est tout indiquée : elle favorise l'expulsion des toxines par les reins et le foie. Elle favorise également votre transit intestinal. En urinant mieux et en allant plus facilement à la selle, vous désintoxiquez votre organisme et facilitez ainsi la disparition définitive de votre acné.

Riche en vitamine E, aux remarquables propriétés antioxydantes, la pensée sauvage est souvent recommandée en cure de printemps.

➤ Fitacnol® (Arkopharma, *non remboursé*) : composé de bardane, d'ortie et de pensée sauvage. Prendre 1 gélule matin et soir, pendant 4 semaines.

➤ Teinture Mère Pensée sauvage : prendre 50 gouttes, 3 fois par jour.

➤ Arkogélules Pensée sauvage® (Arkopharma, *non remboursé*) : 1 gélule matin, midi et soir, à prendre avec un grand verre d'eau, au moment des repas.

➤ Élusanes Pensée sauvage® (Plantes et Médecines, *non remboursé*) : 1 gélule, matin et soir, à prendre avec un grand verre d'eau.

Bardane : elle peut faire des "miracles" contre votre acné

On utilise la bardane *(Arctium lappa L.)* depuis l'Antiquité pour soigner les problèmes de peau. La tradition rapporte même que le roi de France Henri III aurait été guéri, grâce à elle, d'une grave maladie de peau.

Sa racine contient des polyènes, à l'action antibactérienne, qui combattent efficacement les germes et champignons cutanés.

Cette plante est bien connue pour ses bienfaits sur la peau : elle lui conserve sa jeunesse et la rend plus nette et plus lisse. Cette propriété "miracle" est due notamment à une substance contenue dans sa racine : elle nettoie le sang de ses impuretés, facilite l'oxygénation de l'épiderme, assainit la peau et rend le teint beaucoup plus frais.

On la recommandera, bien sûr, aux jeunes filles qui veulent avoir un teint de pêche, mais aussi aux femmes plus âgées qui veulent régénérer leur peau et rendre leur beauté plus éclatante. La bardane est fréquemment prescrite pour soigner toutes sortes de maladies de peau : acné, dermatose, furonculose, abcès, eczéma, dartres, etc.

La bardane sert aussi dans le traitement de fond des rhumatismes et du diabète sucré.

En cas d'acné ou pour les problèmes de peau en général, on la couple souvent avec la pensée sauvage pour optimiser son efficacité.

➤ Teinture Mère Bardane : prendre 40 à 50 gouttes, 3 fois par jour.

➤ Arkogélules Bardane® (Arkopharma, *non remboursé*) : 1 gélule matin, midi et soir, à prendre avec un grand verre d'eau, avant les repas. On peut prendre jusqu'à 5 gélules par jour, en cas de besoin.

➤ Élusanes Bardane® (Plantes et Médecines, *non remboursé*) : 2 gélules par jour, à prendre avec un verre d'eau.

➤ Effidose Bardane® (Chefaro-Ardeval, *non remboursé*) : prendre 1 récipient unidose par jour, dilué dans un demi-verre d'eau. **Ne pas utiliser chez l'enfant de moins de 15 ans.**

➤ Fitacnol® (Arkopharma, *non remboursé*) : composé de bardane, d'ortie et de pensée sauvage. Prendre 1 gélule matin et soir, pendant 4 semaines.

Ortie (ou feuille d'ortie) : cette plante purifie votre peau et renforce vos cheveux et vos ongles

L'ortie (ou feuille d'ortie) *(Urtica dioica L.)*, que vous ne devez pas confondre avec la racine d'ortie, est très riche en vitamines, minéraux, oligo-éléments, acides aminés essentiels, protéines et chlorophylle.

On l'utilise généralement en cas de chute de cheveux ou

d'ongles cassants, mais sa haute teneur en zinc la rend très efficace aussi si vous souffrez d'acné. Les jeunes gens qui ont ce problème bien désagréable en profiteront donc.

En enrichissant le sang et en facilitant l'élimination des toxines, la feuille d'ortie aide à purifier la peau et permet donc de combattre l'acné plus efficacement. Vous retrouverez ainsi plus facilement une belle peau, bien lisse et agréable au toucher.

➤ Teinture Mère Ortie : prendre 40 gouttes, 3 fois par jour.

➤ Arkogélules Ortie® (Arkopharma, *non remboursé*) : 1 gélule matin, midi et soir, à prendre avec un grand verre d'eau, avant les repas.

➤ Élusanes Ortie® (Plantes et Médecines, *non remboursé*) : prendre 1 gélule, matin et soir, au cours des repas, avec un verre d'eau.

➤ Fitacnol® (Arkopharma, *non remboursé*) : composé de bardane, d'ortie et de pensée sauvage. Prendre 1 gélule matin et soir, pendant 4 semaines.

Levure de bière : le secret d'une peau sans boutons a-t-il été découvert ?

La levure de bière *(Saccharomyces cerevisiae)* n'est pas une plante, c'est un champignon microscopique, très riche en vitamines et minéraux.

La liste de ses bienfaits est innombrable : elle stimule vos défenses naturelles, vous protégeant ainsi mieux des infections hivernales ; elle reconstitue votre flore intestinale en cas de diarrhée ou de constipation ; elle vous rend moins vulnérable à la fatigue et vous donne du tonus ; elle soigne un grand nombre de problèmes de peau.

Si votre peau est sèche ou terne, si vos cheveux ou vos

58

ongles se cassent facilement, la levure de bière peut sûrement beaucoup pour vous.

La levure de bière est très efficace en cas d'acné : elle contient en effet des substances antibiotiques capables de détruire les staphylocoques.

Choisissez de préférence de la levure de bière "revivifiable" : elle contient 1 milliard de levures vivantes au gramme, et se révèle donc plus active.

➤ Arkogélules Levure de bière revivifiable® (Arkopharma, *non remboursé*) : prendre 1 gélule matin, midi et soir, avec un grand verre d'eau, avant les repas.

➤ Élusanes Levure de bière® (Plantes et Médecines, *non remboursé*) : prendre 2 gélules, 2 fois par jour, avec un verre d'eau.

Alcoolisme, ivresse, consommation excessive d'alcool ponctuelle

---

Un verre... deux verres... trois verres...

À partir de quel moment devient-on alcoolique ? Y a-t-il une règle pour déterminer si quelqu'un est alcoolique ou non ?

L'alcoolisme est bien autre chose qu'un simple goût excessif pour l'alcool ou qu'une consommation démesurée passagère d'alcool. On peut être ivre sans être alcoolique, et être alcoolique sans jamais avoir été ivre.

Les alcooliques sont-ils en fait victimes d'une allergie ?

En réalité, une personne alcoolique est une sorte de "drogué" de l'alcool, quelqu'un qui se sent mal, voire malade, s'il n'absorbe pas quotidiennement sa ration d'alcool. Selon certains chercheurs, les alcooliques seraient en réalité des personnes *allergiques* à l'alcool !

L'alcoolisme commence souvent de manière pernicieuse. Un "coup dur" – décès, rupture sentimentale, ennuis financiers – sont souvent à l'origine des problèmes d'alcoolisme. L'alcool vient compenser, pendant quelques heures, le vide affectif ou faire oublier les ennuis.

Ce "truc" vous révèle si vous êtes un alcoolique potentiel

Un truc à connaître : s'il vous arrive de boire seul (sauf, bien sûr, si cela se limite à un banal verre de vin lors d'un repas), vous êtes peut-être un alcoolique en puissance.

Si vous avez un problème d'alcoolisme ou si l'un de vos proches est concerné, une aide psychologique est indispensable : consultez sans tarder un psychothérapeute ou inscrivez-vous aux Alcooliques anonymes.

Une consommation excessive d'alcool met à terme votre santé en grand danger.

L'alcool détruit peu à peu les cellules de votre foie, organe indispensable à la vie. Les personnes qui boivent beaucoup d'alcool risquent la cirrhose. Par ailleurs, votre système cardio-vasculaire est fortement endommagé par l'alcool, augmentant ainsi les risques d'accident cardiaque ou cérébral.

Des remèdes à base de plantes peuvent vous aider à vous désaccoutumer de l'alcool et à reprendre une vie normale.

Les plantes peuvent aussi vous aider à protéger votre foie si vous consommez beaucoup d'alcool. Elles peuvent également vous aider à régénérer votre foie après avoir cessé toute consommation. Cependant, votre problème ayant très probablement une cause psychologique, c'est un praticien spécialisé qui aura le plus de chance de vous aider à vous libérer de votre dépendance.

LES PLANTES QUI COMBATTENT LES EFFETS NOCIFS DE L'ALCOOLISME

Chardon-Marie : la plante qui soigne la cirrhose

Le chardon-Marie *(Silybum marianum L.)* possède un pouvoir vraiment extraordinaire : celui de reconstruire votre foie.

C'est pour cette raison qu'on le recommande en cas d'alcoolisme. Cette plante est d'ailleurs utilisée contre les cirrhoses et les hépatites, dont elle favorise et accélère la guérison, lorsque celle-ci est possible.

Grâce au chardon-Marie, votre bile s'écoule mieux. Le chardon marie vous aide donc si vous souffrez d'une insuffisance hépatique, ou même en cas de calculs biliaires.

Les personnes alcooliques ont intérêt à recourir aux bienfaits du chardon-Marie pour tenter de protéger leur foie des dégâts de l'alcool, en attendant bien sûr d'arrêter définitivement de boire.

➤ Teinture Mère Chardon-Marie : prendre 30 gouttes, 3 fois par jour.

➤ Arkogélules Chardon-Marie® (Arkopharma, *non remboursé*) : prendre 1 gélule, matin, midi et soir, avec un grand verre d'eau, au moment des repas.

Artichaut : comment régénérer les cellules de votre foie

L'artichaut *(Cynara scolymus L.)* agit également sur le foie de manière très bénéfique puisqu'il régénère ses cellules. Cette plante (il s'agit de la feuille, et non du cœur que l'on mange en vinaigrette !) lutte aussi contre l'excès de cholestérol.

L'artichaut est excellent contre les problèmes de foie et de vésicule biliaire puisqu'il favorise la production de bile, ainsi que son élimination.

En cas de jaunisse (ictère) et même de cirrhose, il rend de grands services puisqu'il favorise la régénération des cellules du foie : c'est dire sa puissance !

Si vous souffrez de constipation due à une mauvaise production de bile, le cas échéant accompagnée de migraines digestives, l'artichaut pourrait bien vous en délivrer. On le recommande aussi en cas de calculs biliaires.

Et comme l'artichaut est vraiment une plante de santé, il fait aussi baisser votre taux de cholestérol et votre tension artérielle.

- ➤ Chophytol® (Rosa-Phytopharma, remboursé) : composé d'extrait sec d'artichaut. Prendre 1 ou 2 comprimés, ou 1 cuillerée à café de solution buvable, avant les 3 repas.

- ➤ Teinture Mère Artichaut : prendre 30 gouttes, 3 fois par jour.

- ➤ Arkogélules Artichaut® (Arkopharma, *non remboursé*) : 1 gélule, matin, midi et soir, à prendre dans un grand verre d'eau, avant les repas.

- ➤ Élusanes Artichaut® (Plantes et Médecines, *non remboursé*) : prendre 1 gélule, 2 fois par jour, matin et soir, accompagnée d'un grand verre d'eau.

- ➤ Hépaclem® (Clément, *non remboursé*) : composé d'artichaut et de boldo, notamment. Prendre 1 ou 2 comprimés, 3 fois par jour, de préférence avant les repas.

➤ Actibil® (Arkopharma, *non remboursé*) : composé d'artichaut et de fumeterre. Prendre 1 à 2 gélules, 2 fois par jour, avec un verre d'eau, avant les repas.

LES AUTRES BIOMÉDICAMENTS

● **Le chrysanthellum** est un hépatoprotecteur très puissant. Il protège votre foie des agressions extérieures : alcool, médicaments, excès de table, toxines contenues dans les aliments. Il soigne avec bonheur les séquelles d'hépatite virale et de cirrhose.

➤ Teinture Mère Chrysanthellum : prendre 40 gouttes, 3 fois par jour.

➤ Arkogélules Chrysanthellum® (Arkopharma, *non remboursé*) : prendre 1 gélule, matin, midi et soir, avec un grand verre d'eau, au moment des repas.

● **L'aubier de tilleul** stimule les différentes fonctions de votre foie, notamment la sécrétion et l'élimination de la bile :

➤ Vibtil® (Lafon, *remboursé*) : composé d'aubier de tilleul, ce biomédicament vous aide à nettoyer votre foie. Prendre 1 ou 2 comprimés, matin, midi et soir.

➤ Teinture Mère Aubier de tilleul : prendre 30 à 40 gouttes, 3 fois par jour.

➤ Arkogélules Aubier de tilleul® (Arkopharma, *non remboursé*) : prendre 1 gélule, matin, midi et soir, avec un grand verre d'eau, avant les repas.

➤ Extrait Aqueux d'Aubier de tilleul® (Super Diet, *non remboursé*) : 3 à 6 ampoules par jour, pures ou diluées dans un peu d'eau.

Allaitement

Nourrir votre bébé au lait maternel est sans doute le meilleur moyen pour lui bâtir, dès le premier jour, une solide santé.

Les bébés alimentés de cette manière, la plus naturelle de toutes, dorment mieux, absorbent mieux les nutriments du lait, digèrent mieux et plus vite, ont de meilleures défenses immunitaires. En un mot, nourrissez votre bébé au sein, il sera plus heureux !

L'allaitement abîme-t-il vos seins... ou les protège-t-il ?

Contrairement à certaines idées reçues, l'allaitement ne fait pas grossir ni n'abîme les seins. Il protégerait même contre le cancer du sein.

Pour favoriser la montée de lait, le meilleur moyen est la tétée elle-même. Vous prendrez soin également de bien vider le sein après chaque tétée. Il est aussi important que vous buviez beaucoup d'eau.

LES PLANTES QUI FAVORISENT LA MONTÉE DE LAIT

Fenouil : cette plante aide les jeunes mamans à avoir plus de lait, et de meilleure qualité

Le fenouil *(Anethum foeniculum L.)*, également appelé aneth doux, est généralement utilisé contre les problèmes de gastrite et de colite.

Il stimule la digestion et combat très efficacement l'aérophagie.

Les jeunes mamans l'utiliseront plutôt en cas de montée de lait difficile ou insuffisante.

➤ Teinture Mère Fenouil : prendre 40 gouttes, 3 fois par jour.

➤ Arkogélules Fenouil® (Arkopharma, *non remboursé*) : prendre 1 gélule, matin, midi et soir, dans un grand verre d'eau, avant les repas.

Houblon : grâce à ses "œstrogènes végétaux", votre lait maternel est plus abondant et de meilleure qualité
Le houblon *(Humulus lupulus L.)*, bien connu, surtout dans le nord de l'Europe, pour favoriser le sommeil, contient des substances agissant de la même manière que les œstrogènes. Il sert ainsi en cas de problèmes féminins tels que les règles douloureuses ou insuffisantes et les troubles de la ménopause.

Si vous êtes une jeune mère dont la montée de lait est insuffisante, il vous est recommandé d'associer le houblon au fenouil.

➤ Teinture Mère Houblon : prendre 20 à 30 gouttes, 3 fois par jour.

➤ Arkogélules Houblon® (Arkopharma, *non remboursé*) : prendre 2 gélules, au repas du soir et au coucher, avec un grand verre d'eau.

Allergies, allergies alimentaires, allergies respiratoires, allergies cutanées

Les trois principales sortes d'allergies sont : les allergies alimentaires, les allergies respiratoires et les allergies cutanées ou de contact.

Faites-vous partie des 10 à 20 % de personnes qui sont allergiques à un ou plusieurs aliments ?

Les 5 signes qui trahissent probablement une allergie alimentaire

S'il vous arrive d'avoir de l'eczéma, de l'urticaire, des aphtes, des crises d'éternuements, voire des otites, vous êtes peut-être allergique à un aliment.

Les allergies alimentaires doivent toujours être prises au sérieux. Dans certains cas extrêmes, rares heureusement, elles peuvent se traduire par un œdème de Quincke, qui provoque un gonflement rapide du visage et de la gorge et peut ainsi entraîner la mort par étouffement.

Voici quels aliments vous devez éviter si vous êtes sujet aux allergies

Si vous êtes sujet aux allergies alimentaires, vous devez autant que possible éviter les aliments "industriels" et préférer la bonne vieille cuisine maison.

Pour donner à leurs préparations un goût savoureux et une belle couleur, faciliter leur conservation et réduire les coûts de production, les industriels ajoutent très souvent des produits chimiques (conservateurs, antioxydants et autres agents de sapidité) qui, sans être forcément dangereux pour la santé de tout un chacun, sont mal supportés par votre organisme, plus sensible.

Les produits laitiers, y compris le beurre, les œufs, le poisson, le sucre, le café, le thé, le chocolat, comptent parmi les facteurs les plus fréquents d'allergies.

Une technique très astucieuse et très efficace pour savoir à quel aliment vous êtes allergique

Il est important d'identifier l'aliment qui vous cause ces tracas ; ce n'est malheureusement pas toujours facile.

Voici cependant un truc efficace et très logique. Pendant quelques semaines, éliminez de votre alimentation l'aliment que vous soupçonnez être allergisant.

Si vous constatez que vos symptômes disparaissent, c'est sans doute que vous avez trouvé l'aliment qui vous fait du mal. Si au contraire, même au bout de plusieurs semaines, vos symptômes persistent, vous pouvez le consommer de nouveau et adopter la même démarche vis-à-vis d'un autre aliment potentiellement allergisant.

Cette technique est longue, mais la recherche d'une allergie est malheureusement difficile. La chance intervient en partie dans la réussite.

Attention ! Une allergie nouvelle peut être due à un aliment que vous mangiez autrefois sans problème

Voici, pour vous aider, une liste d'aliments qui provoquent généralement des allergies : le lait, les cacahuètes, les fraises, les œufs, les crustacés, la cuisine chinoise.

Une information très importante à savoir : un aliment que vous avez toujours mangé sans qu'il ne provoque aucune allergie peut, du jour au lendemain, devenir allergisant. Il est donc inutile d'éliminer d'emblée tel ou tel aliment parce que vous en mangez sans problème depuis que vous êtes enfant.

Et si votre aliment préféré était responsable de votre allergie ? Et pourquoi...

Il est intéressant de savoir que les aliments auxquels vous êtes allergique jouent souvent sur vous l'effet d'une "drogue". Vous aimez cet aliment sans savoir qu'il vous nuit, et plus vous en mangez, plus il aggrave votre allergie.

La cacahuète, aliment "vicieux" par excellence, est ainsi un aliment très allergisant. Aussi, si vous êtes naturellement porté sur un certain type d'aliment, dites-vous que c'est peut-être lui la cause de vos problèmes.

La meilleure manière (la plus efficace) de combattre une allergie respiratoire

Les allergies respiratoires sont également difficiles à combattre. Vous devez, en premier lieu, fortifier votre système immunitaire.

Ensuite, si vous aimez les tapis, moquettes et autres ornements susceptibles d'emprisonner la poussière et les petites bêtes qui y vivent, il faudra envisager de vous en débarrasser.

Vous vivez peut-être dans un environnement très poussiéreux et malsain, sans le savoir. En effet, les tentures murales, moquettes et tapis, même passés à l'aspirateur chaque matin, sont moins sains qu'un banal papier peint, parquet ou carrelage. Peut-être devrez-vous renoncer à une certaine esthétique pour le bien de vos poumons...

Les allergies de contact résultent, quant à elles, du contact de la peau avec un produit toxique. Quand vous bricolez, que vous faites de la peinture, prenez bien soin de mettre des gants et un masque.

LES PLANTES QUI COMBATTENT LES ALLERGIES

Plantain : la "plante miracle" contre les allergies respiratoires ?

Si vous souffrez d'une allergie respiratoire, le plantain

(Plantago major L.) sera peut-être pour vous la "plante mi-racle".

Cette merveilleuse plante est un anti-inflammatoire et un anti-allergique. De plus, en cas d'asthme, de rhume des foins, de toux ou de sinusite, il calme la toux, nettoie les voies respiratoires et adoucit votre gorge.

En cas de bronchite, pharyngite ou laryngite, le plantain calme également l'inflammation.

➤ Teinture Mère Plantain : prendre 30 gouttes, 3 fois par jour.

➤ Arkogélules Plantain® (Arkopharma, *non remboursé*) : prendre 1 gélule, matin, midi et soir, avec un grand verre d'eau, au moment des repas.

Pensée sauvage : elle est vraiment extraordinaire contre les problèmes de peau d'origine allergique

S'il existe une plante bienfaitrice pour votre peau, c'est bien la pensée sauvage *(Viola tricolor L.)*. Elle la nettoie, favorise l'élimination des impuretés et accélère la cicatrisation.

En stimulant vos fonctions d'élimination, ainsi qu'en vous apportant de la vitamine E, elle favorise la disparition de nombreux problèmes de peau, notamment d'origine allergique : eczéma, démangeaisons, urticaire, psoriasis. Elle vous sera aussi très utile si vous souffrez d'herpès.

Riche en vitamine E, aux remarquables propriétés anti-oxydantes, la pensée sauvage est souvent recommandée en cure de printemps.

Si vous souffrez d'une acné modérée ou si vous avez la peau grasse, ses tanins réduiront votre sécrétion de sébum.

Enfin, ce qui est toujours excellent, elle favorise votre transit intestinal.

➤ Teinture Mère Pensée sauvage : prendre 50 gouttes, 3 fois par jour.

➤ Arkogélules Pensée sauvage® (Arkopharma, *non remboursé*) : prendre 1 gélule, matin, midi et soir, avec un grand verre d'eau, au moment des repas.

➤ Élusanes Pensée sauvage® (Plantes et Médecines, *non remboursé*) : prendre 1 gélule, matin et soir, avec un grand verre d'eau.

Anémie

Vous êtes fatigué... Vous avez le teint pâle... Vous ressentez des vertiges...

Seriez-vous anémique ? Le diagnostic d'un médecin est, bien sûr, indispensable.

Une carence en vitamine B9, fréquente chez les femmes occidentales adultes, peut provoquer de l'anémie. Il en est de même si vous manquez de fer ou de vitamine B12. Dans ces trois cas, votre hémoglobine, le composant de votre sang qui oxygène vos cellules, ne remplit plus son rôle correctement, ce qui provoque les symptômes décrits plus haut.

Madame, cette erreur que vous commettez souvent à table peut vous rendre anémique

Vous devez manger de la viande ! Beaucoup de femmes éliminent cet aliment de leurs repas en croyant que cela les aide à garder la ligne.

C'est une erreur : les protéines contenues dans la viande sont indispensables pour une bonne santé. Et si vous mangez aussi peu de viande qu'un nourrisson qui tête sa mère, inutile de chercher plus loin la cause de votre anémie...

L'anémie disparaît souvent sous l'effet d'un bon régime alimentaire.

Mangez des aliments riches en fer : du foie d'agneau, du foie de poissons, de la dinde, du jaune d'œuf et des coquillages. Pensez aussi aux légumes suivants (mais sans pour autant renoncer à la viande !) : asperges, aubergines, épinards, olives, poireaux.

**Les 2 fruits qui accélèrent votre guérison :
ils multiplient par deux l'absorption du fer !**
Et enfin, un truc pour guérir plus vite : mangez beaucoup d'oranges et de pamplemousses. La vitamine C qu'ils contiennent multiplie par deux l'absorption du fer.

LES PLANTES QUI COMBATTENT L'ANÉMIE

Alfalfa : le végétal "anti-anémie" par excellence
En médecine, on le nomme alfalfa (*Allium sativum L.*), mais dans le langage commun, on parle de "luzerne". Eh oui ! C'est tout simplement l'aliment préféré de nos amis les lapins. Et c'est une plante vraiment merveilleuse.

L'alfalfa est très riche en protéines, en acides aminés, en vitamines et en minéraux.

Comme il contient beaucoup de fer, l'alfalfa vous fera le plus grand bien si vous souffrez d'anémie ou si vous êtes tout simplement fatigué.

Prenez-en aussi si vos cheveux sont ternes ou s'ils se cassent facilement ; de même, si vous avez les ongles fragiles. Et si vous avez trop de cholestérol, il vous aidera à le réduire.

Si vous êtes une femme, sachez que l'alfalfa contient un "œstrogène végétal" qui permet de lutter contre les problèmes de ménopause, et même contre l'ostéoporose.

➤ Teinture Mère Alfalfa : prendre 40 gouttes, 3 fois par jour.

➤ Arkogélules Alfalfa® (Arkopharma, *non remboursé*) : prendre 1 gélule, matin, midi et soir, avec un grand verre d'eau, au moment des repas.

Spiruline : elle combat très naturellement la fatigue que ressentent les personnes anémiques

Très riche en protéines (encore plus que le soja !), en fer, en bétacarotène, en vitamines B, en sels minéraux, en oligo-éléments et en acides gras essentiels, la spiruline *(Spirulina maxima)* peut vous aider à reconstituer vos forces si vous souffrez d'anémie.

Par ailleurs, elle combat efficacement la fatigue et aide à conserver une bonne condition physique, même chez les personnes qui mangent peu. C'est pourquoi elle est utile aux convalescents, aux personnes qui veulent maigrir et aux sportifs.

➤ Arkogélules Spiruline® (Arkopharma, *non remboursé*) : prendre 2 gélules, matin, midi et soir, avec un grand verre d'eau, au moment des repas.

LES AUTRES BIOMÉDICAMENTS

● **Le fenugrec** ne soigne pas l'anémie proprement dite, mais il augmente l'appétit et favorise la prise de poids. Ce qui, indirectement, contribue à lutter contre votre anémie :

➤ Fenugrène® (Aérocid, *remboursé*) : prendre 2 comprimés ou 1 cuillerée à soupe de solution buvable, 2 fois par jour, une demi-heure avant les repas. *Ne pas utiliser chez la femme enceinte, sauf avis médical.*

➤ Élusanes Fenugrec® (Plantes et Médecines, *non rem-*

boursé) : pour augmenter l'appétit et favoriser la prise de poids. Prendre 1 gélule, matin et soir, au cours des repas, avec un verre d'eau.

- **L'armoise** agit d'une manière similaire :
  - ➤ Natura Medica Armoise® (Dolisos, *non remboursé*) : prendre 1 ampoule, 2 fois par jour, dans un verre d'eau, au cours des repas. *Ne pas utiliser chez l'enfant.*

Angines, maux de gorge, inflammation de la gorge

"J'ai mal à la gorge et je n'arrive pas à avaler ma salive."

Ces mots signalent bien souvent les débuts d'une angine. Ensuite viennent les frissons et, parfois mais pas toujours, la fièvre. Les ganglions du cou sont enflés et douloureux en cas d'angine.

On distingue angine rouge (virale) et angine blanche (bactérienne). Pour vous, l'important est surtout de surveiller votre température. Il est recommandé de consulter votre médecin, et même d'urgence si vous avez 39° de fièvre.

Angines mal soignées et maladies cardiaques : la croyance populaire est-elle vraie ?

La croyance populaire dit qu'une angine mal soignée peut entraîner des problèmes cardiaques : c'est vrai ! Une angine mal soignée, surtout chez un enfant, peut, dans certains cas, rendre cardiaque, sourd, insuffisant rénal ou rhumatisant. Vous voyez qu'il ne faut pas plaisanter avec une angine, même banale.

Voici un truc bien utile : faites des gargarismes 2 fois par jour avec de l'eau et du sel de mer non raffiné.

LES PLANTES QUI COMBATTENT LES ANGINES

Propolis : protégez-vous des angines et guérissez-en plus vite

La propolis sert à prévenir et à soigner nombre de maladies respiratoires.

En cas d'angine, de bronchite, de grippe, de pharyngite, de rhume ou de rhume des foins, la propolis combat les microbes et les champignons, calme l'inflammation et accélère la cicatrisation.

Comme, en plus, elle renforce votre système immunitaire, la propolis est très utile aussi pour combattre l'herpès.

➤ Arkogélules Propolis® (Arkopharma, *non remboursé*) : prendre 1 gélule, matin, midi et soir, avec un grand verre d'eau, avant les repas.

Saule blanc : son "aspirine naturelle" combat les angines avec fièvre

Le saule blanc *(Salix alba L.)* aidera à faire tomber la fièvre. Il est donc d'un grand secours en cas de maladie infectieuse telle que grippe, angine ou simple refroidissement.

Son écorce est riche en acide salicylique : c'est une sorte d'aspirine naturelle, mais sans effets secondaires.

Le saule blanc est donc un anti-inflammatoire naturel, qui vous rendra aussi des services pour combattre votre arthrose. Vous avez tout intérêt à recourir aux bienfaits du saule blanc pour calmer les souffrances causées par les douleurs articulaires.

➤ Teinture Mère Saule blanc : prendre 40 gouttes, 3 fois par jour.

➤ Arkogélules Saule blanc® (Arkopharma, *non rembour-sé*) : prendre 1 gélule, matin, midi et soir, avec un grand verre d'eau, au moment des repas.

Bouillon blanc : la plante "spécial maux de gorge"

Le bouillon blanc *(Verbascum thapsus L.)* est une plante "spécial infections des voies respiratoires".

Si vous toussez, si votre gorge est enflammée, en cas de bronchite (qu'elle soit aiguë ou chronique), contre les trachéites et les maux de gorge en général, le bouillon blanc vous apporte le soulagement grâce à ses nombreux composants bénéfiques. Ils adoucissent la gorge, calment l'inflammation, réduisent la douleur et combattent les microbes.

➤ Teinture Mère Bouillon blanc : prendre 40 gouttes, 3 fois par jour.

➤ Arkogélules Bouillon blanc® (Arkopharma, *non remboursé*) : prendre 1 gélule, matin, midi et soir, avec un grand verre d'eau, au moment des repas.

LES AUTRES BIOMÉDICAMENTS

● En cas d'enrouement, **la guimauve** est excellente pour soulager vos maux de gorge :

➤ Élusanes Guimauve® (Plantes et Médecines, *non remboursé*) : effectuer 3 ou 4 pulvérisations par jour.

● Voici un bain de bouche, à base de **cannelle, badiane et anis,** qui combat les infections de la gorge :

➤ Homéodent® (Boiron, *non remboursé*) : pour combattre l'infection de la gorge. Faire un bain de bouche, 2 ou 3 fois par jour, en diluant 1 cuillerée à café de solution dans un verre d'eau. *Ne pas avaler.*

● **Le menthol, l'eucalyptol et la menthe poivrée** sont

associés dans ces célèbres pastilles pour combattre l'infection :

➤ Pullmoll Menthol Eucalyptol® (SmithKline Beecham, *non remboursé*) : chez l'adulte, prendre au maximum 10 à 20 pastilles par jour. *Ne pas utiliser chez l'enfant de moins de 30 mois, ni chez celui de moins de 7 ans, sans avis médical.*

● Voici enfin un autre biomédicament, à base de **menthe** et autres plantes, qui soulage vos maux de gorge :

➤ Glottyl® (Marion Merrel, non remboursé) : chez l'adulte, prendre 40 à 50 gouttes, 4 à 6 fois par jour, dans un verre d'eau ; chez l'enfant de 6 à 15 ans, prendre 10 à 20 gouttes, 4 fois par jour. *Ne pas utiliser chez l'enfant de moins de 6 ans. Toujours consulter un médecin pour les enfants de moins de 12 ans.*

Aphonie, enrouement, extinction de voix

Et voilà... Il faisait bon en ce début d'hiver et vous êtes sorti de chez vous, sans mettre d'écharpe. Vous avez pris un léger coup de froid et vous ne pouvez tout simplement plus parler : vous êtes aphone.

Ce n'est pas bien grave et, dans quelques temps, votre voix va redevenir comme avant.

La grande erreur qui peut retarder votre guérison

Si vos cordes vocales n'émettent aucun son, c'est qu'elles sont fatiguées, inutile donc de les forcer. Taisez-vous et laissez-les se reposer afin de retrouver leur vigueur. Il est inutile d'essayer de parler, cela ne peut que retarder votre guérison.

Si vous êtes fumeur, l'extinction de voix est un signal d'alarme. Vous fumez sans doute trop et vos cordes vocales se rebellent. Certains fumeurs perdent parfois la voix complètement. Vous devriez envisager très sérieusement d'arrêter de fumer.

LES PLANTES QUI VOUS AIDENT À RETROUVER VOTRE VOIX

Mauve : elle combat la toux et l'inflammation

La mauve *(Malva sylvestris L.)* combat la toux et l'inflammation. Elle adoucit votre gorge et vos voies respiratoires.

Cette plante vous fait le plus grand bien en cas de bronchite, de toux, si vous êtes enroué, ainsi qu'en cas de laryngite et de rhinopharyngite.

De plus, elle combat la constipation et les douleurs dues aux colites.

➤ Teinture Mère Mauve : prendre 40 gouttes, 3 fois par jour.

➤ Arkogélules Mauve® (Arkopharma, *non remboursé*) : prendre 1 gélule, matin, midi et soir, avec un grand verre d'eau, avant les repas. Vous pouvez prendre jusqu'à 5 gélules par jour.

Propolis : la plante "à tout faire" des problèmes respiratoires

La propolis sert à prévenir et à soigner nombre de maladies respiratoires.

En cas d'angine, de bronchite, de grippe, de pharyngite, de rhume ou de rhume des foins, la propolis combat les microbes et les champignons, calme l'inflammation et accélère la cicatrisation.

Comme, en plus, elle renforce votre système immunitaire, la propolis est très utile aussi pour combattre l'herpès.

➤ Arkogélules Propolis® (Arkopharma, *non remboursé*) : prendre 1 gélule, matin, midi et soir, avec un grand verre d'eau, avant les repas.

LES AUTRES BIOMÉDICAMENTS

● Très douce, **la guimauve** soulage les maux de gorge. Elle est aussi souveraine en cas d'enrouement :

➤ Élusanes Guimauve® (Plantes et Médecines, *non remboursé*) : effectuer 3 ou 4 pulvérisations par jour.

● **L'eucalyptus et le menthol** adoucissent et purifient vos voies respiratoires :

➤ Pastilles Salmon® (RPR Cooper, *non remboursé*) : chez l'adulte, sucer 1 pastille, 10 à 12 fois par jour. Chez l'enfant de plus de 3 ans, sucer 1 pastille, 3 à 6 fois par jour. *Ne pas utiliser chez l'enfant de moins de 3 ans, ni en cas d'asthme ou d'insuffisance respiratoire. Déconseillé chez la femme enceinte ou qui allaite.*

Aphtes

"Ouille ! J'ai un aphte !"

Ce n'est pas très agréable, alors que vous êtes en train de savourer avec délice votre plat préféré, de vous rendre compte qu'un aphte vient gâcher votre plaisir.

Les aphtes sont de petites ulcérations de la bouche, sans

gravité. Mais elles peuvent se trouver sur le palais, l'intérieur des joues, la langue, et même les gencives. Elles disparaissent en une semaine environ, mais dans ce laps de temps, manger peut être une véritable torture.

Aphtes à répétition : ce que vous devez savoir

Bien souvent, ils vous signalent un problème de digestion ou de stress. C'est pourquoi les remèdes proposés soignent plus généralement la digestion difficile.

Si vous êtes sujet aux aphtes à répétition, vous êtes peut-être allergique à un aliment.

Les bains de bouche avec du jus de citron dilué dans un peu d'eau donnent des résultats qui pourraient bien vous surprendre.

LES PLANTES QUI COMBATTENT LES APHTES

Argile blanche : elle traite le problème des aphtes à la racine

Contre les aphtes, le mieux est de faire appel au meilleur remède des problèmes d'estomac.

En tapissant la muqueuse de votre estomac et de vos intestins, l'argile blanche, très riche en silice, aluminium et sels minéraux, lutte contre les maux d'estomac, combat les brûlures d'estomac, vous donne un ventre beaucoup plus plat, et peut même favoriser la cicatrisation d'un ulcère gastrique.

Comme l'argile blanche absorbe les toxines logées dans votre tube digestif, elle est aussi très utile en cas de diarrhée ou d'infection intestinale.

➤ Arkogélules Argile blanche® (Arkopharma, *non remboursé*) : prendre 3 gélules par jour, avec un grand verre d'eau, entre les repas.

Lithothame : ce puissant anti-acide peut vous libérer de vos aphtes

Le lithothame *(Lithothamnium calcareum)* est une algue.

C'est surtout un puissant anti-acide. Il combat l'acidité gastrique et ses effets courants : brûlures d'estomac, douleurs, renvois aigres. Grâce à lui, vous allez retrouver une digestion agréable, sans ces tracas que sont les reflux acides et autres brûlures. Le lithothame combat aussi les aphtes.

L'excès d'acidité est aussi en cause dans de nombreux problèmes tels que l'arthrose, les rhumatismes, l'arthrite, les tendinites, les crampes, les gingivites, les sciatiques, la fatigue chronique, etc. On le recommande même contre les cystites.

Si vous prenez de la cortisone ou des anti-inflammatoires, le lithothame protégera votre estomac des effets néfastes de ces médicaments.

➤ Arkogélules Lithothame® (Arkopharma, *non remboursé*) : prendre 1 gélule, matin, midi et soir, avec un grand verre d'eau, au moment des repas.

Appétit (manque d'), anorexie, maigreur, prise de poids

Certaines personnes sont maigres par nature ; c'est leur constitution.

Elles peuvent manger un kilo de fraises au sucre et à la chantilly sans prendre un seul gramme. Inutile de chercher à les faire grossir : elles sont bien comme cela.

Par contre, si vous perdez du poids brutalement, il convient de consulter un médecin rapidement. C'est parfois le signe d'une maladie grave.

Adolescente qui perd du poids brutalement : qu'est-ce que cela cache ?

Chez une adolescente, la maigreur brutale peut être due à un problème d'anorexie.

Il existe deux sortes d'anorexie.

La jeune fille, pour des raisons esthétiques ou affectives, ne mange pas et dépérit peu à peu. C'est un problème sérieux, d'origine psychologique, qui requiert aussi la consultation d'un médecin.

L'anorexie bénigne est un banal manque d'appétit. Souvent liée au stress, à un événement désagréable tel qu'une rupture sentimentale ou la perte d'un emploi, elle disparaît en général rapidement.

Manque d'appétit : ce jus de légume, facile à boire, même sans faim, peut donner des résultats époustouflants

Le jus de céleri frais fait souvent des miracles contre ce manque d'appétit sans gravité. Essayez-le.

Au contraire, l'anorexie nerveuse ou mentale est une maladie grave, qui touche surtout les jeunes adolescentes. Une aide médicale est indispensable. Des troubles psychologiques en sont à l'origine. Il est important de la détecter très tôt, mais ce n'est pas facile car la jeune fille qui souffre d'anorexie la dissimule généralement très bien.

Comment déceler plus facilement l'anorexie chez la jeune fille

Un truc cependant peut être utile : si votre enfant refuse de manger à la maison, trouvant toujours un prétexte pour expliquer qu'elle a déjà mangé ailleurs, il y a peut-être anguille sous roche. Soyez vigilant !

En cas de manque d'appétit chronique chez l'enfant ou l'adulte, si vous avez chaque jour moins faim que la veille, il est utile également de consulter un médecin. Cela peut cacher un problème gastro-intestinal.

Dans les autres cas, si vous travaillez trop et êtes épuisé au point de n'avoir plus faim, plusieurs excellentes plantes peuvent vous aider à "aiguiser votre appétit".

LES PLANTES QUI VOUS DONNENT DE L'APPÉTIT

Fenugrec : la plante pour prendre du poids et améliorer votre forme physique

Le fenugrec *(Trigonella foenum-graecum L.)* est une plante qui traditionnellement, sert à prendre du poids.

On la conseille aux anorexiques et aux culturistes qui souhaitent augmenter leur masse musculaire. On raconte qu'à Rome, les gladiateurs l'utilisaient pour améliorer leur condition physique avant d'entrer dans l'arène.

Les recherches récentes ont permis de mieux comprendre le mode d'action de cette plante : elle régule le fonctionnement du pancréas qui produit l'insuline. Les diabétiques, dont le pancréas ne joue plus parfaitement son rôle, ont donc tout intérêt à recourir à cette plante.

Dans la lutte contre le diabète léger, on l'associe généralement à la cosse de haricot.

➤ Fenugrène® (Aérocid, *remboursé*) : composé de fenugrec, il augmente votre appétit et vous aide à prendre du poids. Prendre 2 comprimés ou 1 cuillerée à soupe de solution buvable, 2 fois par jour, une demi-heure avant les repas. *Ne pas utiliser chez la femme enceinte, sauf avis médical.*

➤ Teinture Mère Fenugrec : prendre 30 gouttes, 3 fois par jour.

➤ Arkogélules Fenugrec® (Arkopharma, *non remboursé*) : prendre 1 gélule, matin, midi et soir, avec un grand verre d'eau, avant les repas. On peut prendre jusqu'à 5 gélules par jour, si nécessaire.

➤ Élusanes Fenugrec® (Plantes et Médecines, *non remboursé*) : prendre 1 gélule, matin et soir, au cours des repas, avec un verre d'eau.

Curcuma : pour tous ceux qui n'ont jamais faim quand l'heure du repas approche

Si vous manquez d'appétit, si à l'approche des repas, vous n'avez envie de rien, et sûrement pas de manger, le curcuma *(Curcuma longa L.)* peut vous rendre cet appétit qui vous fait défaut.

C'est important car, à la longue, mal vous nourrir peut entraîner des carences, un affaiblissement de votre système immunitaire et toutes sortes de problèmes de santé.

Le curcuma est d'ailleurs une épice très prisée en Asie : ce n'est pas pour rien !

Cette plante stimule votre appétit et facilite la digestion, en soulageant les douleurs abdominales. Elle est aussi antibactérienne. Par ailleurs, elle soulage la fatigue, et on la recommande aux convalescents.

➤ Teinture Mère Curcuma : prendre 30 gouttes, 3 fois par jour.

➤ Arkogélules Curcuma® (Arkopharma, *non remboursé*) : prendre 1 gélule, matin, midi et soir, avec un grand verre d'eau, avant les repas.

Lavande : la plante idéale si vos soucis vous "coupent" l'appétit

La lavande *(Lavandula angustifolia L.)* vous calme et vous apporte une sérénité très appréciable. Vous vous sentez mieux grâce à elle, moins nerveux, moins anxieux.

Si votre manque d'appétit est d'origine nerveuse, la lavande vous aidera sûrement.

Cette plante a des effets très bénéfiques sur votre système nerveux. Elle est en outre aussi efficace pour les enfants que pour les adultes.

➤ Teinture Mère Lavande : prendre 30 gouttes, 3 fois par jour.

➤ Arkogélules Lavande® (Arkopharma, *non remboursé*) : chez l'adulte, prendre 2 gélules au repas du soir, puis 2 autres, au coucher. Chez l'enfant, prendre 1 gélule au repas du soir, puis 1 autre, au coucher.

LES AUTRES BIOMÉDICAMENTS

● **Le quinquina**, seul ou associé à d'autres plantes, stimule l'appétit :

➤ Quintonine® (SmithKline Beecham, *non remboursé*) : composé de 7 plantes, dont le quinquina et la gentiane, ce cocktail au goût délicieux vous stimule, vous aide à combattre la fatigue et vous redonne de l'appétit. Diluer le flacon dans 1 litre d'eau ou de jus de fruits et, en boire un verre, avant les repas. *Ne pas utiliser chez l'enfant de moins de 15 ans.*

➤ Teinture Mère Quinquina : prendre 30 gouttes, 3 fois par jour.

➤ Arkogélules Quinquina® (Arkopharma, *non rembour-*

sé) : elles stimulent votre appétit. Prendre 1 gélule, matin, midi et soir, avec un grand verre d'eau.

● **L'armoise** est également utile pour stimuler l'appétit, bien que ce ne soit pas sa principale propriété :

➤ Teinture Mère Armoise : prendre 30 gouttes, 3 fois par jour.

➤ Natura Medica Armoise® (Dolisos, *non remboursé*) : prendre 1 ampoule, 2 fois par jour, dans un verre d'eau, au cours des repas. *Ne pas utiliser chez l'enfant.*

Arthrose, arthrite

Vous avez mal aux genoux en montant les escaliers alors qu'il n'y a pas si longtemps, vous pouviez "grimper" 4 étages sans la moindre fatigue ?

C'est l'arthrose. Vos cartilages n'ont plus la même souplesse qu'autrefois et vous ressentez des douleurs.

Mal aux poignets, aux genoux, aux mains, au dos... En prenant de l'âge, vos articulations s'usent et, un jour ou l'autre, l'arthrose apparaît. Un geste que vous aviez l'habitude de faire sans problème se révèle un beau jour douloureux.

Heureusement, les douleurs ne sont pas permanentes, mais elles surgissent parfois quand vous ne les attendez pas. Vous vous appuyez quelque part et voilà que vous avez mal ; à l'inverse, lorsque vous vous reposez, ou bien la nuit, tout va mieux. Le matin, vous avez à nouveau l'impression de craquer de partout.

Certains médicaments sont pires que le mal : comment réagir

Que faire ? Les anti-inflammatoires présentent une efficacité certaine, mais leurs effets secondaires rendent parfois le traitement encore plus pénible que le mal ! Il est préférable de ne les utiliser qu'en cas d'absolue nécessité, pendant une crise aiguë par exemple.

Si vous souffrez de surcharge pondérale, en d'autres termes, si vous êtes "trop gros", même si le mot vous déplaît, et que vous essayez de justifier cela par toutes sortes de prétextes, il est grand temps de perdre du poids, car cela aggrave votre arthrose.

2 trucs vraiment très efficaces pour perdre du poids facilement et réduire votre arthrose

Faites de l'exercice, avec modération mais quotidiennement. Marchez, par exemple, et réduisez les graisses et les sucres de votre alimentation : cela vous aidera peu à peu à perdre du poids et vous vous rendrez compte alors que votre arthrose ira mieux d'elle-même.

Manger moins gras et moins sucré n'est pas un supplice, loin de là ! Bien sûr, la première fois que vous consommerez un steak grillé sans ajouter une noisette de beurre vous le trouverez un peu fade... mais persévérez et vous verrez que, quelques mois plus tard, c'est la viande trop grasse qui vous dégoûtera !

Le palais est un organe qui s'éduque : le lait écrémé, le fromage à 0 % ont aussi bon goût que leurs équivalents plus gras, il suffit de vous y habituer.

Contre l'arthrose proprement dite, nombre de plantes sont à même de vous soulager.

LES PLANTES QUI SOULAGENT L'ARTHROSE ET L'ARTHRITE

Harpagophytum : une "herbe magique" qui calme la douleur et fait baisser votre taux de cholestérol

L'harpagophytum *(Harpagophytum procumbens DC)* vient en tête des nombreuses plantes qui soulagent l'arthrose et ses douleurs. C'est en fait un anti-inflammatoire naturel, très puissant.

Les indigènes des contrées du sud de l'Afrique où il pousse l'appellent "griffe du diable". Sa racine secondaire a cette propriété extraordinaire de combattre en même temps la douleur et l'inflammation. Son action contre les rhumatismes est très appréciée pour sa grande efficacité.

Que vous souffriez de rhumatismes aigus ou chroniques, de polyarthrite rhumatoïde, d'arthrose, d'arthrite, de douleurs lombaires, de lumbago, de sciatique, de contractures, de goutte ou de tendinite, vous apprécierez les bienfaits de cette plante qui rend leur souplesse aux articulations.

L'harpagophytum a bien d'autres vertus : il stimule le foie, combat l'excès de cholestérol ainsi que d'acide urique. Les personnes qui souffrent d'asthme profiteront pleinement de son action désensibilisante.

Pour les indigènes, il s'agit bel et bien d'une herbe magique. Ils l'utilisent pour combattre les troubles digestifs, ainsi que comme calmant.

➤ Teinture Mère Harpagophytum : prendre 20 à 40 gouttes, 3 fois par jour.

➤ Arkogélules Harpagophytum® (Arkopharma, *non remboursé*) : en traitement d'attaque, 2 gélules, matin, midi et soir, au moment des repas ; en traitement de fond, 1 gélule, matin, midi et soir, au moment des repas.

➤ Élusanes Harpagésic® (Plantes et Médecines, *non remboursé*) : composé d'harpagophytum. Prendre 1 gélule, 2 fois par jour, matin et soir, accompagnée d'un grand verre d'eau.

➤ Élusanes Harpagésic gel® (Plantes et Médecines, *non remboursé*) : composé d'harpagophytum. Effectuer 3 applications par jour, en léger massage.

➤ Harpagophytum Boiron® (Boiron, *non remboursé*) : prendre 1 ou 2 gélules, 2 ou 3 fois par jour.

➤ Harpadol® (Arkopharma, *non remboursé*) : cet excellent biomédicament, composé d'harpagophytum, est recommandé en cas de petites douleurs articulaires. Prendre 3 à 4 gélules par jour, avec un grand verre d'eau, à la fin des repas.

➤ Harpagorel® (Diététique et Santé, *non remboursé*) : un autre anti-douleur articulaire composé d'harpagophytum. Prendre 1 à 2 gélules, 1 à 3 fois par jour.

➤ Algophytum® (Herbaxt, *non remboursé*) : composé d'harpagophytum. Prendre 1 capsule, 1 à 3 fois par jour.

Saule blanc : "une sorte d'aspirine naturelle sans effets secondaires"

Le saule blanc *(Salix alba L.)* est un autre anti-inflammatoire naturel qui vous aidera à combattre votre arthrose.

Son écorce est en effet riche en acide salicylique : c'est une sorte d'aspirine naturelle, mais sans effets secondaires. Vous avez tout intérêt à recourir aux bienfaits du saule blanc pour calmer les souffrances causées par les douleurs articulaires.

Le saule blanc vous aidera aussi à faire tomber la fièvre et sera d'un grand secours en cas de maladies infectieuses telles que grippe ou refroidissement.

➤ Teinture Mère Saule blanc : prendre 40 gouttes, 3 fois par jour.

➤ Arkogélules Saule blanc® (Arkopharma, *non remboursé*) : prendre 1 gélule, midi et soir, avec un grand verre d'eau, au moment des repas.

Reine-des-prés : elle combat l'arthrose, soulage la douleur et fait fondre la cellulite

La reine-des-prés *(Filipendula ulmaria Maxim.)* est une autre plante contenant de l'acide salicylique ; cela fait d'elle une sorte "d'aspirine végétale".

Elle a une puissante action anti-inflammatoire, combat la douleur et soulage l'arthrose et l'arthrite. Le grand avantage de la reine-des-prés est que son action est progressive, douce et particulièrement bien tolérée.

Il a été prouvé qu'associée au cassis, la reine-des-prés constitue un excellent traitement de fond contre les rhumatismes chroniques. Dans certains cas, peut-être le vôtre, il est possible de réduire considérablement, voire même de supprimer, la prise de médicaments antalgiques.

La reine-des-prés est aussi diurétique : elle active l'élimination des déchets de votre corps et vous aide donc à combattre la goutte et l'urée ; elle permet aussi de lutter activement contre la cellulite, la culotte de cheval et même l'embonpoint localisé, en s'attaquant aux excès de graisse.

➤ Teinture Mère Reine-des-prés : prendre 40 gouttes, 3 fois par jour.

➤ Arkogélules Reine-des-prés® (Arkopharma, *non remboursé*) : prendre 1 gélule, matin, midi et soir, avec un grand verre d'eau, au moment des repas. La posologie peut être portée à 5 gélules par jour, si nécessaire.

➤ Élusanes Reine-des-prés® (Plantes et Médecines, *non remboursé*) : prendre 1 gélule, matin et soir, accompagnée d'un grand verre d'eau.

➤ Arkofusettes Reine-des-prés® (Arkopharma, *non remboursé*) : prendre 2 à 5 sachets par jour de cet anti-rhumatismal, à préparer comme une tisane.

Frêne : il protège vos articulations du vieillissement et soulage vos douleurs

Le frêne *(Fraxinus excelsior L.)* est une autre de ces plantes qui soignent l'arthrose avec bonheur. L'analyse de ses composants révèle la présence d'une substance anti-inflammatoire, très utile pour lutter contre les douleurs articulaires.

Le frêne a une action diurétique et légèrement laxative : il permet donc de mieux éliminer et d'entraîner à l'extérieur de votre corps les déchets et poisons qui favorisent les rhumatismes par leur présence.

Par conséquent, le frêne est tout à fait indiqué pour soigner goutte, arthrose, douleurs articulaires et arthrite, de préférence en association avec l'harpagophytum.

Les chercheurs lui attribuent depuis peu une action antivieillissement des articulations. Le frêne serait donc tout à fait recommandable à titre préventif, pour empêcher ou retarder au maximum l'apparition de l'arthrose.

➤ Teinture Mère Frêne : prendre 30 gouttes, 3 fois par jour.

➤ Arkogélules Frêne® (Arkopharma, *non remboursé*) : 1 gélule, matin, midi et soir, à prendre avec un grand verre d'eau au moment des repas.

➤ Élusanes Frêne® (Plantes et Médecines, *non rembour-*

sé) : prendre 1 gélule, matin et soir, au cours des repas, avec un verre d'eau.

Ortie : elle aide à régénérer vos cartilages usés tout en combattant la douleur

L'ortie *(Urtica dioica L.)* joue un rôle très bénéfique dans le traitement de l'arthrose puisqu'elle a une action tout à fait intéressante sur les cartilages usés. Elle contient d'ailleurs du zinc dont les propriétés anti-inflammatoires sont reconnues depuis longtemps.

➤ Teinture Mère Ortie : prendre 40 gouttes, 3 fois par jour.

➤ Élusanes Ortie® (Plantes et Médecines, *non remboursé*) : prendre 1 gélule, matin et soir, au cours des repas, avec un verre d'eau.

Cassis : les étonnants pouvoirs du cassis en cas d'arthrose du genou et de goutte

Le cassis *(Ribes nigrum L.)* trouve aussi sa place parmi l'arsenal des plantes anti-arthrose.

Cette plante est bien connue pour soulager les rhumatismes. Ses feuilles agissent d'une manière tout à fait étonnante sur les rhumatismes et l'arthrose, en réduisant l'inflammation de manière douce, et bien moins agressive, surtout pour l'estomac, que les médicaments classiques.

Le cassis est tout particulièrement recommandé si vous souffrez d'arthrose du genou.

En favorisant l'élimination des déchets de votre corps, le cassis l'assainit et accentue encore le soulagement. On le conseille d'ailleurs également en cas de goutte.

➤ Arkogélules Cassis® (Arkopharma, *non remboursé*) : prendre 1 gélule matin, midi et soir, avec un grand verre d'eau, au moment des repas. La posologie peut être portée à 5 gélules, si nécessaire.

➤ Élusanes Cassis® (Plantes et Médecines, *non remboursé*) : prendre 1 gélule, matin et soir, au cours des repas, avec un verre d'eau.

➤ Cassis Boiron® (Boiron, *non remboursé*) : prendre 1 gélule, 1 à 3 fois par jour.

LES AUTRES BIOMÉDICAMENTS

● Le remède qui suit est très précieux. On pourrait même le qualifier de remède "à tout faire". **Composé d'avocat et de soja**, il est prescrit par les médecins généralistes en cas d'arthrose, et par les chirurgiens-dentistes en cas d'inflammation des gencives ou de déchaussement des dents :

➤ Piasclédine® (Pharmascience, *remboursé*) : prendre 1 gélule par jour avec un verre d'eau, au cours d'un repas.

● Le baume qui suit peut vous rendre de grands services. **Composé d'essences de plantes ainsi que d'un dérivé salicylé** (substance chimique proche de l'aspirine), c'est un anti-rhumatismes efficace pour calmer vos douleurs articulaires :

➤ Baume Arôma® (Mayoly-Spindler, *remboursé*) : masser la région douloureuse 2 fois par jour.

● Pour capitaliser les bienfaits de **l'harpagophytum, du cassis et du saule blanc**, voici un excellent remède contre les douleurs articulaires qui contient ces trois plantes :

➤ Arkophytum® (Arkopharma, *non remboursé*) : en traitement d'attaque, 2 gélules 3 fois par jour, à prendre à la fin des repas, pendant 15 jours environ ; en traitement d'entretien, 1 gélule 3 fois par jour, à prendre à la fin des repas, pendant 1 mois renouvelable.

- D'autres biomédicaments mettent en œuvre une ou plusieurs des plantes recommandées en cas d'arthrose : **reine-des-prés, harpagophytum, cassis, saule, ortie**, etc.

  ➤ Artrosan® (Dolisos, *non remboursé*) : cet anti-arthrose est un mélange d'harpagophytum et de reine-des-prés. Prendre 1 à 2 doses, 2 à 3 fois par jour.

  ➤ Artival® (Chefaro-Ardeval, *non remboursé*) : très riche en cassis et en reine-des-prés, prendre 1 à 2 doses, 2 à 3 fois par jour, en cas de petites douleurs d'arthrose.

  ➤ Arthroflorine® (Lehning, *non remboursé*) : cet anti-rhumatismal est composé de saule, d'ortie, d'olivier et de bouleau. Prendre 1 sachet, 2 fois par jour, après les repas.

Asthme

Les crises d'asthme sont bien difficiles à supporter pour les personnes qui en souffrent.

Elles surviennent généralement la nuit et le malade ressent cette pénible impression d'étouffement caractéristique. Il se réveille hagard, cherchant un air qu'il semble ne pas trouver, se rendant parfois à la fenêtre dans l'espoir de mieux respirer. Puis il tousse et crache, parfois abondamment. Enfin, tout rentre dans l'ordre, sa respiration reprend son cours normal... jusqu'à la prochaine crise, malheureusement.

La pollution n'est pas étrangère au développement de l'asthme. De multiples substances toxiques sont présentes dans l'air et certaines personnes, peut-être vous, le supportent très mal.

Comment expulser en permanence les toxines et réduire la fréquence des crises

Les acariens, ces petites bêtes qui vivent dans les matelas, moquettes, tapis, et la poussière en général, favorisent aussi l'apparition de l'asthme.

Vous avez intérêt à procéder au moins 3 fois par an à un nettoyage anti-acariens de la maison.

Des exercices respiratoires, comme apprendre à respirer profondément par exemple, peuvent contribuer à limiter votre asthme : une bonne respiration effectue un massage thoracique salutaire qui expulse en permanence les toxines présentes et réduit les risques de crises et donc leur fréquence.

LES PLANTES QUI SOULAGENT L'ASTHME

Éphédra : la plante "anti-asthme" qui dilate vos bronches et rend votre respiration tellement plus facile

L'éphédra *(Ephedra sinica Stapf.)* contient de l'éphédrine naturelle : elle dilate vos bronches, vous aide à avoir une meilleure respiration et est donc utile pour soigner l'asthme et la bronchite chronique.

En cas de rhume, de rhume des foins ou de sinusite, grâce à l'éphédra, vous respirez mieux, vos sécrétions diminuent. Ainsi vous n'avez plus le nez bouché. Pour tous les problèmes respiratoires concernés, l'éphédra produit ses effets de façon permanente tout au long de la journée, soulageant encore davantage.

De plus, si vous avez des kilos en trop, l'éphédra vous

aidera à brûler plus de calories, à faire fondre la graisse en excédent et donc à maigrir et retrouver une belle silhouette ainsi qu'une meilleure santé.

➤ Teinture Mère Éphédra : prendre 30 gouttes, 3 fois par jour.

➤ Arkogélules Éphédra® (Arkopharma, *non remboursé*) : prendre 1 gélule, matin, midi et soir, avec un grand verre d'eau, au moment des repas.

Marrube blanc : il facilite l'évacuation de vos sécrétions et diminue l'inflammation et la toux

Le marrube blanc *(Marrubium vulgare L.)* vous aide à mieux respirer, plus profondément, plus facilement, surtout en cas d'asthme ou de bronchite.

Cette plante rend vos sécrétions plus fluides, ainsi vous les crachez plus facilement. Votre toux, même forte, se calme, et l'inflammation diminue.

Le marrube blanc dilate aussi vos bronches, rendant ainsi votre respiration bien plus agréable si vous souffrez d'asthme.

Et en plus, il repose votre cœur, luttant contre les palpitations et extrasystoles.

➤ Teinture Mère Marrube blanc : prendre 30 gouttes, 3 fois par jour.

➤ Arkogélules Marrube blanc® (Arkopharma, *non remboursé*) : prendre 1 gélule, matin, midi et soir, avec un grand verre d'eau, avant les repas. Vous pouvez prendre jusqu'à 5 gélules par jour.

➤ Élusanes Marrube blanc® (Plantes et Médecines, *non remboursé*) : prendre 1 gélule, matin et soir, au cours des repas, avec un verre d'eau.

➤ Hamon N° 15 État Grippal® (Aérocid, *non remboursé*) :

composé de 9 plantes, dont l'éphédra, il soigne les états grippaux, les bronchites et l'asthme. Prendre 1 tasse le matin, à midi et au coucher.

UN AUTRE BIOMÉDICAMENT

L'eucalyptus, antiseptique pulmonaire, vous aidera à toujours conserver des voies respiratoires parfaitement propres :

➤ Natura Medica Eucalyptus® (Dolisos, *non remboursé*) : prendre 1 ampoule, 2 fois par jour, dans un verre d'eau, au cours des repas. *Ne pas utiliser chez l'enfant.*

Bleus, ecchymoses, hématomes, fragilité capillaire, contusions, coups, fractures

C'est l'hiver... Il a neigé voici quelques jours... Vous sortez dans la rue et, patatras, vous voilà par terre. Vous avez glissé sur une plaque de verglas. Votre jambe vous fait mal. Avez-vous une fracture ?

Beaucoup de gens croient dur comme fer que si, à la suite d'un coup, on ne crie pas comme un damné, c'est qu'on ne s'est rien cassé. Faux. On a vu des personnes qui continuaient à marcher avec le col du fémur cassé !

Après un choc violent (chute, accident, etc.), consultez toujours un médecin, même si vous vous sentez bien et pensez que votre douleur passera d'elle-même. De plus, en cas de fracture, cela évitera à votre os de se ressouder "de travers", avec tous les ennuis qui s'ensuivent...

Si le "bobo" est moins grave, un simple bleu par exemple, vous trouverez dans les lignes qui suivent de quoi soulager la douleur, favoriser la cicatrisation et calmer l'inflammation.

Si vos capillaires sanguins sont fragiles et éclatent au moindre choc, vous trouverez aussi des remèdes qui les renforceront.

LES PLANTES QUI VOUS AIDENT À SURMONTER LES TRAUMATISMES

Bambou : il facilite la "reconstruction" de vos os brisés

Le bambou *(Bambousa arundinacea)* aide tous ceux qui souffrent d'une fracture et ont besoin d'un bon reminéralisant pour accélérer la reconstruction de leurs os brisés.

Comme il est très riche en silice, grâce à lui, vos os et votre tissu conjonctif produisent davantage de collagène et favorisent la reconstruction de vos cartilages abîmés.

C'est une plante "miracle" en cas de problèmes articulaires grâce à son effet reminéralisant. Elle rend aussi des services prodigieux aux femmes au moment de la ménopause, car elle aide à combattre plus efficacement l'ostéoporose.

Si vous avez mal au dos, le bambou est sans doute indiqué, les douleurs au dos étant souvent d'origine articulaire, la haute teneur en silice du bambou ne peut que vous faire grand bien.

➤ Arkogélules Bambou® (Arkopharma, *non remboursé*) : prendre 1 gélule, matin, midi et soir, avec un grand verre d'eau, au moment des repas.

Lithothame : riche en calcium, cette algue accélère la consolidation de votre fracture

Le lithothame *(Lithothamnium calcareum)*, une algue aux effets bienfaisants, est une excellente source de calcium.

Vous pouvez donc compter sur lui pour favoriser la consolidation de votre fracture.

Par ailleurs, si vous prenez de la cortisone ou des anti-inflammatoires, le lithothame protégera votre estomac des effets néfastes de ces médicaments.

➤ Arkogélules Lithothame® (Arkopharma, *non remboursé*) : prendre 1 gélule, matin, midi et soir, avec un grand verre d'eau, au moment des repas.

Huile de foie de morue : comment conserver des os solides et résistants jusqu'à un âge avancé

L'huile de foie de morue est excellente pour les enfants et les personnes âgées.

Cette huile, réputée pour son goût horrible, favorise la croissance et la construction d'os solides. Grâce à la vitamine D qu'elle contient, le calcium est mieux assimilé et les os des enfants sont renforcés.

Or, en matière d'os, ce qui est bon pour les enfants l'est aussi pour les personnes plus âgées qui doivent conserver un squelette solide quand la vieillesse approche. L'huile de foie de morue est donc recommandée pour lutter contre l'ostéoporose. Elle sert aussi en cas de fracture pour favoriser la consolidation.

L'huile de foie de morue est une merveille de santé.

➤ Arkogélules Huile de foie de morue® (Arkopharma, *non remboursé*) : chez l'adulte, prendre 4 à 6 gélules par jour. Chez l'enfant de 10 à 15 ans, prendre 4 gélules par jour. Chez l'enfant de moins de 10 ans, prendre 1 ou 2 gélules par jour.

Mélilot : il combat la fragilité capillaire et les phlébites en même temps

Si vos vaisseaux cutanés sont fragiles, s'ils se rompent facilement, vous devriez peut-être essayer le mélilot *(Melilotus officinalis L.)*.

De même, si vous êtes sujet aux phlébites, le mélilot est sans doute la plante que vous attendez depuis longtemps. Cette plante contient en effet un anticoagulant léger qui rend votre sang plus fluide et vous protège des phlébites.

En cas de varices, le mélilot qui renforce vos veines est également très appréciable. De plus, il lutte contre l'inflammation et l'œdème.

Par ailleurs, le mélilot calme les maux de ventre liés à la digestion.

➤ Teinture Mère Mélilot : prendre 35 gouttes, 3 fois par jour.

➤ Arkogélules Mélilot® (Arkopharma, *non remboursé*) : prendre 1 gélule, matin, midi et soir, avec un grand verre d'eau, au moment des repas. Vous pouvez prendre jusqu'à 5 gélules par jour.

➤ Élusanes Mélilot® (Plantes et Médecines, *non remboursé*) : prendre 1 gélule, matin et soir, au cours des repas, avec un verre d'eau.

Papaye : la plante qui calme la douleur et réduit l'inflammation à la suite d'un coup

La papaye *(Carica papaya L.)* a un effet anti-inflammatoire très puissant.

Elle calme vos douleurs et réduit l'œdème. Elle est donc très utile à la suite d'un coup.

➤ Arkogélules Papaye® (Arkopharma, *non remboursé*) : prendre 3 gélules par jour, entre les repas.

Hamamélis : elle vous protège des bleus, ainsi que des varices et des hémorroïdes

L'hamamélis *(Hamamelis virginiana L.)* renforce vos veines et vos capillaires.

Grâce à elle, vos capillaires sont plus résistants et n'éclatent plus au moindre choc : vous évitez mieux les bleus.

L'hamamélis vous aide à avoir des veines plus fortes, dans lesquelles le sang circule mieux et ne stagne pas. Elle est donc excellente contre les jambes lourdes, varices et hémorroïdes.

➤ Teinture Mère Hamamélis : prendre 30 gouttes, 3 fois par jour.

➤ Arkogélules Hamamélis® (Arkopharma, *non remboursé*) : prendre 1 gélule, matin, midi et soir, avec un grand verre d'eau, au moment des repas.

➤ Élusanes Hamamélis® (Plantes et Médecines, *non remboursé*) : prendre 1 gélule, matin et soir, au cours des repas, avec un verre d'eau.

LES AUTRES BIOMÉDICAMENTS

● **L'arnica** est très utile pour soulager les douleurs consécutives à un coup :

➤ Arnican® (RPR Cooper, *non remboursé*) : ce biomédicament, à base d'arnica, lutte contre les œdèmes et les inflammations. Il est donc très utile en cas de bleu ou de bosse. Faire 2 ou 3 applications par jour. ***Ne pas*** *utiliser sur les muqueuses, ni sur les lésions suintantes ou irritées. Ne pas utiliser chez le nourrisson.*

➤ Teinture Arnica Demel® (RPR Cooper, *non remboursé*) : faire une application sur le bleu ou la bosse, immédiatement après avoir reçu le coup.

➤ Pharmadose Arnica® (Gilbert, *non remboursé*) : appliquer la compresse sur le bleu ou la bosse. *Ne pas appliquer sur les muqueuses.*

➤ Lelong Contusions® (SmithKline Beecham, *non remboursé*) : composé d'arnica. Masser doucement la partie souffrante plusieurs fois par jour. *Ne pas appliquer sur les plaies.*

● Voici plusieurs crèmes qui pourront soulager vos douleurs :

➤ Matiga® (Pierre Fabre Santé, *non remboursé*) : composé d'huile d'arachide. Faire 2 massages ou 1 application en compresse par jour. *Ne pas utiliser chez l'enfant de moins de 12 ans. Ne pas appliquer sur les seins en cas d'allaitement.*

➤ Kamol® (Whitehall, *non remboursé*) : composé, entre autres, de menthol, d'eucalyptus et de camphre. Faire 2 ou 3 applications par jour, en massages doux et prolongés. *Ne pas utiliser chez l'enfant, ni chez la femme enceinte ou qui allaite, sans avis médical.*

➤ Crème Ibis® (Amido, *non remboursé*) : composé de camphre. Faire 1 à 3 applications par jour, après avoir soigneusement nettoyé la peau. *Ne pas utiliser chez l'enfant de moins de 3 ans, ni chez celui de moins de 7 ans sans avis médical.*

Bourdonnements d'oreilles, surdité, baisse de l'audition

Les bourdonnements d'oreilles, tout le monde en a eu un jour ou l'autre.

Vous êtes soumis à un bruit d'intensité trop élevée pendant une durée trop longue et voilà que votre oreille se rebelle : des bourdonnements d'oreilles apparaissent. C'est un signe qu'elle vous envoie. Les amateurs de discothèques et de walkman "à plein tube" le savent bien.

Ce que vous devez faire avant tout, si vos oreilles bourdonnent

Parfois, un simple bouchon de cérumen suffit à produire les bourdonnements en question. C'est ce que vous devez vérifier en premier.

Mais d'autres causes plus sérieuses peuvent provoquer ce désagréable symptôme : hypertension artérielle, foie fatigué, artériosclérose, etc. Le vieillissement peut aussi être en cause – à 70 ans, on entend généralement moins bien qu'à 20 !

Bouchons de cérumen : un truc qui a fait ses preuves

Contre les bouchons de cérumen, voici un truc qui a fait ses preuves.

Le jus de citron peut être votre sauveur : mettez-en une goutte dans chaque oreille, une fois par semaine. C'est radical pour empêcher la formation de la cire.

LES PLANTES QUI VOUS AIDENT À MIEUX ENTENDRE

Ginkgo : pour ralentir le vieillissement cérébral et la baisse d'audition qui l'accompagne le plus souvent

À l'heure actuelle, il n'existe probablement rien de mieux que le ginkgo *(Ginkgo biloba L.)* contre le vieillissement et ses effets.

Cet arbre préhistorique – il est identique à ce qu'il était voici 250 millions d'années ! – est un modèle de lutte contre le vieillissement. Il vit d'ailleurs mille ans environ.

Le ginkgo ralentit le vieillissement cérébral. Grâce à lui, vous entendez mieux, vous voyez mieux, vous avez une mémoire plus fidèle et vos facultés d'attention s'améliorent. De plus, il vous aide à conserver en permanence une humeur parfaite.

Le ginkgo lutte aussi contre les troubles de l'équilibre et les tremblements chez les personnes d'un certain âge.

- ➤ Tanakan® (Ipsen, *remboursé*) : composé de ginkgo biloba. Prendre 1 dose ou 1 comprimé, 3 fois par jour.
- ➤ Ginkogink® (Urpac Astier, *remboursé*) : composé de ginkgo biloba. Prendre 1 dose d'1 ml, 3 fois par jour, dans un demi-verre d'eau, pendant les repas.
- ➤ Tramisal® (Urpac Astier, *remboursé*) : composé de ginkgo biloba. Prendre 1 dose, 3 fois par jour.

Petite pervenche : un excellent moyen de lutter contre la baisse d'audition après 60 ans

La petite pervenche *(Vinca minor L.)* améliore votre circulation cérébrale et l'oxygénation de vos cellules. C'est un excellent moyen de lutter contre vos bourdonnements d'oreilles ou votre baisse d'audition.

La petite pervenche dilate vos artères coronaires, prend

soin de vos capillaires cérébraux et facilite donc l'oxygénation de votre cerveau : vous avez alors une meilleure mémoire, vous êtes moins irritable, vous entendez et voyez mieux.

La petite pervenche est d'ailleurs une plante "anti-diabète", maladie qui se complique généralement d'autres troubles liés au taux trop élevé de sucre dans le sang : votre mémoire vous trahit, vous avez des vertiges, vous entendez et voyez moins bien, vous avez même parfois des pertes d'équilibre.

La petite pervenche est un des moyens naturels les plus performants pour combattre ces symptômes.

➤ Teinture Mère Petite pervenche : prendre 50 gouttes, 3 fois par jour.

➤ Arkogélules Petite pervenche® (Arkopharma, *non remboursé*) : prendre 1 gélule matin, midi et soir, avec un grand verre d'eau, au moment des repas.

Mélisse : elle atténue certains bourdonnements d'oreilles

La mélisse *(Melissa officinalis L.)* atténue certains bourdonnements d'oreilles.

La mélisse vous calme, réduit vos angoisses et votre anxiété. Elle est si efficace qu'elle aide même les personnes déprimées.

C'est aussi une excellente plante contre les problèmes de digestion ; et on peut même la recommander aux femmes enceintes pour se débarrasser des nausées, fréquentes au début de la grossesse.

➤ Infusion de Mélisse : faire infuser 5 g par litre d'eau.

➤ Arkogélules Mélisse® (Arkopharma, *non remboursé*) : chez l'adulte, prendre 1 gélule, matin, midi et soir, avec un grand verre d'eau, au moment des repas. Chez l'enfant, prendre 2 gélules par jour.

Bronchites, trachéites, catarrhes des voies respiratoires

Les autres années, vous passiez l'hiver sans problème. Mais cette année-ci, vous n'y avez pas échappé : quelqu'un vous a "collé" la grippe ! Et comme si cela ne suffisait pas, voilà qu'elle a dégénéré en bronchite. Que faire ?

Il existe deux sortes de bronchites : l'aiguë et la chronique.

La bronchite aiguë est une inflammation des bronches ; elle se déclenche souvent après une grippe ou un banal rhume. Vous avez une toux grasse, de la fièvre et des douleurs en haut de la poitrine. Il vous est fortement recommandé de consulter votre médecin sans tarder.

Bronchite ou trachéite : un remède vieux comme le monde qui donne toujours d'excellents résultats

La bronchite chronique est souvent due au tabac. Mais les personnes qui sont en contact prolongé avec de l'air pollué sont aussi de parfaits candidats pour cette maladie. C'est une bronchite sans fièvre, avec toux et crachats le matin. Si vous fumez, vous devez absolument arrêter.

La bronchite chronique doit toujours être traitée par un spécialiste, car si elle est mal soignée, elle peut entraîner des troubles respiratoires encore plus graves.

Le bouillon de poulet, vieux remède bien connu, est à consommer sans modération en cas de bronchite ou trachéite.

LES PLANTES QUI SOULAGENT BRONCHITES ET TRACHÉITES

Eucalyptus : comment soigner votre toux et tuer les microbes

En cas de toux, de bronchite, de rhume, de sinusite, l'eucalyptus *(Eucalyptus globulus Labill.)* est souvent tout indiqué.

Cette plante, qui sent très bon, calme votre toux et diminue l'irritation de vos bronches. De plus, elle rend vos sécrétions plus fluides, vous permettant ainsi de mieux les expectorer.

L'eucalyptus a des effets antibiotiques que vous apprécierez, si votre toux est due à une infection.

➤ Bronchodermine® (Tissot, *remboursé*) : composé d'eucalyptol et de pin, notamment. Cette crème fluidifie vos sécrétions, en cas de bronchite, et favorise leur élimination. Chez l'adulte, faire 2 ou 3 applications de pommade par jour. Chez l'enfant de plus de 30 mois, faire 1 ou 2 applications de pommade par jour, pendant 3 jours maximum. *Ne pas utiliser chez l'enfant de moins de 30 mois, ni chez la femme enceinte ou qui allaite.*

➤ Teinture Mère Eucalyptus : prendre 20 à 35 gouttes, 3 fois par jour.

➤ Arkogélules Eucalyptus® (Arkopharma, *non remboursé*) : prendre 1 gélule, matin, midi et soir, avec un grand verre d'eau, avant les repas.

➤ Natura Medica Eucalyptus® (Dolisos, *non remboursé*) : prendre 1 ampoule, 2 fois par jour, dans un verre d'eau, au cours des repas. *Ne pas utiliser chez l'enfant.*

➤ Nazinette Inhalateur® (PPDH, *non remboursé*) : composé d'eucalyptus et de 5 autres plantes. Faire plusieurs inhalations par jour dans les deux narines. *Ne pas utiliser chez l'enfant de moins de 3 ans, ni chez celui de moins de 7 ans sans avis médical.*

➤ Nazinette Nébuliseur® (PPDH, *non remboursé*) : composé d'eucalyptus et de 4 autres plantes. Faire une pulvérisation dans les 2 narines, 5 ou 6 fois par jour. *Ne pas utiliser au-delà de quelques jours, ni chez l'enfant, sauf avis médical.*

Propolis : voici comment renforcer vos défenses naturelles et passer l'hiver avec zéro bronchite, zéro grippe, zéro rhume

La propolis sert à prévenir et à soigner nombre de maladies respiratoires.

En cas d'angine, de bronchite, de grippe, de pharyngite, de rhume ou de rhume des foins, elle combat les microbes et champignons, calme l'inflammation et accélère la cicatrisation.

Comme, en plus, elle renforce votre système immunitaire, la propolis est très utile aussi pour combattre l'herpès.

➤ Arkogélules Propolis® (Arkopharma, *non remboursé*) : prendre 1 gélule, matin, midi et soir, avec un grand verre d'eau, avant les repas.

Marrube blanc : comment mieux respirer et moins tousser

Le marrube blanc *(Marrubium vulgare L.)* vous aide à mieux respirer, plus profondément, plus facilement, surtout en cas d'asthme ou de bronchite, ou encore de bronchite asthmatiforme.

Cette plante rend vos sécrétions plus fluides, ainsi vous

les crachez plus facilement. Votre toux, même forte, se calme, et l'inflammation diminue.

Le marrube blanc dilate aussi vos bronches, rendant ainsi votre respiration bien plus agréable si vous souffrez d'asthme.

Et en plus, il repose le cœur, luttant contre les palpitations et extrasystoles.

➤ Teinture Mère Marrube blanc : prendre 30 gouttes, 3 fois par jour.

➤ Arkogélules Marrube blanc® (Arkopharma, *non remboursé*) : prendre 1 gélule, matin, midi et soir, avec un grand verre d'eau, avant les repas. Vous pouvez prendre jusqu'à 5 gélules par jour.

➤ Élusanes Marrube blanc® (Plantes et Médecines, *non remboursé*) : prendre 1 gélule, matin et soir, au cours des repas, avec un verre d'eau.

Plantain : le secret pour réduire l'inflammation des bronches

Si vous souffrez d'une allergie respiratoire, le plantain *(Plantago major L.)* sera peut-être pour vous la "plante miracle".

Cette merveilleuse plante est en effet un anti-inflammatoire et un anti-allergique. De plus, en cas d'asthme, de rhume des foins, de toux, de sinusite, il calme la toux, nettoie les voies respiratoires et adoucit votre gorge.

En cas de bronchite, de pharyngite ou de laryngite, le plantain calme l'inflammation.

➤ Teinture Mère Plantain : prendre 30 gouttes, 3 fois par jour.

➤ Arkogélules Plantain® (Arkopharma, *non remboursé*) :

prendre 1 gélule, matin, midi et soir, avec un grand verre d'eau, au moment des repas.

Mauve : adoucissez votre gorge, toussez moins et respirez plus facilement

La mauve *(Malva sylvestris L.)* combat la toux et l'inflammation. Elle adoucit votre gorge et vos voies respiratoires.

Cette plante vous fait le plus grand bien en cas de bronchite (chronique, en particulier), de toux, si vous êtes enroué, ainsi qu'en cas de laryngite et de rhinopharyngite.

De plus, elle combat la constipation et les douleurs dues aux colites.

➤ Teinture Mère Mauve : prendre 40 gouttes, 3 fois par jour.

➤ Arkogélules Mauve® (Arkopharma, *non remboursé*) : prendre 1 gélule, matin, midi et soir, avec un grand verre d'eau, avant les repas. Vous pouvez prendre jusqu'à 5 gélules par jour.

➤ Médiflor Tisane Pectorale d'Alsace N° 8® (Monot, *non remboursé*) : composé notamment de bouillon blanc et de mauve. Boire 1 tasse d'infusion, 3 fois par jour.

Bourgeon de pin : un puissant remède contre tous les types de toux

Le bourgeon de pin *(Pinus sylvestris L.)* est excellent contre les infections hivernales, rhumes, sinusites et autres bronchites.

Il rend vos sécrétions plus fluides, vous aide donc à mieux vous en débarrasser, et en plus, calme l'irritation. C'est en effet un excellent antiseptique.

D'une manière générale, le bourgeon de pin vous fera le plus grand bien en cas de toux.

➤ Teinture Mère Pin : prendre 30 gouttes, 3 fois par jour.

➤ Arkogélules Bourgeon de Pin® (Arkopharma, *non remboursé*) : prendre 1 gélule, matin, midi et soir, avec un grand verre d'eau, avant les repas. Vous pouvez prendre jusqu'à 5 gélules par jour, si nécessaire.

Bouillon blanc : il soigne toutes les infections des voies respiratoires, qu'elles soient aiguës ou chroniques

Le bouillon blanc *(Verbascum thapsus L.)* est une plante "spécial infections des voies respiratoires".

Si vous toussez, si votre gorge est enflammée, en cas de bronchite (qu'elle soit aiguë ou chronique), contre les trachéites, le bouillon blanc vous apportera un soulagement grâce à ses nombreux composants bénéfiques. Ceux-ci, en effet, adoucissent la gorge, calment l'inflammation, réduisent la douleur et combattent les microbes.

➤ Teinture Mère Bouillon blanc : prendre 40 gouttes, 3 fois par jour.

➤ Arkogélules Bouillon blanc® (Arkopharma, *non remboursé*) : prendre 1 gélule, matin, midi et soir, avec un grand verre d'eau, au moment des repas.

➤ Médiflor Tisane Pectorale d'Alsace N° 8® (Monot, *non remboursé*) : composé notamment de bouillon blanc et de mauve. Boire 1 tasse d'infusion, 3 fois par jour.

Thym : il calme les quintes de toux et soigne efficacement la bronchite, la coqueluche... et même l'emphysème

Plante méditerranéenne très utilisée en cuisine, le thym *(Thymus vulgaris L.)* est un antiseptique d'une valeur inestimable.

Vous pouvez y recourir en cas d'infection pulmonaire. De

plus, comme il calme la toux, en particulier les quintes, on le conseille souvent aux personnes qui souffrent de la coqueluche ou même d'emphysème. Par ailleurs, le thym diminue aussi les sécrétions nasales, ce qui est bien utile quand vous avez le nez bouché.

On dit même que le thym est capable de détruire le virus de la grippe. Et c'est pour cette même raison (son action anti-virale) que le thym est également recommandé en cas d'herpès et de zona, pour prévenir les récidives.

Si vous êtes sujet à des troubles de l'intestin, tels que ballonnements ou aérophagie, vous pouvez compter sur lui, généralement en association avec du charbon végétal. Mais le thym soulage aussi en cas de diarrhée ou de vers intestinaux.

➤ Teinture Mère Thym : prendre 40 gouttes, 3 fois par jour.

➤ Arkogélules Thym® (Arkopharma, *non remboursé*) : prendre 1 gélule, matin, midi et soir, avec un grand verre d'eau, avant les repas.

LES AUTRES BIOMÉDICAMENTS

● **Composé d'eucalyptus et de benjoin**, voici un excellent biomédicament qui traite la plupart des affections des voies respiratoires. Il décongestionne les muqueuses :

➤ Fumigalène® (RPR Cooper, *remboursé*) : faire 1 à 3 inhalations par jour, avec 1 cuillerée à café de solution dans un bol d'eau très chaude ou un inhalateur. *Ne pas utiliser chez l'enfant de moins de 12 ans.*

● **Les fleurs de bourrache** vous soulagent en cas de bronchite aiguë. Elles calment les maux de gorge grâce à leurs propriétés adoucissantes :

➤ Vitaflor Bourrache® (Diététiques et Santé, *non remboursé*) : boire 1 à 3 tasses d'infusion par jour.

● **La guimauve** était déjà connue à l'époque de Dioscoride, dans l'Antiquité, pour soigner les maux de gorge et l'enrouement :

➤ Élusanes Guimauve® (Plantes et Médecines, *non remboursé*) : effectuer 3 ou 4 pulvérisations par jour.

Bronzage

Comment faciliter le bronzage et avoir un beau teint tout au long de l'année ?

Le soleil est excellent pour la santé car il permet de synthétiser la vitamine D.

Les 3 grands secrets pour bronzer... sans coup de soleil, ni brûlure

Pour mieux bronzer et éviter les coups de soleil, vous devez toujours utiliser une crème solaire de fort indice, même après plusieurs jours d'exposition.

Préférez le soleil du matin et celui de fin d'après-midi. Le soleil de 11 à 16 heures est le plus fort : vous bronzez plus vite, mais c'est idéal pour brûler. Si vous vous exposez à ces heures-là, ne restez pas plus d'une heure au soleil, et abritez-vous sous un parasol.

LES PLANTES QUI VOUS AIDENT À BRONZER EN TOUTE SÉCURITÉ

Carotte : elle accélère le bronzage tout en vous protégeant des allergies solaires

Lorsque vous vous exposez au soleil, la carotte *(Daucus carota L.)* vous protège des allergies solaires, surtout si vous avez le teint clair (blonds, roux).

La carotte accélère le bronzage et vous permet d'obtenir plus rapidement, et avec une meilleure sécurité, un beau teint hâlé.

La carotte rend votre peau plus belle. Elle vous donne bonne mine et protège vos cellules des dangereux rayons ultra-violets.

Par ailleurs, la carotte améliore votre vue, surtout à la tombée de la nuit.

La carotte agit en favorisant la production de vitamine A par votre corps. Mais comme vous n'absorbez pas directement de la vitamine A, vous ne courez pas de risque d'hypervitaminose.

Vous pouvez donner de la carotte aux enfants car elle les aide dans leur croissance.

➤ Arkogélules Carotte® (Arkopharma, *non remboursé*) : prendre 1 gélule, matin, midi et soir, avec un grand verre d'eau, avant les repas.

Huile de bourrache : ses deux merveilleux composants facilitent votre bronzage et préviennent les rides

L'huile de bourrache *(Borago officinalis L.)* contient deux merveilleux composants : deux acides gras polyinsaturés qui ralentissent le vieillissement de votre peau, favorisent son hydratation et luttent contre la formation des rides.

Pour garder plus longtemps que les autres une belle peau, dépourvue de rides, bien hydratée, l'huile de bourrache est donc tout indiquée.

Si vous avez déjà des rides, la peau sèche, ou même des vergetures, l'huile de bourrache vous apportera sans doute un amélioration notable. Votre peau sera plus souple, plus résistante. Même vos ongles et vos cheveux seront renforcés par une cure de bourrache.

➤ Teinture Mère Bourrache : prendre 30 gouttes, 3 fois par jour.

➤ Arkogélules Huile de bourrache® (Arkopharma, *non remboursé*) : prendre 1 ou 2 gélules, matin et soir.

Brûlures

Vous sortez un plat du four et vous touchez par mégarde la porte brûlante du four... Vous changez une ampoule encore brûlante... Et voilà, vous vous êtes brûlé !

On distingue trois types de brûlures.

Comment reconnaître d'un simple coup d'œil une brûlure superficielle d'une brûlure grave

La brûlure au premier degré est de faible gravité. À condition qu'elle s'étende sur une petite surface, elle guérit spontanément en quelques jours. Votre épiderme n'est touché qu'en surface.

La brûlure au second degré est plus grave. La peau prend une couleur rougeâtre et des cloques apparaissent. Il arrive qu'une brûlure qui semblait bénigne se révèle plus profonde, quelques heures plus tard, quand les cloques se forment.

La brûlure au troisième degré est encore plus grave, les

tissus sont atteints en profondeur et la greffe de peau peut se révéler nécessaire. Le peau prend alors une teinte soit très claire, soit très foncée ; étrangement, la douleur est souvent peu importante.

Pourquoi certaines brûlures superficielles sont plus graves qu'une brûlure profonde

Il n'y pas que l'intensité de la brûlure qui compte pour déterminer son degré de gravité : l'étendue de la brûlure est très importante également pour le diagnostiquer. Une brûlure au premier degré très étendue peut se révéler plus grave et dangereuse qu'une brûlure au deuxième degré localisée.

C'est facile à comprendre : la peau est votre protection contre les microbes extérieurs. En cas de brûlure, elle ne remplit plus son rôle et des infections peuvent se déclarer.

En cas de brûlure du deuxième ou troisième degré, ou en cas de brûlure légère mais étendue, vous devez consulter un médecin sans attendre. Cela est valable aussi en cas de coup de soleil, qui est aussi une brûlure, surtout si la victime est un enfant.

La grande erreur que vous ne devez jamais commettre en cas de brûlure... + 1 astuce géniale à connaître absolument

Il est important de ne jamais percer les cloques ; vous ouvririez la porte aux infections de toutes sortes.

En cas de brûlure, il est important de refroidir la peau tout de suite. Passez la partie brûlée sous l'eau froide, pendant 1 minute au moins, mais n'appliquez pas de glaçon.

Si vous vous brûlez les yeux avec un produit chimique, rincez-vous sans perdre une seconde à très grande eau et consultez de toute urgence un ophtalmologiste.

LES BIOMÉDICAMENTS QUI SOULAGENT
LES BRÛLURES

Plusieurs plantes, dont **le calendula,** soulagent les brûlures :

➤ Pommade Calendula Par Digestion® (Boiron, *remboursé*) : composé de calendula. Elle soulage les brûlures, les plaies superficielles, les piqûres d'insecte, favorise la cicatrisation et diminue la douleur. Faire 2 ou 3 applications par jour, après avoir nettoyé la région concernée.

➤ Crème au Calendula® (Boiron, *non remboursé*) : composé de calendula. Appliquer 2 fois par jour, après avoir soigneusement nettoyé la zone à traiter.

➤ Cicaderma® (Boiron, *non remboursé*) : composé de calendula. Appliquer 1 ou 2 fois par jour, après avoir nettoyé soigneusement la région à traiter. *Ne pas s'exposer au soleil ou à la lampe à bronzer pendant le traitement.*

➤ Crème Biostim® (Cassenne, *remboursé*) : composé de *Klebsiella pneumoniae.* En cas de brûlure superficielle ou d'ulcère de la jambe, faire 1 à 3 applications par semaine ; en cas de brûlure profonde, faire 1 application, 1 à 3 fois par jour. *Toujours bien nettoyer la plaie avec un sérum physiologique avant d'appliquer la crème.*

Calculs biliaires,
coliques hépatiques

Bistouri, ultrasons, laser : les moyens chirurgicaux sont maintenant légion pour extirper les calculs de votre organisme. Mais n'est-il pas moins douloureux d'utiliser la manière douce pour vous débarrasser de vos calculs ? Car c'est possible.

Les calculs biliaires sont, ni plus ni moins, des dépôts de minéraux dans votre vésicule biliaire. Lorsque le calcul, qui est en fait une pierre de petite taille, obstrue votre canal biliaire, vous ressentez d'horribles douleurs au niveau de l'estomac. Et tout cela s'accompagne de fièvre, de nausées et de vomissements.

12 aliments très efficaces pour faire disparaître naturellement les calculs biliaires... et éviter le bistouri du chirurgien !

Si vous êtes "gros", vous avez deux fois plus de risques de souffrir un jour de calculs biliaires. Il est sans doute temps d'adopter une meilleure alimentation, moins riche en sucres et en graisses, et de faire de l'exercice. De cette manière (la plus simple mais la plus efficace !), vous retrouverez facilement votre poids idéal.

Voici une liste d'aliments qui ont la réputation de faciliter la dissolution des calculs biliaires : ananas, artichaut, cresson, chou, cerise, laitue, olive, pissenlit, poireau, radis, tomate et pois chiche.

En cas de crise aiguë, massez la région du dos où siège la douleur, ainsi que les côtes, sous le sein.

LES PLANTES "ANTI-CALCULS BILIAIRES"

Artichaut : il est si puissant qu'il peut dissoudre vos calculs biliaires tout en faisant baisser votre cholestérol et votre tension artérielle

L'artichaut (*Cynara scolymus L.*) est excellent contre les problèmes de foie et de vésicule biliaire car il favorise la production de bile, ainsi que son élimination.

On le recommande en cas de calculs biliaires.

Roldan rapporte qu'on a vu, dans certains cas, des personnes réussir à dissoudre ou à expulser de petits calculs biliaires simplement en prenant de l'artichaut de manière régulière.

En cas de jaunisse (ictère) et même de cirrhose, il rend de grands services car il favorise la régénération des cellules du foie : c'est dire sa puissance !

Si vous souffrez de constipation due à une mauvaise production de bile, le cas échéant accompagnée de migraines digestives, l'artichaut pourrait bien vous en délivrer.

Et comme l'artichaut est vraiment une plante de santé, il fait aussi baisser votre taux de cholestérol et votre tension artérielle.

- ➤ Actibil® (Arkopharma, *non remboursé*) : composé d'artichaut et de fumeterre, il facilite la production de bile, favorise la digestion et améliore vos fonctions d'élimination. Prendre 1 à 2 gélules, 2 fois par jour, avec un verre d'eau, avant les repas.

- ➤ Teinture Mère Artichaut : prendre 30 gouttes, 3 fois par jour.

- ➤ Arkogélules Artichaut® (Arkopharma, *non remboursé*) : prendre 1 gélule, matin, midi et soir, dans un grand verre d'eau, avant les repas.

- ➤ Élusanes Artichaut® (Plantes et Médecines, *non remboursé*) : prendre 1 gélule, 2 fois par jour, matin et soir, accompagnée d'un grand verre d'eau.

Pissenlit : voici quoi faire après une opération pour prévenir la formation de nouveaux calculs

Le pissenlit *(Taraxacum officinale Weber)* rend de grands

118

services aux personnes qui souffrent de calculs – qu'ils soient biliaires ou urinaires – en aidant à leur élimination.

Il permet aussi de prévenir la formation de nouveaux calculs. C'est en effet un excellent stimulant de l'activité du foie : il augmente la production de bile et son écoulement.

Grâce au pissenlit, merveilleux nettoyant de votre corps, vous expulsez les toxines qui vous "empoisonnent" peu à peu.

➤ Teinture Mère Pissenlit : prendre 50 gouttes, 3 fois par jour.

➤ Arkogélules Pissenlit® (Arkopharma, *non remboursé*) : prendre 2 gélules au petit déjeuner et au déjeuner.

➤ Extrait Aqueux de Pissenlit® (Super Diet, *non remboursé*) : prendre 3 à 6 ampoules par jour, pures ou diluées dans un peu d'eau.

➤ Pissenlit Boiron® (Boiron, *non remboursé*) : prendre 1 gélule, 1 à 3 fois par jour, avec un grand verre d'eau.

Fumeterre : elle agit sur les calculs biliaires, la constipation, la digestion, les spasmes, les migraines hépatiques et certaines nausées... en même temps !

La fumeterre *(Fumaria officinalis L.)* est très efficace pour rétablir le bon fonctionnement de votre foie ou de votre vésicule biliaire. Ainsi, en fonctionnant mieux, votre vésicule vous permet de mieux digérer.

La fumeterre est aussi une excellente plante pour prévenir la formation de calculs biliaires.

Elle soigne également certaines constipations d'origine biliaire, les migraines hépatiques, les nausées de la femme enceinte et les spasmes intestinaux.

➤ Teinture Mère Fumeterre : prendre 30 gouttes, 3 fois par jour.

➤ Oddibil® (Théraplix, *non remboursé*) : uniquement composé de fumeterre. Prendre 1 comprimé, avec un verre d'eau, avant les 3 repas et au coucher.

➤ Arkogélules Fumeterre® (Arkopharma, *non remboursé*) : prendre 1 gélule, matin, midi et soir, avec un grand verre d'eau, avant les repas.

➤ Élusanes Fumeterre® (Plantes et Médecines, *non remboursé*) : prendre 1 gélule, matin et soir, au cours des repas, avec un verre d'eau.

➤ Extrait Aqueux de Fumeterre® (Super Diet, *non remboursé*) : 3 à 6 ampoules par jour, pures ou diluées dans un peu d'eau.

➤ Actibil® (Arkopharma, *non remboursé*) : composé d'artichaut et de fumeterre, il facilite la production de bile, favorise la digestion et améliore vos fonctions d'élimination. Prendre 1 à 2 gélules, 2 fois par jour, avec un verre d'eau, avant les repas.

Calculs urinaires, calculs rénaux, coliques néphrétiques, insuffisance rénale

On la connaissait dans l'ancien temps sous le nom de "maladie de la pierre". Et c'est bien de minéraux qu'il s'agit !

Les calculs urinaires (ou calculs rénaux) sont de petites pierres qui se forment dans vos reins. Rien de concret ne se passe jusqu'à ce qu'elles tentent de sortir par les voies urinaires... À ce moment-là, votre calvaire commence : douleurs brutales et insupportables dans le dos et la région des reins, fièvre, vomissements et difficulté à uriner.

La solution réside souvent dans l'intervention chirurgicale si le calcul est trop gros. Mais il existe des moyens de dissoudre les petits calculs de manière plus naturelle.

Un traitement "de première classe" qui dissout vos calculs naturellement

Buvez beaucoup : l'eau contribue à dissoudre et à faire passer les calculs. Mangez des betteraves : c'est un aliment "de première classe", très salutaire pour vos reins.

La prévention est la meilleure solution pour que vos calculs ne reviennent jamais. Évitez le café et le thé, le chocolat, les viandes grasses et la charcuterie. Ne forcez pas sur la salière : le sel n'est pas bon pour la santé de vos reins.

LES PLANTES QUI COMBATTENT VOS CALCULS RÉNAUX ET FACILITENT LE TRAVAIL DE VOS REINS

Chiendent : cette plante "expulse" vos calculs naturellement

Le chiendent *(Agropyrum repens Beauv.)* est une "mauvaise herbe" qui pousse peut-être dans votre jardin. Elle a pourtant des propriétés curatives connues depuis l'Antiquité ; les médecins grecs et romains s'en servaient déjà pour combattre et dissoudre les calculs.

Aujourd'hui, on la recommande en cas de calculs urinaires et de coliques néphrétiques, ainsi que pour éviter les récidives. C'est en effet une plante qui favorise une évacuation importante de l'urine, expulsant ainsi de votre corps déchets et toxines.

Le chiendent, qui a aussi des propriétés anti-inflammatoires, est utile pour combattre les infections urinaires telles que les cystites.

Les femmes qui souhaitent faire disparaître leur cellulite apprécieront son efficacité pour lutter contre la rétention d'eau ainsi que son action anti-œdème.

➤ Teinture Mère Chiendent : prendre 40 gouttes, 3 fois par jour.

➤ Arkogélules Chiendent® (Arkopharma, *non remboursé*) : prendre 2 gélules, matin et midi.

➤ Médiflor Tisane Diurétique N° 4® (Monot, *non remboursé*) : composé de chiendent et de 5 autres plantes. Boire 1 tasse d'infusion, le matin à jeun et à la fin des repas de midi et du soir.

Bouleau : il vous rend deux grands services en même temps : il prévient les calculs rénaux et la goutte

Le bouleau *(Betula pendula L.)* vous sera d'une aide précieuse dans votre lutte contre vos calculs urinaires, car il prévient leur formation.

Si vous souffrez de la goutte ou d'un excès d'acide urique, voici une plante qui facilite l'élimination de l'acide urique et des chlorures. Elle est donc très utile pour prévenir les récidives des attaques de goutte.

En cas de syndrome prémenstruel, qui provoque fréquemment de la rétention d'eau et des œdèmes, le bouleau pourra aussi vous aider.

➤ Teinture Mère Bouleau : prendre 40 gouttes, 3 fois par jour.

➤ Extrait Aqueux de Bouleau® (Super Diet, *non remboursé*) : prendre 3 à 6 ampoules par jour, pures ou diluées dans un peu d'eau.

➤ Arkogélules Bouleau® (Arkopharma, *non remboursé*) : prendre 2 gélules, au petit déjeuner et au déjeuner.

Harpagophytum : une puissante solution naturelle pour calmer vos douleurs en cas de coliques néphrétiques

L'harpagophytum *(Harpagophytum procumbens DC)* vient en tête des nombreuses plantes qui soulagent l'arthrose et ses douleurs. C'est en fait un anti-inflammatoire naturel, très puissant.

Les indigènes des contrées du sud de l'Afrique où il pousse l'appellent la "griffe du diable". Sa racine secondaire a cette propriété extraordinaire de combattre en même temps la douleur et l'inflammation.

Elle est donc très utile pour calmer les douleurs, souvent insoutenables, causées par les coliques néphrétiques.

De plus, elle combat l'excès de cholestérol et d'acide urique.

➤ Teinture Mère Harpagophytum : prendre 20 à 40 gouttes, 3 fois par jour.

➤ Arkogélules Harpagophytum® (Arkopharma, *non remboursé*) : en traitement d'attaque, 2 gélules matin, midi et soir, au moment des repas ; en traitement de fond, 1 gélule matin, midi et soir, au moment des repas.

➤ Élusanes Harpagophytum® (Plantes et Médecines, *non remboursé*) : prendre 1 gélule 2 fois par jour, matin et soir, accompagnée d'un grand verre d'eau.

Queue de cerise : elle nettoie vos reins, soulage les infections urinaires et combat les calculs rénaux

Connue depuis des siècles, la queue de cerise *(Prunus cerasus L.)* nettoie vos reins et augmente la production d'urine, favorisant ainsi l'élimination des toxines de votre corps.

Grâce à elle, vous pouvez combattre les infections urinaires, cystites notamment, ainsi que l'inflammation qui en découle. Mais les calculs urinaires, les œdèmes et même l'hypertension débutante sont aussi efficacement combattus grâce à la queue de cerise.

➤ Arkogélules Queues de cerise® (Arkopharma, *non remboursé*) : prendre 2 gélules, matin et midi.

Gomme de caroube : en cas d'insuffisance rénale chronique, elle fait baisser votre taux d'urée

Si vous souffrez d'insuffisance rénale chronique, la gomme de caroube *(Ceratonia siliqua L.)* peut avoir une action très bénéfique car elle fait baisser le taux d'urée dans le sang.

C'est aussi un coupe-faim naturel. Elle gonfle dans votre estomac et, au moment de manger, vous n'avez plus faim. C'est très pratique pour maigrir.

Sachez aussi que si vous avez un nourrisson qui vomit, la gomme de caroube peut aussi l'aider. Mais dans ce cas, s'agissant d'un enfant, consultez au préalable votre médecin.

➤ Arkogélules Gomme de caroube® (Arkopharma, *non remboursé*) : prendre 1 gélule 15 minutes avant les repas, avec un grand verre d'eau.

Busserole : elle facilite l'évacuation naturelle des calculs rénaux

La busserole *(Arctostaphylos uva-ursi Spreng.)* est un antiseptique urinaire. Elle combat l'inflammation. Par ailleurs, en augmentant le volume des urines, elle facilite l'évacuation naturelle des calculs rénaux.

Pour favoriser l'action de cette plante, il est important de boire au minimum 1,5 litre d'eau par jour.

➤ Teinture Mère Busserole : prendre 20 à 30 gouttes, 3 fois par jour.

➤ Élusanes Busserole® (Plantes et Médecines, *non remboursé*) : prendre 1 gélule, matin et soir, au cours des repas, avec un verre d'eau.

➤ Arkogélules Busserole® (Arkopharma, *non remboursé*) : prendre 2 gélules, matin et midi. *Ne pas utiliser chez la femme enceinte ou qui allaite.*

➤ Boribel N° 17® (Diététique et Santé, *non remboursé*) : composé de busserole et de frêne, il facilite le bon fonctionnement de vos reins. Boire 1 tasse de tisane, 3 fois par jour.

LES AUTRES BIOMÉDICAMENTS

Les biomédicaments suivants sont composés d'une ou plusieurs plantes qui favorisent l'activité de vos reins, augmentent le volume des urines et favorisent donc l'élimination rénale :

➤ Pilosuryl® (Pierre Fabre Santé, *remboursé*) : composé de piloselle. Prendre 2 à 3 cuillerées à café, dans un verre d'eau, avant les repas de midi et du soir.

➤ Paliuryl® (Richelet, *remboursé*) : composé de paliurc. Boire 30 gouttes diluées dans un verre d'eau, 20 minutes avant les repas, 3 fois par jour.

➤ Santane R 8® (Iphym, *non remboursé*) : ce cocktail de 11 plantes dont la bruyère, le cassis et le romarin, facilite le travail de vos reins. Boire 1 à 4 tasses d'infusion par jour, de préférence après les repas.

➤ Lespénéphryl® (Darcy, *non remboursé*) : composé de *Lespedeza capitata* et d'anis. Prendre 1 à 4 cuillerées à café de solution buvable par jour, dans un verre d'eau, avant les repas.

➤ Oliviase® (Upsa, *non remboursé*) : composé d'olivier.

Prendre 3 comprimés, matin et soir, avec un verre d'eau.

Cancer

Le cancer : une maladie tellement effrayante que bien des gens n'osent même pas prononcer son nom, comme si, cela seul, risquait d'attirer sur eux la terrible maladie.

Pure superstition sans doute, mais il faut bien admettre que personne n'a envie de favoriser l'apparition de cette maladie. Pourtant, à quelques exceptions près, le cancer est ce que l'on appelle une maladie de civilisation : notre mode de vie la favorise. Et en vivant différemment, nous pourrions éviter un grand nombre de cas de cancer qui existent à notre époque.

Le tabac, la pollution, l'alimentation moderne, le stress favorisent le développement du cancer, ou plus exactement "des cancers", car sous ce terme générique, on décrit un grand nombre de maladies.

Toutes ont cependant un point commun : le système immunitaire du malade a cessé de fonctionner correctement et laisse proliférer des cellules qui se répandent dans l'organisme et forment des tumeurs. Ce sont ces tumeurs qui, tôt ou tard, empêchent le fonctionnement d'un organe vital et engendrent la mort.

Voilà donc pour le scénario catastrophe, celui du début de ce siècle, à l'époque où l'on assistait impuissant à l'évolution de la maladie.

Aujourd'hui, les progrès de la médecine et de la radiologie en particulier permettent un dépistage plus précoce des cancers et un traitement qui donne de meilleurs résultats que par le passé.

Serait-il possible de favoriser l'élimination des cellules malignes ?

Mais tout cela n'est pas suffisant. Le meilleur moyen de "guérir" du cancer, c'est d'abord de l'éviter ! Dans leur ouvrage, *la Prévention active des cancers*, les docteurs Gernez et Willem affirment qu'il est possible, grâce à un régime adéquat, à suivre une fois par an, à la fin de l'hiver, de favoriser l'élimination des cellules malignes. Le régime préconisé est censé provoquer la "mise en acidose" du corps.

Ce régime "anti-cancer", qui dure 30 jours, se compose de chou, de brocolis, de persil, de romarin et de crudités en tous genres. Il y a lieu d'éliminer les bicarbonate de soude, carbonate de calcium et magnésie, produits considérés comme alcalins et, par conséquent, néfastes. Des compléments de sélénium, vitamines A, C et E et des oligo-éléments tels que le chrome, le cobalt, le soufre, le vanadium et le silicium, font aussi partie du régime. Des prises de colchicine et d'hydrate de chloral complètent cette cure "anti-cancer".[1]

Toutefois, même si vous ne recourez pas à ce régime, il existe des moyens efficaces pour réduire les risques de cancer, car cette maladie n'est pas complètement aveugle. Elle s'attaque de préférence aux personnes dont le mode de vie n'est pas adéquat.

---

1   Jean Aikhenbaum & Piotr Daszkiewicz, *Le Pouvoir de guérir par la nature*, Paris, 1996, p. 303.

10 moyens d'augmenter vos chances d'éviter le cancer

MM. Aikhenbaum et Daszkiewicz citent, dans leur excellent ouvrage *le Pouvoir de guérir par la nature,* "44 moyens de prévention contre le cancer". Tout en vous renvoyant éventuellement à ce précieux guide, nous nous permettons de rappeler ceux de leurs conseils qui nous paraissent les plus pertinents.

1. Évitez l'alcool et le tabac, les beurres cuits, les sucres, les fromages forts, les plats faisandés, les viandes fumées et tous les produits chimiques (conservateurs, colorants, antioxygènes, etc.) qui entrent dans les produits alimentaires industriels.

2. Mangez beaucoup de fruits et de légumes, en particulier les choux, brocolis, betteraves et navets, de préférence issus de l'agriculture biologique. Habituez-vous à consommer le plus possible d'aliments complets : pain, riz, pâtes, blé, huiles d'olive et de tournesol pressées à froid.

3. Mangez de l'ail, des aliments riches en magnésium (amandes, blé complet, arachides, riz complet, noisettes, figues, dattes, abricots), des pollens de fleurs, de la levure de bière, des algues marines, de la gelée royale.

4. Buvez beaucoup d'eau (Volvic®, par exemple).

5. Prenez le temps de manger, et seulement quand vous en avez envie. Vous pouvez vous permettre de jeûner à l'occasion.

6. Dormez.

7. Soyez attentif à votre transit intestinal. Bien que la plupart des médecins considèrent que vous n'êtes pas constipé si vous évacuez au moins une fois tous les 3 jours, nous estimons, pour notre part, que si vous mangez 3 fois, il n'y a rien d'anormal à évacuer 1 ou 2 fois par jour. Moins longtemps vos déchets restent dans vos

intestins, moins ils risquent d'empoisonner votre organisme.

8. Évitez les prises de sang à répétition, la pilule contraceptive, les plombages dentaires au mercure, les tissus synthétiques, les peintures contenant des solvants.

9. Faites de l'exercice physique, marchez pieds nus, ne vous exposez pas trop longtemps au soleil.

10. Fuyez le bruit et les nuisances sonores, les pollutions électromagnétiques (gardez une distance de 3 mètres au moins de votre téléviseur et évitez de vous trouver dans son axe direct).

Il n'est pas question ici de vous indiquer des remèdes "anti-cancer" : c'est le rôle de votre médecin. Par contre, pour prévenir cette maladie, voici quelques plantes réputées pour fortifier le système immunitaire. Après tout, ce dernier est votre meilleure arme contre toute maladie.

LES PLANTES POUR VOUS BÂTIR UN SYSTÈME IMMUNITAIRE PUISSANT ET PERFORMANT

Eupatoire : une plante immuno-stimulante très réputée

L'eupatoire *(Eupatorium cannabinum L.)* contient des polysaccharides qui stimulent le système immunitaire. On l'utilise généralement contre les rhumes à répétition et la grippe.

➤ Teinture Mère Eupatoire : prendre 30 gouttes, 3 fois par jour.

➤ Arkogélules Eupatoire® (Arkopharma, *non remboursé*) : prendre 1 gélule, matin, midi et soir, avec un grand verre d'eau, au moment des repas.

Levure de bière : un champignon microscopique qui renforce vos défenses naturelles

La levure de bière *(Saccharomyces cerevisiae)* est un organisme vivant, très connu pour ses propriétés stimulantes du système immunitaire. On l'utilise d'ailleurs pour prévenir les infections à répétition, telles que rhumes, trachéites, pharyngites, etc.

➤ Arkogélules Levure de bière revivifiable® (Arkopharma, *non remboursé*) : prendre 1 gélule, matin, midi et soir, avec un grand verre d'eau, avant les repas.

➤ Élusanes Levure de bière® (Plantes et Médecines, *non remboursé*) : prendre 2 gélules 2 fois par jour, avec un verre d'eau.

Éleuthérocoque : il favorise votre adaptation à votre environnement

L'éleuthérocoque *(Eleutherococcus senticosus Maxim.)* renforce vos défenses naturelles. C'est une plante adaptogène : elle favorise l'adaptation de votre corps à votre environnement. Ainsi, votre organisme est plus fort et résiste mieux aux agressions de toutes sortes.

➤ Teinture Mère Éleuthérocoque : prendre 40 gouttes, 3 fois par jour.

➤ Arkogélules Éleuthérocoque® (Arkopharma, *non remboursé*) : prendre 2 gélules, matin et midi.

Échinacée : un stimulant immunitaire, très apprécié en Allemagne

L'échinacée *(Echinacea purpurea Moench.)* est un stimulant des défenses immunitaires, très apprécié en Allemagne. Des études cliniques ont montré son efficacité sur des patients dont les défenses naturelles étaient affaiblies.

➤ Teinture Mère Échinacée : prendre 30 gouttes, 3 fois par jour.

➤ Arkogélules Échinacée® (Arkopharma, *non rembour-sé*) : prendre 1 gélule, matin, midi et soir, avec un grand verre d'eau, au moment des repas.

Salsepareille : son secret se trouve-t-il dans ses 2 composants qui ressemblent à des hormones ?

La salsepareille *(Smilax medica L.)* renforce les défenses naturelles de l'organisme. Elle contient des substances proches de la testostérone et de la progestérone.

➤ Teinture Mère Salsepareille : prendre 30 gouttes, 3 fois par jour.

➤ Arkogélules Salsepareille® (Arkopharma, *non rembour-sé*) : prendre 1 gélule, matin, midi et soir, avec un grand verre d'eau, au moment des repas.

Cellulite

La cellulite n'est pas à proprement parler une maladie, mais plutôt un problème qui touche surtout les femmes.

De l'eau et des toxines sont anormalement emmagasinées dans les cellules, favorisant l'apparition d'une masse de graisse sous la peau. Ces amas graisseux peuvent se retrouver sur les hanches, mais aussi sur les fesses, les cuisses, le ventre, les mollets, le cou, etc.

De quelle cellulite souffrez-vous et comment réagir ?

Les causes de la cellulite sont mal connues ; la pilule contraceptive et les traitements hormonaux prescrits aux femmes après leur ménopause ont été mis en cause. On sait qu'un certain nombre d'hormones favorisent la rétention d'eau, et donc la cellulite.

Des facteurs psychologiques peuvent aussi jouer un rôle non négligeable. Le stress, l'angoisse, un choc affectif peuvent favoriser une plus grande consommation de nourriture, notamment de mets et boissons sucrés, et par voie de conséquence, l'apparition de cellulite.

Contre la cellulite, il est important d'adopter un bon régime alimentaire et de faire de l'exercice. Mais ce n'est pas suffisant ; vous devez aussi beaucoup boire : cela facilitera l'évacuation de vos toxines. Mangez du pain complet.

2 moyens puissants de réduire votre "peau d'orange"
Lorsque vous vous lavez, préférez une bonne douche tonifiante à un bain. Rincez-vous à l'eau bien fraîche, mais sans attraper de mal.

Le saut à la corde, à condition que votre forme physique le permette, donne souvent des résultats époustouflants contre la cellulite, car il améliore votre circulation veineuse.

LES PLANTES QUI FAVORISENT LA DISPARITION DE VOTRE CELLULITE

Ananas : la plante qui empêche vos sucres de se transformer en graisse
L'ananas *(Ananas comosus L.)* est un "anti-cellulite" puissant. Nous le devons à Christophe Colomb qui le rapporta de la Guadeloupe, en 1493.

Mais son secret se trouve dans sa tige et non pas dans son fruit. Inutile donc de vous "bourrer" d'ananas ou d'en manger à tous les repas. L'ananas contient en effet de la bromélaïne qui est un puissant anti-inflammatoire naturel, excellent pour lutter contre les œdèmes localisés, et donc contre la cellulite.

Cette enzyme jouerait aussi un rôle très intéressant sur votre insuline, en l'empêchant de monter quand vous mangez des aliments riches en sucres rapides, tels que les gâteaux, les sodas, etc. Et cela permettrait du même coup d'éviter la transformation de ces sucres en graisses !

La bromélaïne sert enfin à favoriser la dissolution des capitons graisseux (la fameuse "peau d'orange"), propres à la cellulite.

L'ananas rend aussi de grands services en cas de traumatismes tels que foulure, entorse, hématome, etc., car il réduit l'inflammation.

➤ Arkogélules Ananas® (Arkopharma, *non remboursé*) : prendre 3 gélules par jour, entre les repas.

Chiendent : pour réagir contre la rétention d'eau et la cellulite

Le chiendent *(Agropyrum repens Beauv.)* a des propriétés curatives connues depuis l'Antiquité. Les médecins de la Grèce ancienne l'utilisaient déjà.

C'est une plante qui favorise une évacuation importante de l'urine, expulsant ainsi de votre corps déchets et toxines.

Les femmes qui souhaitent faire disparaître leur cellulite apprécieront son efficacité pour lutter contre la rétention d'eau ainsi que son action anti-œdème.

Le chiendent, qui a aussi des propriétés anti-inflammatoires, est aussi utile pour combattre les infections urinaires telles que les cystites.

➤ Teinture Mère Chiendent : prendre 40 gouttes, 3 fois par jour.

➤ Arkogélules Chiendent® (Arkopharma, *non remboursé*) : prendre 2 gélules, matin et midi.

➤ Minciflorine® (Exflora, *non remboursé*) : composé de

chiendent, de thé et de frêne. Boire 1 à 4 tasses d'infusion par jour, de préférence avant 17 heures.

Orthosiphon : ce "thé" accélère l'amaigrissement et vous aide à retrouver de belles hanches, sans "peau d'orange"

L'orthosiphon *(Orthosiphon stamineus Benth.)* est une plante très répandue en Asie du sud-est, où on l'appelle "thé de Java". Elle augmente la production d'urine, l'élimination de l'eau et nettoie les reins, débarrassant votre corps des chlorures, de l'acide urique et de l'urée.

En contribuant à nettoyer l'organisme, l'orthosiphon accélère l'amaigrissement chez les personnes qui souhaitent perdre du poids. Il favorise également la lutte contre la cellulite et aide à retrouver de belles hanches, sans "peau d'orange".

Cette plante, qui apaise les douleurs, notamment rhumatismales, est aussi prescrite contre la goutte. Elle sert également en cas de calculs biliaires et rénaux et prévient les récidives de coliques néphrétiques.

➤ Teinture Mère Orthosiphon : prendre 50 gouttes, 3 fois par jour.

➤ Arkogélules Orthosiphon® (Arkopharma, *non remboursé*) : prendre 2 gélules, matin, midi et soir, avec un grand verre d'eau, au moment des repas.

➤ Élusanes Orthosiphon® (Plantes et Médecines, *non remboursé*) : prendre 1 gélule, matin et soir, au cours des repas, avec un verre d'eau.

➤ Téaline® (Arkopharma, *non remboursé*) : composé de thé vert et d'orthosiphon. Prendre 1 ou 2 gélules, 3 fois par jour, avec un grand verre d'eau.

➤ Infusion Milical® (Diététiques et Santé, *non rembour-*

sé) : composé d'orthosiphon, de cassis et de frêne. Prendre 2 à 4 tasses d'infusion par jour.

➤ Aminsane® (Dolisos, *non remboursé*) : composé de fucus, d'orthosiphon et de reine-des-prés. Prendre 1 ou 2 comprimés, 1 ou 2 fois par jour, croqués ou dissous dans de l'eau chaude.

Fucus : pour brûler vos graisses, perdre du poids et effacer votre cellulite

On appelle aussi le fucus *(Fucus vesiculosus L.)* "varech vésiculeux". Cette algue est un précieux produit de la mer dont elle concentre un grand nombre de bienfaits.

En favorisant la combustion des graisses, elle lutte très efficacement contre la cellulite et l'obésité, et facilite la perte de poids. Le *Fucus vesiculosus* vous aidera à éliminer les toxines qui empoisonnent peu à peu votre organisme et redonnera du tonus à votre métabolisme.

Vous apprécierez le *Fucus vesiculosus* comme coupe-faim naturel, sans danger, contrairement aux coupe-faim chimiques. Il gonfle dans votre estomac, réduisant automatiquement votre appétit et favorisant votre transit intestinal. C'est une excellente algue, chaudement recommandée pour mieux contrôler votre appétit et perdre vos kilos en trop.

➤ Teinture Mère Fucus : prendre 40 gouttes, 3 fois par jour.

➤ Arkogélules Fucus® (Arkopharma, *non remboursé*) : prendre 1 gélule 15 minutes avant chaque repas, avec un grand verre d'eau.

➤ Élusanes Fucus® (Plantes et Médecines, *non remboursé*) : prendre 1 gélule, matin et soir, au cours des repas, avec un verre d'eau.

➤ Aminsane® (Dolisos, *non remboursé*) : composé de

fucus, d'orthosiphon et de reine-des-prés. Prendre 1 ou 2 comprimés, 1 ou 2 fois par jour, croqués ou dissous dans de l'eau chaude.

➤ Promincil® (Chefaro-Ardeval, *non remboursé*) : composé de fucus, de reine-des-prés et de prêle. Boire 1 récipient unidose, 1 à 4 fois par jour, dans un grand verre d'eau. *Ne pas utiliser chez l'enfant de moins de 15 ans.*

Reine-des-prés : comment vaincre votre "culotte de cheval", votre embonpoint et vos excès de graisse

La reine-des-prés *(Filipendula ulmaria Maxim.)* active l'élimination des déchets de votre corps et vous aide donc à combattre la goutte et l'urée ; elle permet aussi de combattre activement la cellulite, la culotte de cheval et même l'embonpoint localisé en s'attaquant aux excès de graisse.

La reine-des-prés contient de l'acide salicylique, c'est donc une sorte "d'aspirine végétale", mais qui agit en douceur. Associée au cassis, la reine-des-prés constitue un excellent traitement de fond contre les rhumatismes chroniques.

➤ Teinture Mère Reine-des-prés : prendre 40 gouttes, 3 fois par jour.

➤ Arkogélules Reine-des-prés® (Arkopharma, *non remboursé*) : prendre 1 gélule matin, midi et soir, avec un grand verre d'eau au moment des repas. La posologie peut être portée à 5 gélules par jour, si nécessaire.

➤ Élusanes Reine-des-prés® (Plantes et Médecines, *non remboursé*) : 1 gélule 2 fois par jour, à prendre matin et soir, accompagnée d'un grand verre d'eau.

➤ Arkofusettes Reine-des-prés® (Arkopharma, *non remboursé*) : prendre 2 à 5 sachets par jour de cet anti-rhumatismal, à préparer comme une tisane.

➤ Aminsane® (Dolisos, *non remboursé*) : composé de fucus, d'orthosiphon et de reine-des-prés. Prendre 1 ou 2 comprimés, 1 ou 2 fois par jour, croqués ou dissous dans de l'eau chaude.

➤ Promincil® (Chefaro-Ardeval, *non remboursé*) : composé de fucus, de reine-des-prés et de prêle. Boire 1 récipient unidose, 1 à 4 fois par jour, dans un grand verre d'eau. *Ne pas utiliser chez l'enfant de moins de 15 ans.*

Thé vierge : il fait sortir les graisses des cellules graisseuses et les élimine impitoyablement

Le thé vierge *(Camellia sinensis)* vous aide à maigrir et à retrouver une belle silhouette, un beau corps dans lequel vous vous sentirez plus heureux.

Le thé vierge oblige les graisses stockées dans votre corps à sortir des cellules graisseuses ! Quelle extraordinaire propriété !

De plus, le thé vierge rend les graisses et les sucres que vous mangez moins efficaces, c'est-à-dire qu'ils vous «profitent» moins. Ainsi, lentement mais sûrement, vous perdez votre excès de poids et votre cellulite.

Enfin, comme il est riche en caféine qu'il distille peu à peu dans votre corps, le thé vert vous aide à garder la forme pendant votre régime, mais sans vous énerver.

➤ Arkogélules Thé vierge® (Arkopharma, *non remboursé*) : prendre 1 gélule, matin, midi et soir, avec un grand verre d'eau, au moment des repas.

➤ Élusanes Thé vert® (Plantes et Médecines, *non remboursé*) : prendre 1 gélule, matin et soir, au cours des repas, avec un verre d'eau.

➤ Téaline® (Arkopharma, *non remboursé*) : composé de

thé vert et d'orthosiphon. Prendre 1 ou 2 gélules, 3 fois par jour, avec un grand verre d'eau.

➤ Minciflorine® (Exflora, *non remboursé*) : composé de chiendent, de thé et de frêne. Boire 1 à 4 tasses d'infusion par jour, de préférence avant 17 heures.

➤ Mincifit® (Arkopharma, *non remboursé*) : composé de thé vert et de cassis. Prendre 1 sachet par jour, de préférence au cours du repas du midi, dilué dans un demi-verre d'eau. *Ne pas utiliser chez l'enfant de moins de 15 ans.*

Garcinia : il réduit vos envies de sucre et désagrège peu à peu votre cellulite

Le garcinia *(Garcinia cambogia L.)* est surtout utilisé dans le cadre de régimes amincissants et pour combattre les envies de sucre. On le conseille aussi en cas de cellulite.

Cette plante a un effet étonnant : non seulement elle rend moins facile la transformation des sucres et leur stockage sous forme de graisse, mais elle diminue la fabrication de cholestérol par votre organisme.

➤ Arkogélules Garcinia® (Arkopharma, *non remboursé*) : 1 gélule matin, midi et soir une demi-heure avant les repas, à prendre avec un grand verre d'eau. *Ne pas utiliser en cas de grossesse ou d'allaitement.*

Marc de raisin : par un mystérieux mécanisme, il empêche le stockage des graisses que vous mangez

Le marc de raisin *(Vitis vinifera L.)* est très efficace si vous souhaitez perdre du poids ou bien votre cellulite.

Par un mystérieux mécanisme, cette plante capture les graisses des aliments et empêche leur mise en réserve. De cette manière, ce que vous mangez vous "profite" moins.

De plus, le marc de raisin a un léger effet laxatif : en

éliminant davantage, vous luttez davantage contre l'excès de poids.

Mais ce n'est pas tout. Le marc de raisin améliore la circulation sanguine dans vos vaisseaux, luttant ainsi contre la cellulite. Il favorise aussi la production de collagène.

En fin de compte, tout ceci permet de désagréger peu à peu vos amas de cellulite.

La perte de poids réalisée à l'aide du marc de raisin est sans danger, car cette plante n'est pas toxique. De plus, l'amaigrissement lent et régulier est plus durable et bénéfique pour la santé.

- ➤ Teinture Mère Marc de raisin : prendre 40 gouttes, 3 fois par jour.
- ➤ Arkogélules Marc de raisin® (Arkopharma, *non remboursé*) : prendre 2 gélules, matin, midi et soir, avec un grand verre d'eau, au moment des repas.

LES AUTRES BIOMÉDICAMENTS

- ● **Le frêne et le maïs**, le premier en phase d'attaque et le second en phase d'entretien, sont très efficaces pour lutter contre la rétention d'eau, celle-ci étant souvent à l'origine de la cellulite :
  - ➤ Teinture Mère Frêne : prendre 30 gouttes, 3 fois par jour.
  - ➤ Frêne Boiron® (Boiron, *non remboursé*) : prendre 1 ou 2 gélules, 1 à 3 fois par jour, avec un grand verre d'eau.
  - ➤ Élusanes Frêne® (Plantes et Médecines, *non remboursé*) : prendre 1 gélule, matin et soir, au cours des repas, avec un verre d'eau.
  - ➤ Élusanes Maïs® (Plantes et Médecines, *non rembour-*

sé) : prendre 1 gélule, matin et soir, au cours des repas, avec un verre d'eau.

- **La caféine** est utile pour dissoudre les surcharges graisseuses localisées, comme la cellulite par exemple :
  ➤ Percutaféine® (Pierre Fabre Santé, *non remboursé*) : composé de caféine, ce gel favorise l'élimination de la graisse, notamment la "culotte de cheval". Faire une application par jour, pendant 5 à 6 semaines.

Cheveux, cheveux fragiles, cheveux ternes et cassants, chute de cheveux

Vous venez de vous coiffer et il reste de plus en plus de cheveux sur votre peigne ?

Après 40 ans, il n'est pas rare, surtout pour les hommes, de perdre des cheveux. Perdre ses cheveux est souvent vécu d'une manière difficile, surtout si vous avez toujours eu une chevelure abondante.

Certaines chutes de cheveux sont d'origine héréditaire. Elles commencent pour ainsi dire à l'adolescence et, aux alentours de 30 ans, tout est dit : vous avez perdu vos cheveux et, à moins d'un miracle, ne comptez pas les retrouver.

Grâce à ce signe, vous savez que vous ne serez jamais chauve

La chute de cheveux qui intervient aux alentours de la soixantaine est d'un autre type : vos cheveux se clairsèment, mais vous ne serez jamais chauve.

La chute de cheveux contre laquelle il est le plus facile

de lutter, et dont nous traiterons principalement ici, est ce qu'on appelle l'"alopécie". Elle est due généralement à un choc émotionnel ou physique, une opération chirurgicale, un accouchement, un traitement médical.

Votre problème de cheveux est peut-être aussi dû à une vie stressante, à une irrigation déficiente du cuir chevelu ou même à des problèmes de reins, de foie ou d'intestins.

Ces 2 aliments ont, dans certains cas, le pouvoir de faire repousser vos cheveux

Les vitamines B et E sont tout indiquées pour favoriser la repousse de vos cheveux : mangez de la levure de bière et de l'huile d'olive.

Ces deux aliments sont très riches en ces 2 vitamines. La lécithine de soja et la silice sont également tout à fait recommandées, en suppléments alimentaires, par exemple.

Les 5 astuces faciles à appliquer pour retrouver de beaux cheveux

Pour avoir de beaux cheveux, voici ce que vous devez, oui ! devez absolument faire :

1. Utilisez un bon shampooing, sans effet détergent.

2. Évitez brushing et sèche-cheveux. Le casque du coiffeur brûle vos cheveux à chaque séance davantage.

3. Brossez vos cheveux avec douceur, sans les arracher. Dites-vous bien qu'un cheveu perdu ne repoussera peut-être jamais ! Utilisez des peignes et des brosses neufs et comptez les cheveux qui y restent attachés. Même si cela vous semble un peu "maniaque", cet exercice vous aidera à mieux prendre soin de vos cheveux.

4. Massez tous les jours vos cheveux avec la pulpe des doigts, pour réactiver la circulation sanguine.

5. Rincez-vous à l'eau froide ou juste tiède.

LES PLANTES QUI RENDENT VOS CHEVEUX PLUS BEAUX ET PLUS FORTS

Ortie (ou feuille d'ortie) : pour stopper la chute de vos cheveux

En premier lieu, vous devez bien noter qu'il existe deux parties bien distinctes de l'ortie *(Urtica dioica L.)*, avec des propriétés très différentes.

Contre la chute de cheveux, les ongles cassants, l'acné, etc., la *feuille* d'ortie fait merveille. Vous ne devez jamais la confondre avec la *racine* d'ortie qui, elle, est très bénéfique pour les hommes qui souffrent d'hypertrophie de la prostate.

La feuille d'ortie est très riche en vitamines, en minéraux, en oligo-éléments, en acides aminés essentiels et en protéines. Elle contient aussi de la chlorophylle.

La feuille d'ortie rend vos cheveux plus solides. S'ils ont tendance à tomber, en les renforçant, elle contribuera à stopper la chute, et elle peut même aider à leur repousse. Vos ongles, qui sont aussi des phanères, seront renforcés de la même manière, surtout s'ils se cassent facilement.

Parmi les autres actions bénéfiques de la feuille d'ortie, il convient aussi de mentionner qu'elle combat l'acné grâce au zinc qu'elle contient, cet oligo-élément ayant de puissants effets anti-inflammatoires.

Notez également que la feuille d'ortie enrichit votre sang, active l'élimination des toxines de votre corps et a un effet reminéralisant. Cela fait d'elle une excellente "plante qui guérit" pour soigner l'arthrose et les rhumatismes en général.

Enfin, la feuille d'ortie vous sera bénéfique si vous êtes souvent fatigué ou si vous dormez mal.

Une cure de feuille d'ortie aux changements de saison ne peut que vous faire du bien si vous souffrez d'un des problèmes mentionnés ci-dessus. En cas de chute de cheveux ou bien d'ongles cassants, une cure de 6 mois sera préférable pour obtenir un bon résultat, durable.

➤ Teinture Mère Ortie : prendre 40 gouttes, 3 fois par jour.

➤ Arkogélules Ortie® (Arkopharma, *non remboursé*) : 1 gélule matin, midi et soir, à prendre avec un grand verre d'eau, avant les repas.

➤ Élusanes Ortie® (Plantes et Médecines, *non remboursé*) : prendre 1 gélule, matin et soir, au cours des repas, avec un verre d'eau.

Alfalfa : pour renforcer les cheveux qui se cassent facilement

L'alfalfa *(Allium sativum L.)*, bien connue sous le nom courant de "luzerne" est une plante vraiment merveilleuse.

Prenez-en si vos cheveux sont ternes ou se cassent facilement ; de même si vous avez les ongles fragiles.

Elle est très riche en protéines, en acides aminés, en vitamines et en minéraux. Comme elle contient beaucoup de fer, l'alfalfa vous fera le plus grand bien si vous faites de l'anémie ou si vous êtes tout simplement fatigué.

Mais la propriété miracle de l'alfalfa est le fruit d'une découverte récente. En prenant régulièrement de l'alfalfa, vous préviendrez l'excès de cholestérol et sa conséquence grave : l'athérosclérose.

Les femmes doivent aussi savoir que l'alfalfa contient un

"œstrogène végétal" qui permet de lutter contre les problèmes de ménopause et même l'ostéoporose.

➤ Teinture Mère Alfalfa : prendre 40 gouttes, 3 fois par jour.

➤ Arkogélules Alfalfa® (Arkopharma, *non remboursé*) : prendre 1 gélule, matin, midi et soir, avec un grand verre d'eau, au moment des repas.

Levure de bière : le secret pour retrouver de beaux cheveux, soyeux, souples, brillants, vigoureux et en pleine santé

La levure de bière *(Saccharomyces cerevisiae)* n'est pas une plante, c'est un champignon microscopique très riche en vitamines et minéraux.

Si votre peau est sèche ou terne, si vos cheveux ou vos ongles se cassent facilement, la levure de bière peut sûrement beaucoup pour vous.

Plus généralement, elle est excellente pour soigner les problèmes de peau grâce à ses composants antibactériens.

En fait, la liste de ses bienfaits est longue : elle stimule vos défenses naturelles, vous protégeant mieux des infections hivernales ; elle reconstitue votre flore intestinale en cas de diarrhée ou de constipation ; elle vous rend moins vulnérable à la fatigue et vous donne du tonus.

Choisissez de préférence de la levure de bière "revivifiable" : riche de 1 milliard de levures vivantes au gramme, elle se révèle plus active.

➤ Arkogélules Levure de bière revivifiable® (Arkopharma, *non remboursé*) : 1 gélule matin, midi et soir, à prendre avec un grand verre d'eau, avant les repas.

➤ Élusanes Levure de bière® (Plantes et Médecines, *non*

remboursé) : 2 gélules, 2 fois par jour, à prendre avec un verre d'eau.

Cholestérol

"Est-ce que j'ai du cholestérol, docteur ?"

Cette phrase que nous avons tous prononcée, un jour ou l'autre, à l'occasion d'une analyse de sang par exemple, illustre clairement comment le cholestérol est perçu par le patient moyen : une sorte de "poison" dont la présence dans notre sang serait le signe avant-coureur de problèmes cardio-vasculaires, dont l'artériosclérose notamment.

Cholestérol : un "poison" ou un composant indispensable ?

En réalité, seul l'excès de cholestérol est susceptible de nuire à votre santé. Mais lorsqu'il est présent en quantité normale, le cholestérol est indispensable à la vie et à la bonne santé.

Son rôle principal n'est donc pas, comme vous le pensez peut-être, de boucher vos artères petit à petit, mais de participer à la construction de vos cellules.

Depuis les travaux de MM. Brown et Goldstein, qui leur valurent le prix Nobel en 1985, il semble malheureusement établi que nous ne sommes pas tous égaux devant l'excès de cholestérol.

Certaines personnes absorbent mal le cholestérol au niveau cellulaire, ce qui conduit les cellules à produire davantage de cholestérol, voire trop de cholestérol. Ce serait le début de l'hypercholestérolémie.

Les 3 signes qui trahissent souvent un excès de cholestérol

Comment savoir si votre taux de cholestérol est supérieur à la normale ? Certains signes ne trompent pas et doivent vous inciter à en parler à votre médecin.

Si vous souffrez de bourdonnements d'oreille, si vous voyez des "mouches" (des sortes de points noirs qui s'agitent devant vos yeux), si votre tension artérielle est supérieure à la normale, si vous sentez des "fourmis" au bout des doigts, des orteils ou autour des lèvres, il est possible que votre taux de cholestérol soit trop élevé. Dans ce cas, une analyse de sang s'impose, et il est temps de consulter votre médecin.

Faites baisser votre cholestérol sans renoncer à la charcuterie, ni au bon vin !

Votre régime alimentaire a des conséquences sur votre taux de cholestérol. Une bonne alimentation vous aidera à garder votre taux de cholestérol dans des normes acceptables, et bien souvent vous permettra de le faire baisser s'il est trop élevé. Gastronomie et santé vont très bien ensemble. Vous pouvez très bien manger sans mettre votre santé en péril.

En premier lieu, vous devez éviter les excès d'alcool (un verre de bon vin par repas au maximum), les produits laitiers (excellent pour les enfants, le lait est soupçonné par de nombreux spécialistes d'avoir des effets néfastes chez l'adulte), le beurre et les graisses animales (sauf les huiles de poisson), les charcuteries (sauf le jambon cru "Jabugo" d'Andalousie, en Espagne, préparé avec des porcs nourris exclusivement aux glands !), les pâtisseries, confitures et autres sucreries.

Consommez davantage d'huile de tournesol, de lin, de soja, d'olive et de noix. Les huiles de poisson, de saumon notamment, riches en acides gras polyinsaturés oméga 3, sont excellentes pour faire baisser votre taux de cholestérol.

Mangez des céréales complètes (pain complet, riz complet, pâtes complètes), des légumes verts (artichauts, salades vertes) et des fruits frais (pommes, citron, pamplemousse, raisin). Ne vous privez pas de carottes, de chou, d'aubergines, et ajoutez-y de la ciboulette et de l'ail sans modération.

Pour les amateurs, MM. Aikhenbaum et Daszkiewicz donnent la recette d'un "vin anti-cholestérol" : mélangez des feuilles de bouleau et de l'écorce de frêne dans un litre de vin de Bordeaux (de préférence biologique), laissez macérer une semaine, filtrez et buvez-en un verre à liqueur par jour, loin des repas.[2]

Le cholestérol qui encrasse vos artères et le cholestérol qui les nettoie

Il n'existe pas un mais deux cholestérols : l'un se fixe sur les parois des vaisseaux et artères, l'autre les nettoie. Le cholestérol HDL est le "bon" cholestérol ; le cholestérol LDL, le mauvais. Généralement, un excès de cholestérol à l'analyse correspond à un excès de LDL. Mais, dans certains cas, il faut demander un dosage précis des deux types. Cela peut vous réserver une agréable surprise.

Combattre l'excès de cholestérol de manière naturelle est possible. De nombreuses plantes jouent un rôle très efficace dans ce domaine.

---

2 Jean Aikhenbaum & Piotr Daszkiewicz, *Le Pouvoir de guérir par la nature*, Paris, 1996, p. 345.

LES PLANTES QUI FONT BAISSER VOTRE TAUX DE CHOLESTÉROL

Gugul : comment faire baisser votre cholestérol et vos triglycérides en même temps

Le gugul *(Comniphora mukul)* présente cette double vertu de faire baisser les taux de cholestérol et de triglycérides en même temps, contrairement à d'autres plantes qui n'agissent que sur le cholestérol. Par ailleurs, le gugul a tendance à faire baisser encore davantage le taux de "mauvais" cholestérol (LDL) par rapport au taux de "bon" (HDL).

Cette plante, bien connue en médecine traditionnelle indienne, sert aussi à lutter contre l'obésité. On recommande également le gugul à titre préventif pour prévenir l'excès de cholestérol et l'artériosclérose : pensez-y si vous vous laissez aller parfois à manger un peu trop gras.

➤ Arkogélules Gugul® (Arkopharma, *non remboursé*) : 1 gélule matin, midi et soir, à prendre avec un grand verre d'eau au moment des repas.

Huile de germe de blé : la solution pour protéger vos artères et prévenir les rides

L'huile de germe de blé *(Triticum sativum Lam.)* est une autre plante hautement recommandable pour lutter contre l'excès de cholestérol.

Elle est largement composée d'acides gras essentiels qui protègent vos artères contre les dépôts de cholestérol et préviennent donc l'artériosclérose. Elle est également très riche en vitamine E, bien connue pour protéger les parois des artères et faire baisser le taux de cholestérol sanguin.

La double présence de ces deux composants bienfaiteurs conduit à considérer l'huile de germe de blé comme un excellent remède naturel contre l'excès de cholestérol et la prévention des maladies cardio-vasculaires, en particulier l'athérosclérose.

Enfin, ce qui ne gâche rien, elle lutte efficacement contre la sécheresse de la peau et peut vous aider à retarder l'apparition des rides.

> Arkogélules Huile de germe de blé® (Arkopharma, *non remboursé*) : 2 gélules, matin et soir, avec un grand verre d'eau, au moment des repas.

> Vous pouvez aussi consommer l'huile de germe de blé en assaisonnant vos salades avec, tout simplement.

Olivier : la plante "miracle" contre certains maux de tête, vertiges et bourdonnements d'oreilles

L'olivier *(Olea europaea L.)* fait figure de plante miracle dans la prévention et la lutte contre les maladies cardio-vasculaires, dont on sait que le cholestérol fait bien souvent le lit.

Cette plante méditerranéenne fait baisser la tension artérielle et combat maux de tête, vertiges et bourdonnements d'oreilles qui y sont souvent associés.

L'olivicr agit aussi sur votre taux de cholestérol et fait baisser le taux de LDL (le mauvais cholestérol) en même temps qu'il augmente le HDL (le bon cholestérol). Et pour compléter le tout, l'olivier agit sur le rythme cardiaque qu'il régule de manière naturelle.

Cette plante fait aussi baisser le taux de sucre sanguin, ce qui la rend intéressante pour les personnes qui souffrent de diabète non insulino-dépendant.

Ajoutons, pour être complets, que l'olivier a un effet diurétique.

> Teinture Mère Olivier : prendre 40 gouttes, 3 fois par jour.

➤ Oliviase® (Upsa, *non remboursé*) : composé d'olivier. Prendre 3 comprimés, matin et soir, avec un verre d'eau.

➤ Arkogélules Olivier® (Arkopharma, *non remboursé*) : prendre 1 gélule matin, midi et soir, avec un grand verre d'eau, au moment des repas.

Lécithine de soja : ses 3 ingrédients secrets font baisser votre mauvais cholestérol

La lécithine de soja est un émulsifiant naturel : elle rend plus solubles les graisses présentes dans le sang, ainsi que le cholestérol qu'elle empêche de se déposer sur les parois des vaisseaux.

Riche en choline et en inositol, deux composants qui favorisent l'élimination par le foie des graisses en excès, augmentent le taux de bon cholestérol (HDL) et diminuent celui de mauvais cholestérol (LDL).

La vitamine E dont elle est riche accentue encore ses effets anti-cholestérol.

De plus, la lécithine de soja peut vous aider à lutter contre les calculs biliaires, si vous en souffrez.

Autre vertu de la lécithine de soja : elle est un excellent aliment pour votre cerveau dont elle facilite l'activité ; les spécialistes la recommandent pour avoir une meilleure concentration et jouir d'une mémoire plus sûre.

➤ Arkogélules Lécithine de soja® : prendre 1 gélule, matin, midi et soir, avec un grand verre d'eau, au moment des repas.

➤ Vous pouvez aussi trouver la lécithine de soja dans la plupart des magasins de diététique. Il en existe de nombreuses marques, d'excellente qualité. Conformez-vous alors aux indications portées sur l'emballage.

Huile de saumon : le secret des Esquimaux pour retrouver un cœur et des vaisseaux en parfaite santé

L'huile de saumon n'est entrée que récemment dans l'arsenal de lutte contre le cholestérol et les maladies cardio-vasculaires.

Comme le lecteur l'a sans doute déjà remarqué, ce n'est pas une plante, mais ses effets sont tellement spectaculaires et son mode d'action si parfaitement naturel, que nous nous devons de la mentionner.

Les scientifiques avaient remarqué que les Esquimaux, qui mangent une nourriture très grasse, ne souffraient pas de ces maladies et ne succombaient que très rarement à des infarctus, pourtant si meurtriers dans le monde occidental.

De nombreuses études ont prouvé que l'huile de saumon, qu'ils consomment en grande quantité, les protège de l'excès de cholestérol, de l'athérosclérose, de l'angine de poitrine, de l'infarctus du myocarde, etc.

L'huile de saumon, qui n'a pas d'effets secondaires indésirables, peut, si vous en consommez tous les jours, faire baisser votre taux de mauvais cholestérol (LDL) et de triglycérides. C'est un excellent aliment naturel contre l'athérosclérose.

➤ Arkogélules Huile de saumon® (Arkopharma, *non remboursé*) : 2 gélules, matin et soir, à prendre avec un grand verre d'eau, au milieu des repas.

Garcinia : il diminue vos fringales de sucre et vous aide à produire moins de cholestérol

Le garcinia *(Garcinia cambogia L.)* est surtout utilisé dans le cadre de régimes amincissants et pour combattre les envies de sucre. Mais son mode de fonctionnement le conduit à diminuer la fabrication de cholestérol par l'organisme.

➤ Arkogélules Garcinia® (Arkopharma, *non remboursé*) : 1 gélule matin, midi et soir, une demi-heure avant les repas, à prendre avec un grand verre d'eau. *Ne pas utiliser en cas de grossesse ou d'allaitement.*

Artichaut : en régénérant votre foie, il protège vos artères !

L'artichaut *(Cynara scolymus L.)* agit sur le foie de manière très bénéfique puisqu'il régénère ses cellules et combat la constipation d'origine hépatique. En régénérant votre foie, l'artichaut – il s'agit de la feuille, et non du cœur que l'on mange en vinaigrette ! – lutte aussi contre l'excès de cholestérol.

➤ Teinture Mère Artichaut : prendre 30 gouttes, 3 fois par jour.

➤ Arkogélules Artichaut® (Arkopharma, *non remboursé*) : 1 gélule matin, midi et soir, à prendre dans un grand verre d'eau, avant les repas.

➤ Élusanes Artichaut® (Plantes et Médecines, *non remboursé*) : 1 gélule, 2 fois par jour, à prendre matin et soir, accompagnée d'un grand verre d'eau.

➤ Extrait Aqueux Artichaut® (Super Diet, *non remboursé*) : 3 à 6 ampoules par jour, pures ou diluées dans un peu d'eau.

➤ Effidose Artichaut® (Chefaro-Ardéval, *non remboursé*) : prendre 1 récipient unidose par jour, dilué dans un demi-verre d'eau. *Ne pas utiliser chez l'enfant de moins de 15 ans.*

➤ Hépax® (Upsa, *non remboursé*) : composé d'artichaut et de boldo, pour réduire le cholestérol et stimuler le foie. Prendre 1 à 3 cuillerées à café par jour.

➤ Hépaclem® (Clément, *non remboursé*) : ce biomédicament, composé d'artichaut et de boldo notamment, peut être donné aux enfants de plus de 7 ans. Chez l'adulte, prendre 1 ou 2 comprimés, 3 fois par jour, de préférence avant les repas.

Ail : en favorisant la dilatation de vos vaisseaux sanguins, il fait baisser votre tension artérielle

L'ail *(Allium sativum L.)* était une divinité pour les anciens Égyptiens qui avaient déjà remarqué ses propriétés miracles.

Aujourd'hui il est prouvé par une multitude d'études scientifiques que l'ail fait baisser votre taux de mauvais cholestérol (LDL) et de triglycérides. En contrepartie, il agit sur votre bon cholestérol (HDL), qu'il fait augmenter.

Parmi ses composants, les ajoènes, jouent le rôle d'un anti-agrégant plaquettaire, très protecteur pour vos vaisseaux et vos artères. En favorisant la dilatation de vos vaisseaux sanguins, ils font baisser votre tension artérielle et améliorent votre circulation artérielle.

Les hommes apprécieront également son action très positive sur la formation des spermatozoïdes ; et tous pourront profiter de ses propriétés désinfectantes au niveau intestinal.

➤ Teinture Mère Ail : prendre 40 à 50 gouttes, 3 fois par jour.

➤ Arkogélules Ail® (Arkopharma, *non remboursé*) : prendre 1 gélule matin, midi et soir, dans un grand verre d'eau, au moment des repas.

➤ Élusanes Ail® (Plantes et Médecines, *non remboursé*) : prendre 1 gélule, 2 fois par jour, matin et soir, accompagnée d'un grand verre d'eau.

Cœur, artériosclérose, athérosclérose, maladies cardio-vasculaires, angine de poitrine, infarctus du myocarde

On confond généralement athérosclérose et artériosclérose.

L'artériosclérose est, explique le Dictionnaire médical Fleming, un "terme général désignant toute maladie des artères conduisant au durcissement de leurs parois".

L'athérosclérose est une forme particulière d'artériosclérose : des dépôts de cholestérol se fixent sur les parois de vos artères et peuvent, à la longue, boucher celles-ci.

Artériosclérose et athérosclérose sont des maladies vasculaires graves. Elles peuvent provoquer un infarctus du myocarde ou un accident vasculaire cérébral.

Ce que vous devez absolument savoir à propos de l'artériosclérose

D'où l'artériosclérose vient-elle ? Sa cause la plus fréquente est sans conteste l'accumulation du cholestérol sanguin. Mais d'autres facteurs la favorisent : l'hypertension artérielle, le vieillissement, le tabagisme, le diabète, l'excès de poids, l'abus d'alcool, le manque d'exercice physique, le stress, l'excès de sel et même, chez certaines personnes, les antécédents familiaux.

Un suivi médical est indispensable si vous souffrez d'artériosclérose.

**Quelques règles simples pour fortifier votre cœur
et vos vaisseaux**

Comme en cas d'hypertension artérielle, il est important
d'adopter un bon régime alimentaire.

Les sucres et les graisses en excès vous sont préjudicia-
bles ; l'alcool et le tabac également. Prenez l'habitude de
manger des légumes et des viandes maigres. Le poisson, le
saumon notamment, est un excellent aliment pour votre
cœur. Remplacez le beurre par des huiles d'olive et de tournesol : elles sont riches en acides gras essentiels insaturés.

Vous devez aussi faire de l'exercice physique. Ainsi un
quart d'heure de marche chaque jour, au bord de la mer ou
au grand air, est un exercice salutaire, à la portée de tous, et
qui fortifie votre cœur et vos artères.

LES PLANTES QUI RENFORCENT VOTRE CŒUR ET VOS VAISSEAUX

**Lécithine de soja : elle dissout les graisses et réduit
le risque d'avoir les artères bouchées**

La lécithine de soja est un émulsifiant naturel : elle rend
plus solubles les graisses présentes dans le sang, ainsi que le
cholestérol qu'elle empêche de se déposer sur les parois des
vaisseaux, prévenant ainsi l'athérosclérose.

Elle est riche en choline et en inositol, deux composants
qui favorisent l'élimination par le foie des graisses en excès,
augmentent le taux de bon cholestérol (HDL) et diminuent
celui de mauvais cholestérol (LDL).

La vitamine E, dont elle est abondamment composée, accentue encore ces effets anti-cholestérol.

De plus, la lécithine de soja peut vous aider à lutter
contre les calculs biliaires, si vous en souffrez.

La lécithine de soja est une vraie "mine d'or" de la nature : c'est un excellent aliment pour votre cerveau dont elle facilite l'activité ; les spécialistes la recommandent pour avoir une meilleure concentration et jouir d'une mémoire plus sûre.

➤ Arkogélules Lécithine de soja® (Arkopharma, *non remboursé*) : prendre 1 gélule, matin, midi et soir, avec un grand verre d'eau, au moment des repas.

➤ On trouve également de la lécithine de soja de très bonne qualité dans les magasins de diététique.

La lécithine de soja luttera plus efficacement encore contre l'athérosclérose si vous prenez également des graines de lin.

Graine de lin : ses composants diminuent votre taux de cholestérol pour mieux protéger vos artères

La graine de lin (*Linum usitatissimum L.*) vous protège du cholestérol en excès. Elle contient en effet des acides gras essentiels oméga 3 qui font diminuer votre taux de cholestérol.

Mais cette plante est aussi la bienfaitrice de votre peau. Par ailleurs, elle aide à faire disparaître la constipation en douceur, en même temps que les douleurs de ventre et les colites.

➤ Graines de lin : prendre 1 ou 2 cuillerées à soupe avec un grand verre d'eau, 2 à 3 fois par jour. *Disponible en magasin de diététique.*

➤ Arkogélules Graine de lin® (Arkopharma, *non remboursé*) : prendre 1 ou 2 sachets par jour.

Huile de germe de blé : ce que vous devez faire avant que votre cœur et vos vaisseaux ne se détériorent

L'huile de germe de blé (*Triticum sativum Lam.*) est une autre plante hautement recommandable pour lutter contre l'excès de cholestérol, dont on sait que malheureusement il favorise la détérioration de votre cœur et de vos vaisseaux.

Elle est largement composée d'acides gras essentiels qui protègent vos artères contre les dépôts de cholestérol et préviennent donc l'artériosclérose. Elle est également très riche en vitamine E, bien connue pour protéger les parois des artères et faire baisser le taux de cholestérol sanguin.

La double présence de ces deux composants bienfaiteurs conduit à considérer l'huile de germe de blé comme un excellent remède naturel contre l'excès de cholestérol et la prévention des maladies cardio-vasculaires, en particulier l'athérosclérose, généralement en association avec des graines de lin.

Enfin, ce qui ne gâche rien, elle lutte efficacement contre la sécheresse de la peau et peut vous aider à retarder l'apparition des rides.

➤ Arkogélules Huile de germe de blé® (Arkopharma, *non remboursé*) : 2 gélules, matin et soir, avec un grand verre d'eau, au moment des repas.

➤ Vous pouvez aussi consommer l'huile de germe de blé en assaisonnement de vos salades.

Concentration intellectuelle, examens scolaires et universitaires, mémoire

Comment avoir le cerveau toujours alerte, l'esprit fin, comprendre à demi-mot la moindre allusion ? Comment, également, avoir cette excellente mémoire pour vous souvenir facilement des numéros de téléphone, des visages des personnes et de leurs noms ?

Pour pouvoir vous concentrer dans votre travail, lors de la préparation d'un examen ou simplement dans votre vie de tous les jours, il existe d'excellentes plantes qui favorisent la concentration intellectuelle.

Le président Kennedy avait une mémoire d'éléphant grâce à un truc incroyable

Voici aussi le truc du président Kennedy pour retenir les noms et les visages de plus de 20.000 personnes, révélé par le professeur Tepperwein.

"Kennedy avait pris l'habitude de se représenter toute nouvelle personne qu'il rencontrait sous la forme d'une photo d'identification policière. Sur une photo de ce genre, la personne tient devant elle une ardoise avec son nom d'inscrit.

De cette manière, le nom et le visage sont enregistrés simultanément et deviennent indissociables. Si quelqu'un se trouvait devant le président, celui-ci se souvenait instantanément de son nom."

LES PLANTES QUI AUGMENTENT VOS PERFORMANCES INTELLECTUELLES

Ginkgo : comment vous concentrer plus longtemps et moins ressentir la fatigue

Le ginkgo (*Ginkgo biloba L.*), issu d'un arbre préhistorique qui est en lui-même un modèle de résistance au temps qui passe, est un puissant anti-vieillissement.

Le ginkgo améliore votre mémoire et vos facultés d'attention. Il agit aussi sur votre humeur, pour qu'elle soit toujours au beau fixe.

Chez la femme jeune qui prend la pilule contraceptive, il réduit les problèmes circulatoires. Chez les sujets âgés, il aide à lutter contre les tremblements, les problèmes d'équilibre et pertes de l'audition.

Le ginkgo vous permet aussi de voir mieux et plus longtemps aussi car il ralentit le vieillissement de la rétine.

➤ Tanakan® (Ipsen, *remboursé*) : prendre 1 dose ou 1 comprimé, 3 fois par jour.

➤ Gingkogink® (Urpac Astier, *remboursé*) : prendre 1 dose d'1 ml, 3 fois par jour, dans un demi-verre d'eau, pendant les repas.

➤ Arkogélules Ginkgo® (Arkopharma, *non remboursé*) : prendre 1 gélule, matin, midi et soir, avec un grand verre d'eau, au moment des repas.

Ginseng : cette "plante qui guérit" améliore vos capacités physiques et intellectuelles

Le ginseng *(Panax ginseng Meyer)* est cultivé depuis des millénaires en Asie, où les Chinois et les Coréens l'utilisent comme plante qui guérit. Le ginseng blanc est meilleur que le ginseng rouge, qui est bouilli et dont certains composants sont détruits par la chaleur.

Avec le ginseng, vos capacités physiques et intellectuelles se développent. Vous vous concentrez beaucoup plus facilement et plus longtemps. Vous résistez mieux à l'effort et à la fatigue, les douleurs musculaires étant amoindries. Vous avez une meilleure mémoire. Le ginseng agit aussi sur les réflexes.

Cette plante est connue pour être un revitalisant sexuel, un aphrodisiaque. Le ginseng rend votre cœur et vos poumons plus forts. C'est aussi un "défatigant" efficace. Plante adaptogène, le ginseng aide votre corps à mieux s'adapter à son environnement.

Enfin, le ginseng fait baisser votre taux de cholestérol, de triglycérides et de sucre. Il est d'ailleurs indiqué comme traitement complémentaire en cas de léger excès de cholestérol et de diabète léger.

➤ Teinture Mère Ginseng : prendre 40 gouttes, 3 fois par jour.

➤ Arkogélules Ginseng® (Arkopharma, *non remboursé*) : prendre 2 gélules, matin et midi.

➤ Élusanes Ginseng® (Plantes et Médecines, *non remboursé*) : prendre 1 gélule, matin et soir, au cours des repas, avec un verre d'eau. *Réserver les gélules de 200 mg à l'adulte. Ne pas prolonger le traitement plus de 3 mois.*

➤ Ginsana® (Boehringer Ingelheim, *non remboursé*) : prendre 1 ou 2 capsules, 2 fois par jour, avec un verre d'eau, au moment des repas.

➤ Ginseng Alpha® (Gilbert, *non remboursé*) : prendre 2 gélules, 2 fois par jour, avec un verre d'eau, au moment des repas.

➤ Ginseng Boiron® (Boiron, *non remboursé*) : prendre 1 gélule, 1 à 3 fois par jour, avec un grand verre d'eau. *Ne pas utiliser pendant plus de 3 mois sans avis médical.*

Éleuthérocoque : le secret des pionniers de l'espace pour être au "top niveau" physique et intellectuel

L'éleuthérocoque *(Eleutherococcus senticosus Maxim.)* vous rendra de grands services en cas de fatigue, qu'elle soit physique ou intellectuelle. Cette plante vous sera donc très précieuse si vous êtes amené à "travailler dur" pour préparer un examen ou une compétition sportive.

On l'appelle aussi la "plante secrète des Russes", peuple dont on connaît le grand intérêt pour la médecine par les plantes. Les cosmonautes soviétiques l'ont longtemps utilisée.

Avec cette plante, vous augmentez votre résistance physique, vous vous adaptez mieux à votre environnement, vous devenez plus résistant, vous récupérez plus vite après un exercice ou un effort.

On la désigne pudiquement sous le terme de "tonique masculin", ce qui veut dire qu'elle renforce les capacités sexuelles des hommes et favorise l'érection.

Vous avez intérêt à vous en remettre à cette merveilleuse plante si vous devez fournir un effort physique (compétition sportive, par exemple) ou intellectuel (examen), ou encore si vous êtes convalescent pour retrouver toute votre santé encore plus rapidement.

Et mieux encore, l'éleuthérocoque a un avantage supplémentaire : ses effets se prolongent même après l'arrêt du traitement.

> ➤ Teinture Mère Éleuthérocoque : prendre 40 gouttes, 3 fois par jour.

> ➤ Arkogélules Éleuthérocoque® (Arkopharma, *non remboursé*) : prendre 2 gélules, le matin et le midi.

Lécithine de soja : le secret pour "doper" votre cerveau, de manière naturelle et sans danger

La lécithine de soja est un excellent aliment pour votre cerveau dont elle facilite l'activité. Les spécialistes la recommandent pour avoir une meilleure concentration et jouir d'une mémoire plus sûre.

La lécithine de soja est un émulsifiant naturel : elle rend plus solubles les graisses présentes dans le sang, ainsi que le cholestérol qu'elle empêche de se déposer sur les parois des vaisseaux.

Elle est riche en choline et en inositol, deux composants qui favorisent l'élimination par le foie des graisses en excès, augmentent le taux de bon cholestérol (HDL) et diminuent celui de mauvais cholestérol (LDL).

La vitamine E, dont elle est abondamment composée, accentue encore ces effets anti-cholestérol.

➤ Arkogélules Lécithine de soja (Arkopharma, *non remboursé*) : prendre 1 gélule, matin, midi et soir, avec un grand verre d'eau, au moment des repas.

Constipation

Voilà un problème d'autant plus gênant que, bien souvent, on n'ose pas en parler.

Certaines personnes sont tellement pudiques qu'elles n'en parlent pas à leur conjoint, ni à leur médecin. Elles souffrent donc de cette situation et, bien sûr, faute d'évoquer le problème, ne trouvent pas de solution.

Pourtant, la constipation doit être évitée : les selles sont des déchets qui empoisonnent votre corps petit à petit. Il est donc important qu'ils séjournent le moins longtemps possible dans vos intestins.

Pourquoi vous devez aller à la selle au minimum chaque jour

Même si certains médecins affirment qu'il n'y a pas de constipation, au sens médical du terme, si vous n'évacuez qu'une fois par semaine, sachez tout de même que d'autres estiment que vous pouvez vous protéger d'un grand nombre de problèmes de santé en allant à la selle quotidiennement.

Les causes de la constipation sont multiples. Outre les cas graves tels que cancer ou tumeur, une alimentation trop riche en viandes et trop pauvre en fibres est souvent responsable des problèmes d'évacuation. Le manque d'exercice et le stress favorisent aussi ce problème.

Mangez chaque jour des fruits frais et des légumes verts, riches en fibres, et prenez vos repas dans le calme, télévision éteinte de préférence.

Un fruit "miraculeux" contre la constipation, même ancienne

Faites une cure de pruneaux : ils font souvent des miracles sur des constipations anciennes que le malade pensait incurables. Le pop-corn a aussi des propriétés étonnantes dans ce domaine : donnez-en aux enfants qui ont du mal à évacuer quotidiennement.

Un truc bien utile enfin : massez votre ventre, en cercle, dans le sens des aiguilles d'une montre, notamment pendant que vous êtes sur le siège des toilettes.

LES PLANTES QUI COMBATTENT LA CONSTIPATION

Ispaghul : il fait disparaître votre constipation et vous fait maigrir en même temps

L'ispaghul (*Plantago ovata*) vous aide à avoir un bon transit intestinal et à vous débarrasser de la constipation, surtout celle d'origine hépatique (le fameux "foie paresseux"). Vos selles sont mieux hydratées et vous les évacuez plus facilement.

L'ispaghul est aussi un coupe-faim naturel idéal. Dans votre estomac, il se transforme en un gel volumineux qui vous coupe l'appétit. En outre, il réduit l'absorption par votre corps des sucres et des graisses. Ce que vous mangez vous "profite" donc moins !

En plus, il fait baisser vos taux de cholestérol et de triglycérides.

➤ Spagulax Mucilage Pur® (Pharmafarm, *remboursé*) : prendre 1 sachet, matin, midi et soir, après les repas, avec un grand verre d'eau.

➤ Spagulax Sorbitol® (Pharmafarm, *remboursé*) : prendre 1 sachet, matin, midi et soir, après les repas, avec un grand verre d'eau.

➤ Ispaghul Trouette-Perret® (Amido, *non remboursé*) : chez l'adulte, prendre 1 cuillerée à soupe, 2 fois par jour, avant les repas. Chez l'enfant de 7 à 15 ans, réduire à 2 cuillerées à café, 2 fois par jour. Chez l'enfant de 2 à 7 ans, réduire à 1 cuillerée à café, 2 fois par jour.

➤ Élusanes Phytofibre® (Plantes et Médecines, *non remboursé*) : composé d'ispaghul. Prendre 1 ou 2 gélules ou bien 1 sachet, matin et soir, au cours des repas, avec un verre d'eau.

➤ Mucivital® (Arkopharma, *non remboursé*) : composé d'ispaghul. Prendre 2 ou 3 gélules, 2 ou 3 fois par jour, avec un grand verre d'eau, avant les repas, ou bien 1 ou 2 sachets au cours du repas du soir.

➤ Arkogélules Ispaghul® (Arkopharma, *non remboursé*) : pour réduire l'appétit, prendre 4 gélules, matin, midi et soir. Contre la constipation, prendre 1 gélule, matin, midi et soir.

Graine de lin : elle vous libère en douceur de votre constipation... ainsi que des douleurs et colites

La graine de lin *(Linum usitatissimum L.)* vous aide à lutter contre la constipation chronique, et vous protège en même temps du cholestérol en excès.

Avec elle, vos selles sont plus volumineuses, mieux lubrifiées : vous allez mieux à la selle et la constipation disparaît en douceur, en même temps que les douleurs de ventre et les colites.

De plus, la graine de lin contient des acides gras essentiels oméga 3 qui font diminuer votre taux de cholestérol. Elle est aussi la bienfaitrice de votre peau.

➤ Graines de lin : prendre 1 ou 2 cuillerées à soupe avec un grand verre d'eau, 2 à 3 fois par jour. *Disponible en magasin de diététique.*

➤ Arkogélules Graines de lin® (Arkopharma, *non remboursé*) : prendre 1 ou 2 sachets par jour.

Artichaut : le secret pour éliminer la constipation due à un foie "paresseux"

Quand la constipation est d'origine hépatique, il faut soigner la cause. Et l'artichaut *(Cynara scolymus L.)* est là pour cela.

Si vous souffrez de constipation due à une mauvaise production de bile, le cas échéant accompagnée de migraines digestives, l'artichaut pourrait bien vous en délivrer. Il favorise en effet la production de bile, ainsi que son élimination. On le recommande même en cas de calculs biliaires, de jaunisse et même de cirrhose.

Et comme l'artichaut est vraiment une plante de santé, il fait aussi baisser votre taux de cholestérol et votre tension artérielle.

➤ Teinture Mère Artichaut : prendre 30 gouttes, 3 fois par jour.

➤ Extrait Aqueux d'Artichaut® (Super Diet, *non remboursé*) : 3 à 6 ampoules par jour, pures ou diluées dans un peu d'eau.

➤ Effidose Artichaut® (Chefaro-Ardeval, *non remboursé*) : prendre 1 récipient unidose par jour, dilué dans un demi-verre d'eau. *Ne pas utiliser chez l'enfant de moins de 15 ans.*

➤ Arkogélules Artichaut® (Arkopharma, *non remboursé*) : 1 gélule matin, midi et soir, à prendre dans un grand verre d'eau, avant les repas.

➤ Élusanes Artichaut® (Plantes et Médecines, *non remboursé*) : 1 gélule 2 fois par jour, à prendre matin et soir, accompagnée d'un grand verre d'eau.

Pamplemousse : que faire si votre constipation est due à un régime amincissant

Riche en fibres, le pamplemousse *(Citrus decumana)* est excellent pour rétablir un transit intestinal ralenti, par exemple à l'occasion d'un régime amincissant.

Si vous préférez manger le fruit lui-même, consommez-le comme une orange, c'est-à-dire en le découpant en quartiers. Et prenez bien soin de manger l'albedo, cette substance blanche qui sépare la peau de la pulpe : c'est elle qui a les meilleurs effets. Mâchez bien, car ce n'est pas toujours facile à avaler.

➤ Arkogélules Pamplemousse® (Arkopharma, *non remboursé*) : 2 gélules matin, midi et soir, à prendre avec un grand verre d'eau, au moment des repas.

Bourdaine : une bonne solution pour éliminer rapidement une forte constipation

La bourdaine *(Frangula alnus)* est ce que l'on appelle un laxatif stimulant : elle provoque la selle chez une personne souffrant de forte constipation, situation à laquelle il doit être mis fin. Mais, contrairement à d'autres laxatifs du même type, c'est un laxatif naturel.

En provocant une plus grande hydratation de vos selles, la bourdaine facilite ainsi l'expulsion des déchets intestinaux.

Toutefois, l'usage de la bourdaine doit être occasionnel car elle ne rééduque pas l'intestin.

➤ Teinture Mère Bourdaine : prendre 40 gouttes, 3 fois par jour.

➤ Arkogélules Bourdaine® (Arkopharma, *non remboursé*) : prendre 1 gélule, matin et soir, avec un grand verre d'eau, au moment des repas. *Ne pas utiliser chez l'enfant, ni chez la femme qui allaite. Ne pas utiliser pendant plus de 10 jours.*

➤ Normacol Bourdaine® (Norgine Pharma, *remboursé*) : composé de bourdaine et de gomme de sterculia. Prendre 1 à 2 cuillerées à café ou 1 sachet par jour, avec un verre d'eau, après les repas. *Ne pas utiliser chez la femme enceinte ou qui allaite, ni chez l'enfant de moins de 10 ans. À utiliser avec précaution : demandez conseil à votre pharmacien.*

Séné : un traitement "de choc" (mais naturel !) contre la constipation rebelle

Comment vous y prendre pour traiter une constipation rebelle ? Même si l'idéal est de rééduquer vos intestins pour aller à la selle normalement, il est des cas où un traitement "de choc", mais naturel, est indispensable. Le séné *(Cassia angustifolia Vahl.)* vient dans ce cas à votre secours.

Cette plante, originaire de l'Inde, rend vos selles plus volumineuses, mieux hydratées, et facilite le fonctionnement du gros intestin. En 10 heures chrono, vous allez à la selle comme si vous n'aviez aucun problème de constipation.

Le séné peut rendre de grands services, mais utilisez-le avec modération, car c'est un laxatif "stimulant", donc irritant. Il ne rééduque pas vos intestins, il se contente de provoquer l'évacuation.

Ne donnez jamais de séné à un enfant, sauf sur avis médical. Vous ne devez pas non plus l'utiliser pendant plus de dix jours. Par la suite, pour retrouver une évacuation normale, il vous faudra recourir à des plantes plus "douces", l'ispaghul par exemple.

➤ Teinture Mère Séné : prendre 30 gouttes.

➤ Arkogélules Séné® (Arkopharma, *non remboursé*) : prendre 1 gélule, matin, midi et soir, avec un grand verre d'eau, au moment des repas. *Ne pas utiliser pendant plus de 10 jours, ni chez la femme qui allaite.*

LES AUTRES BIOMÉDICAMENTS

Voici d'autres biomédicaments pour rééduquer vos intestins et lubrifier vos selles :

➤ Normacol® (Norgine Pharma, *remboursé*) : composé de gomme de sterculia qui est un laxatif de lest, donc un laxatif "doux". Prendre 1 à 3 cuillerées à café de granulés, avec un grand verre d'eau, 2 ou 3 fois par jour, ou bien 1 sachet, 2 à 4 fois par jour. *Ne pas utiliser chez la femme enceinte ou qui allaite.*

➤ Laxafit® (Arkopharma, *non remboursé*) : riche en jus

concentré de figue. Chez l'adulte, en cas de digestion difficile, prendre 1 à 3 sachets "adulte" dans un verre d'eau, avant les repas ou au moment des troubles ; en cas de constipation, 1 sachet "adulte" par jour, à jeun, le matin. Chez l'enfant de 10 à 15 ans, prendre 1 sachet "enfant", le matin, à jeun.

➤ Infibran® (Expanpharm, *non remboursé*) : composé de son de blé qui donne du volume à vos selles et favorise leur évacuation. Prendre 4 cuillerées à café ou 4 comprimés par jour, les 3 premiers jours, avec un grand verre d'eau ; augmenter à 8 cuillerées à café ou 8 comprimés par jour, les 3 jours suivants ; augmenter à 4 cuillerées à soupe ou 12 comprimés par jour, les jours suivants. *Ne pas utiliser chez la femme enceinte ou qui allaite.*

Couperose

La couperose, cette affection qui se caractérise par l'apparition de petites taches rouges et violacées sur le visage, est bien désagréable.

Couperose : l'alcool est-il responsable ?

Bien des gens pensent en effet que c'est un signe d'ivrognerie et que cela trahit une consommation exagérée d'alcool, et notamment de vin. Et il n'est pas rare de sourire en voyant certaines personnes dont le visage est littéralement "mangé" par cette couperose.

En fait, la couperose provient de la dilatation des vaisseaux sanguins du visage, parfois sous l'effet du froid ou de la chaleur. L'alcool, il est vrai, ne peut qu'aggraver le phénomène. Et si vous en êtes atteint, vous avez tout intérêt à réduire votre consommation au strict minimum.

LES PLANTES QUI RÉDUISENT LA COUPEROSE

Feuille de myrtille : en rendant vos capillaires plus résistants, elle peut faire disparaître la couperose

Contre la couperose, la feuille de myrtille *(Vaccinium myrtillus L.)*, à ne pas confondre avec la baie de myrtille, donne des résultats souvent extraordinaires.

Cette plante, en effet, rend vos capillaires plus résistants, ce qui est excellent pour mieux soigner la couperose. D'une façon générale, si vous avez les capillaires fragiles, la feuille de myrtille vous fera sans doute le plus grand bien.

Par ailleurs, la feuille de myrtille fait baisser votre taux de sucre sanguin, aussi est-elle bien utile en cas de diabète léger.

➤ Extrait fluide Feuille de myrtille : prendre 20 gouttes, 3 fois par jour.

➤ Arkogélules Feuille de myrtille® (Arkopharma, *non remboursé*) : prendre 1 gélule, matin, midi et soir, avec un grand verre d'eau, au moment des repas.

Hamamélis : pour empêcher l'éclatement de vos capillaires sous l'effet de la chaleur ou du froid

L'hamamélis *(Hamamelis virginiana L.)* renforce vos veines et vos capillaires.

Plus solides, vos capillaires n'éclatent plus sous la peau et vous luttez ainsi contre la couperose.

De plus, l'hamamélis vous aide à avoir des veines plus fortes, dans lesquelles le sang circule mieux et ne stagne pas. Vous voyez ainsi vos problèmes de jambes lourdes disparaître. De même, cette plante est excellente pour soigner les varices et les hémorroïdes (varices de l'anus). Elle aide aussi à résorber les œdèmes veineux.

- ➤ Teinture Mère Hamamélis : prendre 30 gouttes, 3 fois par jour.
- ➤ Arkogélules Hamamélis® (Arkopharma, *non remboursé*) : prendre 1 gélule, matin, midi et soir, avec un grand verre d'eau, au moment des repas.
- ➤ Élusanes Hamamélis® (Plantes et Médecines, *non remboursé*) : prendre 1 gélule, matin et soir, au cours des repas, avec un verre d'eau.
- ➤ Médiflor Tisane Circulation du sang N° 12® (Monot, *non remboursé*) : composé d'hamamélis, de vigne rouge, de cyprès et de marron d'Inde. Boire 1 tasse d'infusion, 4 ou 5 fois par jour, en dehors des repas. *Ne pas utiliser de manière prolongée sans avis médical, ni chez la femme enceinte ou qui allaite.*

LES AUTRES BIOMÉDICAMENTS

- **La vigne rouge** donne aussi de bons résultats contre la couperose :
  - ➤ Opo-Veinogène® (Thera France, *remboursé*) : composé de vigne rouge et de marron d'Inde. Prendre 2 ou 3 cuillerées par jour, avec un verre d'eau, avant les repas.
  - ➤ Extrait fluide de feuilles de Vigne Rouge® : prendre 2 cuillerées à café par jour.
  - ➤ Élusanes Vigne Rouge® (Plantes et Médecines, *non remboursé*) : prendre 1 gélule, matin et soir, au cours des repas, avec un verre d'eau.
- **Le mélilot** renforce les capillaires qui, justement, sont faibles chez les personnes atteintes de couperose :

➤ Teinture Mère Mélilot : prendre 35 gouttes, 3 fois par jour.

➤ Élusanes Mélilot® (Plantes et Médecines, *non remboursé*) : prendre 1 gélule, matin et soir, au cours des repas, avec un verre d'eau.

● Le biomédicament qui suit, composé notamment d'**ail**, est un protecteur vasculaire. Il favorise la bonne santé de vos capillaires sanguins :

➤ Ex'Ail Vitaminé P® (Phygiène, *non remboursé*) : prendre 1 ou 2 comprimés, 3 fois par jour, avec un verre d'eau, au moment des repas.

Crampes musculaires

C'est très douloureux, ça arrive sans prévenir, surtout la nuit, et ça repart de la même manière. De quoi s'agit-il ?
– D'une crampe.

Le mollet est la cible préférée des crampes. Ces contractions musculaires involontaires sont très douloureuses. Une crampe de temps en temps, ce n'est pas grave, même si c'est désagréable : le froid, la fatigue, un effort physique peuvent en être la cause.

Crampes fréquentes : avez-vous du diabète ?
En revanche, des crampes fréquentes signalent souvent un problème plus grave, comme du diabète ou de l'artérite, par exemple.

Si vous faites du jogging, un bon échauffement et des étirements avant et après sont importants pour éviter les crampes.

Parfois, les crampes sont dues à une carence en vitamines et minéraux : B6, magnésium, potassium.

Pourquoi les femmes élégantes ont plus souvent des crampes

Si vous êtes une jeune femme élégante, qui apprécie les talons hauts, peut-être ces derniers sont-ils en cause ? Il est temps de reconsidérer vos choix vestimentaires. Réservez vos chaussures à talons hauts pour les occasions importantes et portez des chaussures plates le reste du temps.

La Princesse Diana ne portait que des chaussures plates pour ne pas dépasser son royal époux : cela ne l'a jamais empêchée d'être reconnue comme l'une des plus belles et des plus élégantes femmes du monde.

2 trucs (infaillibles ou presque...) pour en finir avec les crampes

Voici enfin 2 trucs "géniaux" pour effacer définitivement les crampes de votre vie : d'abord, dormez dans une chambre bien aérée ; ensuite, placez vos jambes sur un gros coussin, si possible bourré de plants de licopode, une plante qui active la circulation sanguine.

LES PLANTES QUI VOUS PROTÈGENT DES CRAMPES

Queue de cerise : elle combat la cause principale des crampes !

Connue depuis des siècles, la queue de cerise (*Prunus cerasus L.*) nettoie vos reins et augmente la production d'urine, favorisant ainsi l'élimination des toxines de votre corps. Avec elle, vous luttez contre les causes de vos crampes.

La queue de cerise est aussi un moyen pour contrer les infections urinaires, les cystites notamment, ainsi que l'inflammation qui en découle. Les calculs urinaires, les œdèmes et même l'hypertension débutante sont aussi efficacement combattus grâce à cette excellente plante.

➤ Arkogélules Queues de cerise® (Arkopharma, *non remboursé*) : prendre 2 gélules, matin et midi.

Lithothame : comment lutter contre les crampes, les rhumatismes et l'acidité gastrique en même temps

Le lithothame *(Lithothamnium calcareum)* est un précieux cadeau du monde marin.

Cette algue est un puissant anti-acide. Or, l'excès d'acidité est en cause dans de nombreux problèmes tels que les crampes, l'arthrose, les rhumatismes, l'arthrite, les tendinites, les gingivites, les sciatiques, la fatigue chronique, etc.

Le lithothame combat aussi l'acidité gastrique et ses effets courants : brûlures d'estomac, douleurs, renvois aigres. Vous allez bientôt retrouver une digestion agréable sans ces tracas bien désagréables.

➤ Arkogélules Lithothame® (Arkopharma, *non remboursé*) : prendre 1 gélule, matin, midi et soir, avec un grand verre d'eau, au moment des repas.

LES AUTRES BIOMÉDICAMENTS

● **Composé de camphre et d'un anesthésique,** voici une crème qui soulage les douleurs, notamment celles causées par les crampes :

➤ Crème Ibis® (Amido, *non remboursé*) : faire 1 à 3 applications par jour, après avoir soigneusement nettoyé la peau. *Ne pas utiliser chez l'enfant de moins de 3 ans, ni chez celui de moins de 7 ans, sans avis médical.*

- **Composé de quinine et d'aubépine**, le biomédicament suivant détend les muscles et a un effet calmant :

  ➤ Quinisédine® (Le Marchand, *remboursé*) : prendre 4 à 6 comprimés par jour. *Lire attentivement la notice.*

Cystite, urétrite, infection urinaire

Voici deux trucs pour reconnaître facilement une cystite. Si vous êtes une femme et si, au moment d'uriner, le "pipi" sort goutte-à-goutte ou pas du tout, vous avez toutes les "chances" d'avoir contracté une cystite.

Chez l'homme, surtout après 50 ans, les mêmes symptômes pourraient révéler un problème de prostate : consultez votre médecin.

Pour en revenir à la cystite, il s'agit d'une infection qui provoque une inflammation de la vessie. S'en suivent des douleurs peu agréables, des difficultés pour uriner, et la présence éventuelle de pus et de sang dans l'urine.

Cystite : que faire si les antibiotiques ne donnent aucun résultat

Les antibiotiques sont généralement très efficaces en cas de cystite aiguë. Ils montrent par contre leurs limites en cas de cystite chronique ou à répétition. C'est qu'en réalité, les antibiotiques affaiblissent votre système immunitaire à long terme ; il vaut donc mieux les garder pour un cas grave.

En revanche, nombre de biomédicaments, composés de plantes, ont des effets antibiotiques remarquables, sans les inconvénients des antibiotiques classiques.

Votre vie sexuelle est-elle la cause de vos cystites fréquentes ?

Si vous êtes une femme dont la vie sexuelle est "très active" et si vous êtes sujette aux cystites fréquentes, votre mode de vie est peut-être en cause. Utilisez systématiquement des préservatifs afin d'éviter tout contact avec les germes de vos partenaires amoureux et urinez tout de suite après chaque rapport sexuel.

Prenez aussi garde, lorsque vous allez à la selle ou dans toute autre circonstance, de ne jamais mettre aucun excrément en contact avec votre sexe.

LES PLANTES QUI SOIGNENT LA CYSTITE ET LES AUTRES INFECTIONS URINAIRES

Bruyère : le secret pour éliminer plus facilement germes et bactéries

En cas d'infection urinaire en général et de cystite en particulier, il est important que vous uriniez beaucoup. Ainsi, vous nettoyez votre appareil urinaire naturellement et favorisez l'élimination des germes et bactéries.

La bruyère (*Erica cinerea L.*) vous aide de trois manières différentes : elle augmente le volume de vos urines, vous "force" à uriner davantage et ainsi, combat l'infection le plus naturellement du monde.

Cette plante contient de précieux composants, des tanins et des flavonoïdes, qui soulagent l'inflammation de la paroi de la vessie et réduisent la douleur que vous ressentez.

Les hommes profiteront aussi de l'action bénéfique de la bruyère, en particulier en cas d'inflammation ou d'hypertrophie de la prostate. Contre les problèmes de prostate, la bruyère est généralement combinée à la racine d'ortie.

Contre toutes les cystites, qu'elles soient à répétition,

176

chroniques ou bien aiguës, la bruyère est généralement associée à la busserole, qui est un fabuleux antiseptique.

> Teinture Mère Bruyère : prendre 30 gouttes, 3 fois par jour.

> Arkogélules Bruyère® (Arkopharma, *non remboursé*) : prendre 2 gélules, matin et midi, avec un grand verre d'eau, au moment des repas. Il est important de boire 1,5 à 2 litres d'eau minérale par jour.

> Santane R 8® (Iphym, *non remboursé*) : ce cocktail de 11 plantes, dont la bruyère, facilite le travail de vos reins. Boire 1 à 4 tasses d'infusion par jour, de préférence après les repas.

Busserole : ce fabuleux antiseptique peut vous libérer d'une cystite chronique

En cas d'infection urinaire, le responsable s'appelle le plus souvent "colibacille". Ce germe s'infiltre dans votre vessie et vous rend la vie impossible.

La busserole *(Arctostaphylos uva-ursi Spreng.)*, une bien jolie plante qui pousse dans les sous-bois et les régions de montagne, possède une propriété étonnante : ses feuilles combattent les colibacilles responsables d'infections intestinales ou urinaires.

En cas de cystite aiguë, la busserole multiplie le volume des urines, elle vous oblige à uriner davantage et facilite l'élimination de l'infection.

Si vous souffrez d'une cystite chronique et que tous les traitements se sont révélés inefficaces jusqu'alors, la busserole peut peut-être vous en débarrasser.

En cas de cystites à répétition, un traitement de fond à base de busserole et de bruyère a aussi toutes les chances de prévenir les récidives.

Cette plante est aussi une excellente amie de votre taux d'acide urique car elle facilite l'élimination de l'urée par vos reins.

➤ Teinture Mère Busserole : prendre 20 à 30 gouttes, 3 fois par jour.

➤ Arkogélules Busserole® (Arkopharma, *non rembour-sé*) : prendre 2 gélules, matin et midi, avec un grand verre d'eau, au moment des repas. Il est important de boire 1,5 à 2 litres d'eau minérale par jour. *Ne pas utiliser chez la femme enceinte ou qui allaite.*

➤ Élusanes Busserole® (Plantes et Médecines, *non rem-boursé*) : prendre 1 gélule, matin et soir, au cours des repas, avec un verre d'eau.

➤ Boribel N° 17® (Diététiques et Santé, *non remboursé*) : composé de busserole et de frêne, il facilite le bon fonctionnement de vos reins. Boire 1 tasse de tisane, 3 fois par jour.

Chiendent : il combat les douleurs des cystites, prévient les calculs urinaires et aide à faire disparaître la cellulite

Les propriétés curatives du chiendent *(Agropyrum repens Beauv.)* sont bien connues depuis l'Antiquité.

C'est une plante qui favorise une évacuation importante de l'urine, expulsant ainsi de votre corps déchets et toxines.

Le chiendent, qui a aussi des propriétés anti-inflammatoi-res, est utile pour lutter contre les infections urinaires telles que les cystites.

Les médecins grecs et romains s'en servaient pour com-battre et dissoudre les calculs. Les médecins continuent aujourd'hui de le prescrire en cas de calculs urinaires et de coliques néphrétiques, ainsi que pour éviter les récidives.

Quant aux femmes qui souhaitent faire disparaître leur cellulite, elles apprécieront son efficacité pour lutter contre la rétention d'eau ainsi que pour son action anti-œdème.

➤ Teinture Mère Chiendent : prendre 40 gouttes, 3 fois par jour.

➤ Arkogélules Chiendent® (Arkopharma, *non remboursé*) : prendre 2 gélules, matin et midi.

➤ Médiflor Tisane Diurétique N° 4® (Monot, *non remboursé*) : composé de chiendent et fenouil. Boire 1 tasse d'infusion le matin, à jeun, et à la fin des repas de midi et du soir.

LES AUTRES BIOMÉDICAMENTS

Les biomédicaments qui suivent, bien que composés de plantes toutes différentes les unes des autres, améliorent le fonctionnement de vos reins et favorisent l'élimination de l'eau. Cela ne peut que vous être profitable en cas de cystite.

➤ Pilosuryl® (Pierre Fabre Santé, *remboursé*) : composé de piloselle. Prendre 2 à 3 cuillerées à café dans un verre d'eau, avant les repas de midi et du soir.

➤ Lespénéphryl® (Darcy, *non remboursé*) : composé de *Lespedeza capitata* et d'anis. Prendre 1 à 4 cuillerées à café de solution buvable par jour, dans un verre d'eau, avant les repas.

➤ Paliuryl® (Richelet, *remboursé*) : composé de paliure. En boire 30 gouttes diluées dans un verre d'eau, 20 minutes avant les repas, 3 fois par jour.

Déprime, dépression nerveuse, état dépressif

Beaucoup de gens se croient dépressifs alors qu'ils ne le sont pas. Ils sont simplement angoissés, anxieux, tristes ou contrariés par un problème personnel.

La dépression est plus grave : vous êtes dépressif si vous n'arrivez pas à voir l'avenir avec un certain optimisme ; si vos expériences douloureuses passées vous conduisent à considérer l'avenir comme très négatif. En conséquence, vous vous désintéressez de tout, vous n'avez aucun espoir dans le lendemain.

Comment distinguer déprime et dépression

Bien souvent, les dépressifs n'arrivent plus à dormir lorsqu'arrive le petit matin et ont une meilleure humeur le soir.

Si vous êtes dans ce cas, vous avez alors besoin d'un soutien psychologique.

N'hésitez pas à rencontrer un psychiatre. Surtout, éloignez de votre esprit que ce sont les "fous" qui voient un psychiatre : cet homme (ou cette femme) est un spécialiste de l'esprit humain dont il a étudié les mécanismes ; c'est un psychologue qui, en plus, est médecin.

Il vous aidera à mieux comprendre vos problèmes, à les évaluer et à trouver des solutions satisfaisantes. Consulter un spécialiste est souvent le premier pas vers la guérison.

Appliquez ce secret facile qui vous aide à voir la vie en rose... plutôt qu'en gris !

En cas de déprime, bien moins grave, les plantes et biomédicaments vous aident à voir la vie sous son meilleur jour : en rose plutôt qu'en gris !

Les vitamines du groupe B (par exemple, le complexe "B Chabre", disponible en pharmacie) sont aussi d'excellents moyens de lutter avec succès contre la déprime passagère. La vitamine B1 est en effet la vitamine de la bonne humeur.

LES PLANTES QUI LUTTENT CONTRE LA DÉPRIME

Millepertuis : cette plante est plus efficace que les antidépresseurs chimiques, sans provoquer aucun effet secondaire

Le millepertuis (*Hypericum perforatum L.*) est connu depuis plus de mille ans. À l'époque, on s'en servait pour soigner les blessures et les brûlures.

Aujourd'hui, c'est plutôt pour les problèmes nerveux que cette plante est utilisée. Si vous faites un peu de dépression, si votre humeur passe d'un extrême à l'autre, le millepertuis est parfait pour compenser vos petites baisses de moral. Grâce à lui, vous allez retrouver toute votre bonne humeur et votre optimisme.

Le millepertuis a en effet une action antidépressive très intéressante. "Un extrait de millepertuis, utilisé chez 15 femmes dépressives, explique le Docteur Max Rombi, a entraîné une amélioration sensible des différents symptômes liés à la dépression, sans aucun effet secondaire."[3]

Par ailleurs, lors d'une autre étude menée sur plus de 2 000 sujets, on a constaté que "dans la plupart des cas, l'amélioration des symptômes a été significative, et même supérieure comparée à plusieurs antidépresseurs classiques."[4]

---

3 Docteur Max Rombi, *100 plantes médicinales*, Deuxième édition, Nice, 1998, p.198.
4 *Ibid.*

Le millepertuis est toutefois relativement peu connu en France. Mais, en Allemagne, c'est le premier remède prescrit par les médecins pour combattre les syndromes dépressifs, l'anxiété et la nervosité.

➤ Teinture Mère Millepertuis : prendre 30 gouttes, 3 fois par jour.

➤ Arkogélules Millepertuis® (Arkopharma, *non remboursé*) : pour la posologie, demander conseil à votre médecin ou à votre pharmacien.

Ginseng : l'un des meilleurs remèdes contre la déprime vient-il de Chine ?

Le ginseng *(Panax ginseng Meyer)* est cultivé depuis des millénaires en Asie où les Chinois et les Coréens l'utilisent comme plante qui guérit.

C'est une plante adaptogène : elle vous aide à mieux vous adapter à votre environnement, ce qui est excellent pour en finir avec la déprime.

Avec le ginseng (blanc, de préférence), vos capacités physiques et intellectuelles se développent. Vous résistez mieux à l'effort et à la fatigue, les douleurs musculaires étant amoindries. Vous avez une meilleure mémoire. Le ginseng agit aussi sur les réflexes.

Par ailleurs, cette plante est connue pour être un revitalisant sexuel, un aphrodisiaque.

Le ginseng rend votre cœur et vos poumons plus forts. C'est aussi un "défatigant" efficace. Et en plus, il fait baisser votre cholestérol et vos triglycérides.

➤ Teinture Mère Ginseng : prendre 40 gouttes, 3 fois par jour.

➤ Arkogélules Ginseng® (Arkopharma, *non remboursé*) : prendre 2 gélules, matin et midi.

➤ Élusanes Ginseng® (Plantes et Médecines, *non remboursé*) : prendre 1 gélule, matin et soir, au cours des repas, avec un verre d'eau. *Réserver les gélules de 200 mg à l'adulte. Ne pas prolonger le traitement plus de 3 mois.*

➤ Ginsana® (Boehringer Ingelheim, *non remboursé*) : prendre 1 ou 2 capsules, 2 fois par jour, avec un verre d'eau, au moment des repas.

➤ Ginseng Alpha® (Gilbert, *non remboursé*) : prendre 2 gélules, 2 fois par jour, avec un verre d'eau, au moment des repas.

➤ Ginseng Boiron® (Boiron, *non remboursé*) : prendre 1 gélule, 1 à 3 fois par jour, avec un grand verre d'eau. *Ne pas utiliser pendant plus de 3 mois sans avis médical.*

Houblon : cette plante du nord de l'Europe réduit déprime et dépression

Le houblon *(Humulus lupulus L.)* est très utile en cas d'anxiété ou de nervosité. Il régularisera votre humeur et réduira votre déprime ou votre dépression.

Le houblon est d'ailleurs bien connu, surtout dans le nord de l'Europe, pour favoriser le sommeil.

Un dernier point : même si vous êtes déprimé et si le houblon peut vous faire le plus grand bien, contentez-vous du houblon sous forme de biomédicament et abstenez-vous du houblon sous forme de bière.

➤ Teinture Mère Houblon : prendre 20 à 30 gouttes, 3 fois par jour.

➤ Arkogélules Houblon® (Arkopharma, *non remboursé*) : prendre 2 gélules au repas du soir et au coucher, avec un grand verre d'eau.

Gentiane jaune : la future arme secrète contre les dépressions ?

Les médecins traditionnels indiens utilisent depuis des siècles la gentiane *(Gentiana Lutea L.)* pour combattre la mélancolie, la déprime et la dépression.

Ce n'est qu'en 1972 que des travaux scientifiques, menés en Inde, ont prouvé de manière indubitable l'efficacité de cette plante.

Plus riche encore en xanthones – ses composants antidépresseurs –, que le millepertuis, la gentiane ou plutôt *les* gentianes, car il en existe plusieurs variétés, "pourraient devenir dans un avenir assez proche une nouvelle arme dans l'arsenal phytothérapeutique du traitement des cas de dépression, qui sont en nette augmentation."[5]

➤ Teinture Mère Gentiane jaune : prendre 30 à 50 gouttes par prise.

Avoine : réduisez la dépression légère et libérez-vous de la fatigue

L'avoine *(Avena sativa L.)* n'est pas seulement la nourriture préférée des chevaux.

Non décortiquée, cette céréale est un puissant remède contre la déprime. "La graine non décortiquée, explique le Dr Berdonces, grand spécialiste des plantes qui guérissent, est un tonique utile contre la fatigue. On l'utilise lors des convalescences et dans les dépressions légères."[6]

Il est toutefois important de noter que l'avoine a un effet

---

5 Professeur Kurt Hostettmann, *Tout savoir sur le pouvoir des plantes sources de médicaments,* Lausanne, 1997, p. 185.

6 Docteur Josep Lluís Berdonces i Serra, *Gran Enciclopedia de las plantas medicinales,* Madrid, 1998, p. 182.

lent mais durable. On le réservera donc à un traitement de fond.

- ➤ Graines d'Avoine : faire pendant 30 mn une décoction de 20 grammes de graines non décortiquées par litre d'eau, puis boire 3 fois par jour.
- ➤ Teinture Mère Avoine : prendre 20 à 40 gouttes, 3 fois par jour.

LES AUTRES BIOMÉDICAMENTS

Les personnes dépressives souffrent souvent de troubles du sommeil ou de nervosité. Voici 3 biomédicaments qui vous aideront à calmer ces symptômes :

- ➤ Calmiflorine® (Diététique et Santé, *non remboursé*) : riche en aubépine, passiflore et valériane, entre autres, cette tisane est très efficace en cas de troubles du sommeil, d'états anxieux ou de palpitations dues à la nervosité. Prendre 1 à 4 tasses par jour. Préparer une infusion avec 1 sachet-dose pour 1 tasse d'eau bouillante. Laisser infuser 5 à 10 minutes. *Contient de la réglisse : déconseillé aux personnes qui souffrent d'hypertension artérielle.*
- ➤ Médiflor Tisane Troubles du Sommeil N° 14® (Monot, *non remboursé*) : composé de 6 plantes qui aident à mieux dormir, dont la passiflore, la valériane, l'aubépine et le tilleul. En cas de nervosité, boire une tasse d'infusion, 3 à 5 fois par jour. En cas de troubles du sommeil, boire une tasse d'infusion à la fin du repas du soir, et une autre, au coucher.
- ➤ Hamon N° 6 Nervosité® (Aérocid, *non remboursé*) : composé de 9 plantes calmantes, dont la passiflore et le tilleul. Prendre une tasse, 3 fois par jour, après chaque repas.

Diabète

Êtes-vous une victime du "nouveau diabète" ?

Car il existe deux sortes de diabète.

Le diabète insulinodépendant est celui dont souffrent les personnes qui, pour des raisons génétiques, ont un pancréas qui ne produit pas assez (ou pas du tout) d'insuline. Ces personnes doivent, le plus souvent, recevoir des injections régulières d'insuline.

Le diabète non-insulinodépendant ou "diabète sucré" (et que nous avons appelé plus haut "nouveau diabète") survient généralement à l'âge adulte, après 50 ans, chez des personnes dont le régime alimentaire est inadéquat. Le taux de sucre dans le sang est alors trop élevé pour que le pancréas – même s'il a toujours fonctionné normalement –, puisse le transformer, comme c'est son rôle.

Consommez-vous 10 à 25 fois trop de sucre sans le savoir ?

C'est une maladie moderne. Entre 1820 et 1990, la consommation moyenne de sucre d'un Occidental est passée de 3 kg par an à, tenez-vous bien, 75 kg !

Nous mangeons des quantités de sucres complètement ahurissantes : boissons sucrées, café sucré, pâtisseries, sucres ajoutés aux aliments fabriqués industriellement, etc.

Comment éviter le terrible engrenage qui conduit au diabète sucré

Le problème est que notre corps s'habitue très vite au sucre. Plus on lui en donne, plus il en demande. Cet engrenage produit, chez certaines personnes, des dégâts graves : le diabète sucré en est un.

Si vous souffrez de diabète sucré ou si vous voulez y échapper, il est indispensable de revoir complètement votre alimentation. Évitez comme la peste sucres et aliments gras.

Les fibres sont très importantes : mangez du pain complet, du riz complet, des pâtes complètes ; prenez des Kellogg's All-Bran® au petit déjeuner ; renoncez à l'alcool, et en cas d'incartade, ne le faites jamais l'estomac vide.

LES PLANTES QUI SOIGNENT LE DIABÈTE

Bardane : elle favorise le retour à la normale de votre taux de sucre trop élevé

La bardane *(Arctium lappa L.)* est bien connue pour purifier la peau, car elle draine les toxines hors de votre corps et favorise leur élimination par le foie et les reins.

Mais les chercheurs ont également constaté que cette plante avait un effet "normoglycémiant", c'est-à-dire qu'elle favorise le retour à la normale d'un taux de sucre trop élevé. C'est ce qui conduit à l'utiliser comme traitement complémentaire, en cas de diabète sucré.

➤ Teinture Mère Bardane : prendre 40 à 50 gouttes, 3 fois par jour.

➤ Arkogélules Bardane® (Arkopharma, *non remboursé*) : 1 gélule matin, midi et soir, à prendre avec un grand verre d'eau, avant les repas. Il est possible de prendre jusqu'à 5 gélules, si nécessaire.

➤ Élusanes Bardane® (Plantes et Médecines, *non remboursé*) : 2 gélules par jour, à prendre avec un verre d'eau.

Fenugrec : elle aide le pancréas des diabétiques à mieux fonctionner

Le fenugrec *(Trigonella foenum-graecum L.)* est une plante

qui, traditionnellement, sert à prendre du poids. On la conseille aux anorexiques et aux culturistes qui souhaitent augmenter leur masse musculaire. À ce sujet, on raconte qu'à Rome, les gladiateurs l'utilisaient pour améliorer leur condition physique avant d'entrer dans l'arène.

Des recherches récentes ont permis de mieux comprendre le mode d'action de cette plante : elle régule le fonctionnement du pancréas qui produit l'insuline. Les diabétiques, dont le pancréas ne joue plus parfaitement son rôle, ont donc tout intérêt à recourir à elle.

➤ Teinture Mère Fenugrec : prendre 30 gouttes, 3 fois par jour.

➤ Arkogélules Fenugrec® (Arkopharma, *non remboursé*) : 1 gélule matin, midi et soir, à prendre avec un grand verre d'eau, avant les repas. On peut prendre jusqu'à 5 gélules par jour, si nécessaire.

➤ Élusanes Fenugrec® (Plantes et Médecines, *non remboursé*) : prendre 1 gélule, matin et soir, au cours des repas, avec un verre d'eau.

Dans la lutte contre le diabète léger, on associe généralement le fenugrec à la cosse de haricot.

Cosse de haricot : elle "emprisonne" le sucre et ralentit son passage dans le sang

Le haricot *(Phaseolus vulgaris L.)* nous vient d'Amérique ; il a été rapporté par Christophe Colomb.

Si vous avez tendance à manger beaucoup de sucres ou si vous souffrez carrément de diabète, la cosse de haricot peut vous aider à réduire votre taux de sucre sanguin.

La cosse de haricot ralentit le passage des sucres dans votre sang d'une manière tout à fait intéressante : elle les "emprisonne" dans ses fibres et bloque le fonctionnement de certaines enzymes, chargées justement de favoriser ce passage.

Si vous souffrez de diabète léger, la cosse de haricot a le pouvoir d'éviter le pic d'hyperglycémie après les repas.

La cosse de haricot vous sera aussi très profitable, si vous souhaitez maigrir. Elle favorise en effet votre perte de poids et vous évite de reprendre les kilos perdus. Vous augmenterez donc considérablement vos chances de maintenir votre nouveau poids et de ne pas regrossir.

➤ Arkogélules Cosse de haricot® (Arkopharma, *non remboursé*) : 2 gélules matin, midi et soir, à prendre avec un grand verre d'eau, au moment des repas.

Olivier : la plante idéale pour les diabétiques souffrant aussi d'hypertension

Vous avez sans doute entendu parler du régime crétois. Des études récentes ont permis d'établir que les Crétois, les habitants de cette petite île grecque en Méditerranée, ont une bien meilleure santé que les autres Occidentaux grâce à leur alimentation et à leur forte consommation d'huile d'olive.

Les feuilles d'olivier *(Olea europaea L.)* ont aussi d'excellents effets sur votre santé cardio-vasculaire.

Outre qu'elles font baisser la tension et disparaître tout un cortège de symptômes désagréables tels que maux de tête, bourdonnements d'oreilles et vertiges, elles font baisser votre taux de mauvais cholestérol (LDL) et augmentent le bon (HDL) ; et même, elles assouplissent vos artères coronaires.

Mais la feuille d'olivier ne se contente pas que de cela : elle fait aussi baisser votre taux de sucre dans le sang. C'est pour cette raison qu'en cas de diabète, vous pouvez avoir intérêt, à titre de traitement complémentaire et avec l'accord préalable de votre médecin, à recourir aux biomédicaments à base d'olivier.

En outre, l'olivier est vraiment la plante idéale pour les nombreux diabétiques souffrant d'hypertension.

> ➤ Teinture Mère Olivier : prendre 40 gouttes, 3 fois par jour.

> ➤ Arkogélules Olivier® (Arkopharma, *non remboursé*) : 1 gélule matin, midi et soir, à prendre avec un grand verre d'eau, au moment des repas.

> ➤ Oliviase® (Upsa, *non remboursé*) : composé d'olivier. Prendre 3 comprimés, matin et soir, avec un verre d'eau.

Petite pervenche : pour aider les diabétiques à avoir une meilleure mémoire, une meilleure ouïe et une meilleure vue

Le diabète se complique généralement d'autres troubles liés au taux trop élevé de sucre dans le sang : votre mémoire vous trahit, vous avez des vertiges, votre entendez et voyez moins bien, vous avez même parfois des pertes d'équilibre.

Tout cela est bien angoissant mais il existe des moyens de combattre ces symptômes, en particulier celui d'améliorer l'oxygénation de votre cerveau.

La petite pervenche *(Vinca minor L.)* dilate vos artères coronaires, prend soin de vos capillaires cérébraux et facilite donc l'oxygénation de votre cerveau : vous avez alors une meilleure mémoire, vous êtes moins irritable, vous entendez et voyez mieux.

> ➤ Teinture Mère Petite pervenche : prendre 50 gouttes, 3 fois par jour.

> ➤ Arkogélules Petite pervenche® (Arkopharma, *non rem-*

boursé) : 1 gélule matin, midi et soir, à prendre avec un grand verre d'eau, au moment des repas.

Ispaghul : cette plante fait baisser votre taux de sucre et vous fait maigrir en même temps

En cas de diabète sucré, l'ispaghul *(Plantago ovata)* vous aide à faire baisser votre taux de sucre dans le sang.

Dans votre estomac, cette plante se transforme en un gel volumineux qui réduit l'absorption par votre corps des sucres et des graisses. Ce que vous mangez vous "profite" moins !

De plus, l'ispaghul vous aide à avoir un bon transit intestinal et à vous débarrasser de la constipation. Vos selles sont mieux hydratées et vous les évacuez plus facilement.

Non content de vous couper l'appétit et de vous obliger ainsi à maigrir, l'ispaghul fait aussi baisser vos taux de cholestérol et de triglycérides.

➤ Arkogélules Ispaghul® (Arkopharma, *non remboursé*) : pour réduire l'appétit, prendre 4 gélules, matin, midi et soir. Contre la constipation, prendre 1 gélule, matin, midi et soir.

➤ Spagulax Sorbitol® (Pharmafarm, *remboursé*) : prendre 1 sachet, matin, midi et soir, après les repas, avec un grand verre d'eau. *Ne pas confondre avec le Spagulax Mucilage pur, qui contient du saccharose (sucre).*

➤ Ispaghul Trouette-Perret® (Amido, *non remboursé*) : chez l'adulte, prendre 1 cuillerée à soupe, 2 fois par jour, avant les repas. Chez l'enfant de 7 à 15 ans, réduire à 2 cuillerées à café, 2 fois par jour. Chez l'enfant de 2 à 7 ans, réduire à 1 cuillerée à café, 2 fois par jour.

Huile de saumon : elle lutte contre le diabète et ses complications cardio-vasculaires

De nombreuses études ont prouvé que l'huile de saumon protège de l'excès de cholestérol, de l'athérosclérose, de l'angine de poitrine, de l'infarctus du myocarde, etc.

En association avec l'ispaghul, elle vous sera aussi très profitable si vous souffrez de diabète sucré.

L'huile de saumon, qui n'a pas d'effets secondaires indésirables, peut, si vous en consommez tous les jours, faire baisser votre taux de mauvais cholestérol (LDL) et de triglycérides.

➤ Arkogélules Huile de saumon® (Arkopharma, *non remboursé*) : 2 gélules, matin et soir, à prendre avec un grand verre d'eau, au milieu des repas.

LES AUTRES BIOMÉDICAMENTS

Les 2 préparations suivantes contiennent un mélange de plantes destinées à faire baisser le taux de sucre dans le sang. Elles servent dans le cadre d'un traitement d'appoint du diabète :

➤ Diacure® (Lehning, *non remboursé*) : prendre 1 ou 2 gélules, 3 fois par jour, avec un verre d'eau, au cours des repas.

➤ Copaltra Tisane® (Plantes Tropicales, *non remboursé*) : préparer une infusion avec 2 cuillerées à café de tisane dans un demi-litre d'eau chaude, et boire ce demi-litre de tisane par jour, en plusieurs prises.

Diarrhée, colique intestinale

Le repas au restaurant était délicieux et vous avez passé une excellente soirée. Pourtant, vers 2 heures du matin, vous vous levez de toute urgence pour aller aux toilettes.

Manifestement, "quelque chose vous a fait du mal" et vous avez la diarrhée : vos selles sont liquides et, quelque temps après avoir évacué une première fois, vous avez encore envie d'y retourner.

Ce n'est sans doute pas bien grave et cela arrive parfois. On n'est jamais à l'abri d'un produit périmé qui a échappé à la vigilance du restaurateur ou de la maîtresse de maison.

Généralement, tout rentre dans l'ordre rapidement, une fois que l'aliment fauteur de trouble est évacué. Reposez-vous et buvez beaucoup d'eau pour vous réhydrater.

Quelles eaux en bouteille peuvent aggraver votre diarrhée ?

Évitez l'eau du robinet ainsi que certaines eaux minérales qui favorisent justement l'évacuation. Buvez plutôt de l'eau de source, eau de qualité, sans propriétés médicinales particulières. Buvez aussi de l'eau de riz et mangez de la soupe de carottes.

Mangez du riz, des pommes de terre et des carottes. Mangez des yaourts nature ou prenez de la levure.

Toutefois, en cas de diarrhée qui ne faiblit pas dans la journée, de fièvre, de selles tachées de sang, de violentes douleurs abdominales, il est prudent de consulter votre médecin.

Le truc pour savoir si votre diarrhée est grave ou pas

Voici un truc pour savoir si votre diarrhée est grave ou non.

Jusqu'à 5 selles par jour, c'est une diarrhée légère ; jusqu'à 9 selles, une diarrhée moyenne ; à partir de 10 selles, il s'agit d'une diarrhée sévère (consultation médicale indispensable).

Si votre bébé a la diarrhée, n'attendez pas : consultez le médecin. En attendant, supprimez le lait et les jus de fruits, et remplacez-les par une préparation à base de carottes, disponible en pharmacie.

LES PLANTES QUI SOIGNENT LA DIARRHÉE

Baie de myrtille : un moyen puissant pour stopper la diarrhée

La baie de myrtille *(Vaccinium myrtillus L.)* (à ne pas confondre avec la feuille de myrtille) vous permet de soigner la diarrhée et les infections intestinales. Elle soigne aussi la colite et les spasmes douloureux.

La baie de myrtille, que les aviateurs américains de la Seconde Guerre Mondiale consommaient en grande quantité, améliore aussi la vision nocturne.

➤ Teinture Mère Baie de myrtille : prendre 30 gouttes, 3 fois par jour.

➤ Arkogélules Baie de myrtille® (Arkopharma, *non remboursé*) : prendre 1 gélule, matin, midi et soir, avec un grand verre d'eau, au moment des repas.

Attapulgite de Mormoiron : cette roche absorbe vos gaz intestinaux

L'attapulgite de Mormoiron n'est pas une plante, c'est une forme d'argile particulièrement bénéfique à la santé de votre estomac et de vos intestins.

En cas de diarrhée, cette roche rend vos selles moins

liquides. Elle lutte aussi contre l'infection et soulage ainsi vos douleurs.

Si vous souffrez de gaz intestinaux, associés ou non à la diarrhée, elle absorbera les toxines qui sont à l'origine de ces désagréables symptômes. Parallèlement, l'attapulgite de Mormoiron diminue les brûlures d'estomac.

➤ Actapulgite® (Beaufour, *remboursé*) : composé d'attapulgite de Mormoiron activée (argile). Chez l'adulte, prendre 2 à 3 sachets par jour. Chez l'enfant de plus de 10 kg, prendre 2 sachets par jour.

➤ Gastropulgite® (Beaufour, *remboursé*) : composé d'attapulgite de Mormoiron. Prendre 2 à 4 sachets par jour, avant ou après les repas, ou au moment des douleurs, dilués dans un demi-verre d'eau.

➤ Bedelix® (Beaufour, *remboursé*) : composé d'argile et d'aluminium. Chez l'adulte et l'enfant de plus de 10 ans, prendre 1 sachet, 3 fois par jour.

Charbon végétal : la meilleure façon de réagir si vous avez des douleurs abdominales

Le charbon végétal a été décrit comme étant "le plus puissant adsorbant d'origine naturelle actuellement connu".

Il agit contre certaines diarrhées car c'est une sorte de "pansement" intestinal.

Le charbon végétal fait aussi disparaître rapidement nombre de problèmes digestifs : ballonnements, gaz intestinaux, flatulences, éructations, mauvaise haleine.

Il aide aussi à lutter contre les douleurs abdominales. Ces problèmes sont souvent dus à la présence de fermentations et bactéries dans vos intestins.

➤ Carbolevure Adulte® (Vedim, *remboursé*) : prendre 1 gélule Adulte, 3 fois par jour.

➤ Carbolevure Enfant® (Vedim, *remboursé*) : prendre 1 gélule Enfant, 1 à 3 fois par jour.

➤ Carbophagix® (Darcy, *non remboursé*) : chez l'adulte et l'enfant de plus de 2 ans, prendre 3 gélules par jour.

➤ Arkogélules Charbon végétal® (Arkopharma, *non remboursé*) : chez l'adulte, prendre 4 gélules par jour, entre les repas. Chez l'enfant de 6 à 15 ans, prendre 1 à 4 gélules par jour. *Ne pas utiliser pendant plus de 10 jours.*

LES AUTRES BIOMÉDICAMENTS

● Les biomédicaments suivants, parmi lesquels **l'ultra-levure** est le plus connu, servent à reconstituer la flore intestinale, endommagée lors d'une colique ou diarrhée.

Ils sont composés de bacilles d'origine microbienne, bénéfiques à la santé de vos intestins, entre autres le **lactobacillus acidophillus**, popularisé depuis quelques années par certaines marques de yaourts.

➤ Ultra-Levure® (Biocodex, *remboursé*) : pour restaurer votre flore intestinale. Prendre 2 gélules, 2 fois par jour.

➤ Lyo-Bifidus® (GNR Pharma, *remboursé*) : prendre 1 sachet, 2 fois par jour, dilué dans un verre d'eau, à la fin des repas.

➤ Bactisubtil® (Marion Merrel, *remboursé*) : pour restaurer votre flore intestinale. Chez l'adulte et l'adolescent, prendre 1 à 2 gélules, 3 à 4 fois par jour. Chez l'enfant de plus de 2 ans, prendre 1 gélule, 3 à 4 fois par jour.

➤ Lactéol du Dr Boucard® (Lactéol du Dr Boucard, *non remboursé*) : chez l'adulte, prendre 5 comprimés, 3 à 5 fois par jour, ou 2 ampoules, 2 à 3 fois par jour, dans un verre d'eau. *En cas d'intolérance au lactose, choisir la présentation en ampoules.*

➤ Lactéol Fort® (Lactéol du Dr Boucard, *non remboursé*) : prendre 2 à 6 gélules par jour, ou 1 à 3 sachets par jour, avec un verre d'eau. En cas de diarrhée aiguë, prendre 2 gélules ou 1 sachet, 3 fois par jour le premier jour, puis 2 gélules ou 1 sachet, 2 fois par jour.

➤ Diarlac® (Urgo, *non remboursé*) : prendre 1 gélule, 2 à 4 fois par jour, avec un verre d'eau. En cas de diarrhée aiguë, prendre 6 gélules le premier jour.

➤ Colopten® (Debat, *remboursé*) : prendre 1 ampoule ou 1 comprimé, 3 fois par jour. Préférer les ampoules si le malade est un enfant et les diluer dans un peu d'eau.

● **La salicaire** est une plante efficace pour lutter contre la diarrhée :

➤ Salicairine® (Aérocid, *remboursé*) : composé de salicaire. Chez l'adulte, prendre 30 à 60 gouttes, 3 fois par jour, dans un verre d'eau.

Digestion difficile, aigreurs d'estomac, ballonnements, aérophagie, flatulences, gaz intestinaux

Vous venez de sortir de table et voilà que vous ressentez des brûlures au niveau de l'œsophage, ou bien le goût d'un aliment que vous avez consommé "vous revient"...

Ces régurgitations acides, renvois aigres ou brûlures d'estomac, quelle que soit la manière dont vous les appelez, trouvent le plus souvent leur cause dans le stress ou une alimentation inadaptée. Les femmes souffrent fréquemment de ce problème au moment de la grossesse ou lors de leurs règles.

Commettez-vous ces erreurs qui peuvent "paralyser" votre digestion ?

Digérer n'est pas toujours facile, surtout si vous prenez vos repas en dehors de la maison, dans une cantine d'entreprise ou un restaurant dont vous ne pouvez pas contrôler la qualité de ce qui vous est servi.

La digestion difficile est souvent due également à des excès de table ou à un mauvais régime alimentaire. L'excès de sucres, de graisses et d'alcool ne favorisent en rien le travail de votre estomac.

Que faire lorsque aigreurs, nausées, maux de tête, ballonnements, et parfois même douloureuses crampes abdominales, viennent troubler les heures qui suivent votre repas ?

Les 3 aliments que vous devez éviter absolument

Vous devez commencer par éviter les aliments acides, notamment le vinaigre, les fruits et les viandes rouges. Mangez souvent du chou, des pommes de terre et des amandes.

Renoncez aussi aux sucreries et consommez moins de pain. Le jus de pomme de terre frais est excellent : buvez-en un verre matin, midi et soir.

Ce "remède" très courant fait plus de mal que de bien...

Vous prenez peut-être du bicarbonate de soude. Il soulage, mais c'est un piège : à la longue, vous risquez l'hyperacidité chronique.

Si vous êtes constipé, réglez ce problème : vos **brûlures** d'estomac ont toutes les chances de disparaître en même temps ! Il en est de même si vous aimez bien l'alcool : deux verres de vin par repas pour un homme, et un verre pour une femme, sont un grand maximum.

Connaissez-vous le truc génial qui a délivré bien des gens de leurs renvois acides ? Faites 5 ou 6 petits repas par jour. Tout simplement.

2 solutions extrêmement efficaces pour digérer parfaitement, sans médicament

Voici aussi deux astuces qui ont fait leurs preuves pour faire de vos après-repas des moments agréables, dépourvus de tout malaise.

D'abord, prenez soin de vous décontracter avant de manger. Si vous rentrez à la maison pour manger, accordez-vous 10 minutes pour vous reposer du trajet, ne vous "jetez" pas sur votre assiette, même si vous avez faim.

Puis, à la fin de votre repas, buvez une tasse de tisane de camomille. C'est un remède naturel souverain contre la mauvaise digestion.

Pourquoi vous souffrez de ballonnements ou d'aérophagie... et comment réagir

La digestion difficile se manifeste souvent sous forme d'aérophagie, de ballonnements, de gaz intestinaux, de flatulences. Tous ces symptômes sont, il faut le reconnaître, bien désagréables.

Aérophagie signifie "manger de l'air".

Si vous souffrez de ballonnements ou d'aérophagie, vous avalez de l'air, sans vous en rendre compte, qui s'accumule dans votre estomac, généralement en même temps que la salive. Dans les heures qui suivent, vous avez l'estomac tendu, ballonné, et seul le fait d'éructer ("roter" en termes communs) vous soulage.

Et tout cela est bien désagréable, surtout si ce besoin, peu élégant, survient au bureau ou en société, en présence d'autres personnes.

Les 2 trucs qui peuvent mettre fin pour toujours à vos ballonnements

Contre l'aérophagie, 2 "trucs" ont prouvé leur efficacité. Essayez-les à votre tour. Les voici :

1. Mangez calmement et lentement, en mâchant avec soin, par petites bouchées.

2. Évitez les aliments qui se digèrent mal ou qui provoquent des gaz : haricots, chou, crudités, etc. Renoncez absolument au chewing-gum et aux sodas en tous genres.

POUR MIEUX DIGÉRER ET ÉVITER LA "LOURDEUR" QUI SUIT PARFOIS LES REPAS

Boldo : elle vous procure une digestion normale, même après un excès de table

La feuille de boldo *(Peumus boldus Molina)* est réputée pour faciliter la digestion. Elle sera donc appréciée par les personnes qui se livrent parfois à des excès de table, ainsi que par celles dont la digestion est toujours lente.

C'est une plante stimulante et tonique qui vous donnera plus d'énergie si vous vous sentez souvent fatigué et sans forces.

La boldo joue une rôle très bénéfique sur votre vésicule biliaire et votre foie, ce qui justifie qu'on la conseille aux insuffisants hépatiques. Des troubles tels que le ralentissement du transit intestinal ou la constipation pourront être efficacement combattus, grâce à cette plante.

Elle a même le pouvoir de favoriser l'évacuation des calculs biliaires.

Si vous avez fait un repas trop copieux, la boldo, éventuellement associée à d'autres plantes favorisant la digestion, est tout indiquée pour aider votre digestion :

➤ Gastrotisane® (Lesourd, *non remboursé*) : composée de plusieurs plantes "spécial digestion difficile", dont la boldo et le pissenlit, cette tisane peut remettre votre estomac en grande forme. Prendre 1 tasse, 2 à 4 fois par jour, de préférence à la fin des repas.

➤ Hépax® (Upsa, *non remboursé*) : composé d'artichaut et de boldo. Prendre 1 à 3 cuillerées à café par jour, dans un verre d'eau, à jeun ou avant les repas. *Ne pas utiliser chez l'enfant de moins de 15 ans.*

➤ Hépaclem® (Clément, *non remboursé*) : ce biomédicament, composé d'artichaut et de boldo notamment, peut être donné aux enfants de plus de 7 ans. Prendre 1 ou 2 comprimés, 3 fois par jour, de préférence avant les repas.

➤ Élixir Spark® (Médecine végétale, *non remboursé*) : cet élixir, riche en boldo et en artichaut, résout un grand nombre de troubles digestifs. Prendre 1 cuillerée à café, 2 fois par jour, dans un demi-verre d'eau, le matin à jeun et au coucher.

➤ Teinture Mère Boldo : prendre 20 à 30 gouttes, 3 fois par jour.

➤ Arkogélules Boldo® (Arkopharma, *non remboursé*) : prendre 1 gélule, matin, midi et soir, avec un grand verre d'eau, avant les repas.

➤ Élusanes Boldo® (Plantes et Médecines, *non remboursé*) : prendre 1 gélule, matin et soir, au cours des repas, avec un verre d'eau.

➤ Stago® (Pharmadéveloppement, *non remboursé*) : riche en boldo et en camomille, plante digestive bien connue, il contribue à faire passer les symptômes désagréables de la digestion. Chez l'adulte, prendre 4 à 6 cuillérées à soupe par jour, en plusieurs prises. Chez l'enfant de 12 à 15 ans, consulter votre médecin ou votre pharmacien. *Ne pas utiliser en cas d'insuffisance hépatique grave ou de calculs biliaires.*

➤ Drainactil® (Iprad, *non remboursé*) : la boldo, le bouleau et le cassis sont associés dans ce biomédicament pour vous aider à retrouver une digestion parfaite. Prendre 15 à 30 gouttes, 2 ou 3 fois par jour, dans un verre d'eau, pendant ou après les repas. *Ne pas utiliser chez l'enfant de moins de 15 ans, sans avis médical.*

Fumeterre : retrouvez une digestion sans migraines ni nausées

La fumeterre *(Fumaria officinalis L.)* aide votre vésicule biliaire à fonctionner parfaitement. Grâce à cette plante, votre vésicule évacue mieux la bile. Vous évitez ainsi problèmes de digestion, constipation et calculs.

La fumeterre vous aide aussi en cas de nausées, de migraines et de lourdeurs digestives.

Enfin, si vous êtes une femme enceinte, vos nausées peuvent disparaître à l'aide de la fumeterre.

La fumeterre, parfois associée à l'artichaut ou à d'autres plantes qui purifient le foie, s'adresse donc plutôt aux personnes qui souffrent de nausées, de migraines ou de lourdeurs digestives :

➤ Oddibil® (Théraplix, *non remboursé*) : prendre 1 comprimé, avec un verre d'eau, avant les 3 repas et au coucher.

➤ Actibil® (Arkopharma, *non remboursé*) : composé d'artichaut et de fumeterre, il facilite la production de bile, favorise la digestion et améliore vos fonctions d'élimination. Prendre 1 à 2 gélules, 2 fois par jour, avec un verre d'eau, avant les repas.

➤ Teinture Mère Fumeterre : prendre 30 gouttes, 3 fois par jour.

➤ Arkogélules Fumeterre® (Arkopharma, *non remboursé*) : prendre 1 gélule, matin, midi et soir, avec un grand verre d'eau, avant les repas.

➤ Élusanes Fumeterre® (Plantes et Médecines, *non remboursé*) : prendre 1 gélule, matin et soir, au cours des repas, avec un verre d'eau.

➤ Extrait Aqueux de Fumeterre® (Super Diet, *non remboursé*) : 3 à 6 ampoules par jour, pures ou diluées dans un peu d'eau.

➤ Dépuratif Parnel® (Médecine Végétale, *non remboursé*) : ce composé associe fumeterre et bardane. Il augmente la production de bile par le foie et favorise la digestion. Prendre 1 cuillerée à café, 3 fois par jour, avant les repas, diluée dans un peu d'eau.

➤ Depuratum® (Lehning, *non remboursé*) : ce biomédicament contient 7 plantes, dont la fumeterre, qui purifient votre foie, favorisent votre digestion et nettoient vos reins. Prendre 1 gélule, 2 ou 3 fois par jour, avec un peu d'eau.

Artichaut : il soigne la cause principale de vos digestions difficiles

La mauvaise digestion trouve souvent son origine dans un problème de foie. En régénérant votre foie et en lui rendant sa pleine puissance, l'artichaut *(Cynara scolymus L.)* combat efficacement vos problèmes digestifs.

Grâce à cette plante, votre foie produit plus de bile et l'évacue mieux. Cela suffit le plus souvent pour vous rendre une digestion parfaite. De même, si vous avez des problèmes de constipation ou des migraines digestives, l'artichaut a le pouvoir d'y mettre fin dans bien des cas.

L'artichaut agit sur la cause principale de votre digestion difficile, votre foie paresseux :

➤ Chophytol® (Rosa-Phytopharma, *remboursé*) : prendre 1 ou 2 comprimés, ou 1 cuillerée à café de solution buvable, avec un verre d'eau, avant le petit déjeuner, le déjeuner et le dîner.

➤ Hépanéphrol® (Rosa-Phytopharma, *remboursé*) : prendre 1 ampoule, 3 fois par jour, dans un verre d'eau, avant les repas.

➤ Effidose Artichaut® (Chefaro-Ardeval, *non remboursé*) : ce biomédicament, qui nettoie votre foie et vos reins, facilite la digestion. Prendre 1 récipient unidose par jour, dilué dans un demi-verre d'eau. *Ne pas utiliser chez l'enfant de moins de 15 ans.*

➤ Teinture Mère Artichaut : prendre 20 à 30 gouttes, 3 fois par jour.

➤ Arkogélules Artichaut® (Arkopharma, *non remboursé*) : prendre 1 gélule, matin, midi et soir, avant les repas, avec un grand verre d'eau.

➤ Élusanes Artichaut® (Plantes et Médecines, *non remboursé*) : prendre 1 gélule, matin et soir, au cours des repas, avec un verre d'eau.

➤ Extrait Aqueux d'Artichaut® (Super Diet, *non remboursé*) : prendre 3 à 6 ampoules par jour, pures ou diluées dans un peu d'eau.

Aubier de tilleul, radis noir, pissenlit, bardane, camomille : les autres plantes qui vous procurent une meilleure digestion

- **L'aubier de tilleul** *(Tilia sylvestris)* soigne les problèmes de "foie paresseux" et par là même, les problèmes de digestion difficile. C'est une plante précieuse en cas de flatulences, d'aérophagie, de nausées ou de migraines hépatiques, et même en cas de spasmes.

  ➤ Vibtil® (Lafon, *remboursé*) : composé d'aubier de tilleul, ce biomédicament vous aide à nettoyer votre foie. Prendre 1 ou 2 comprimés, matin, midi et soir.

  ➤ Teinture Mère Aubier de tilleul : prendre 30 à 40 gouttes, 3 fois par jour.

  ➤ Arkogélules Aubier de tilleul® (Arkopharma, *non remboursé*) : prendre 1 gélule, matin, midi et soir.

  ➤ Extrait Aqueux d'Aubier de tilleul® (Super Diet, *non remboursé*) : prendre 3 à 6 ampoules par jour, pures ou diluées dans un peu d'eau.

- **Le pissenlit** *(Taraxacum officinale Weber)* agit d'une manière équivalente : c'est un "nettoyeur" puissant des déchets de votre organisme. Il facilite le travail de votre foie : production et écoulement de la bile.

  ➤ Teinture Mère Pissenlit : prendre 50 gouttes, 3 fois par jour.

  ➤ Arkogélules Pissenlit® (Arkopharma, *non remboursé*) : prendre 2 gélules, matin et midi.

  ➤ Extrait Aqueux de Pissenlit® (Super Diet, *non remboursé*) : prendre 3 à 6 ampoules par jour, pures ou diluées dans un peu d'eau.

- **La bardane** *(Arctium lappa L.)* est bien connue pour soigner en profondeur les problèmes de peau. Elle agit de l'intérieur, sur le foie notamment. C'est pourquoi vous la trouvez, comme composant d'appoint, dans différents médicaments pour la digestion difficile.

➤ Hamon N° 16 Hépatique® (Aérocid, *non remboursé*) : cette tisane riche de 9 plantes purifiantes, dont la bardane, est recommandée en cas de troubles digestifs. Elle contient notamment de la bardane et de la carotte, qui vous donneront aussi une belle peau. Prendre 1 tasse, 3 fois par jour, avant chaque repas.

● **La camomille romaine** *(Anthemis nobilis L.)* n'est plus à présenter. C'est un "digestif" connu et utilisé depuis des siècles. Elle vous aide à mieux digérer lorsque vous la buvez en infusion, après le repas ; elle vous soulage aussi sous forme de médicament, généralement à dose plus élevée.

➤ Vitaflor Camomille romaine® (Diététiques et Santé, *non remboursé*) : boire 1 à 2 tasses d'infusion par jour, de préférence après les repas.

➤ Teinture Mère Camomille romaine : prendre 30 gouttes, 3 fois par jour.

● **Le radis noir** *(Raphanus sativus L.)* est excellent contre la digestion difficile, surtout si ce problème est devenu chronique. On le recommande en cas de migraines hépatiques, de foie paresseux, de "langue chargée", etc.

➤ Raphanus S. Potier® (DB Pharma, *non remboursé*) : ce remède, préparé à partir de radis noir, est un grand classique pour soulager les problèmes digestifs. Prendre 1 ampoule, 2 fois par jour. *Ne pas utiliser en cas de calculs biliaires.*

➤ Teinture Mère Radis noir : prendre 40 gouttes, 3 fois par jour.

➤ Arkogélules Radis noir® (Arkopharma, *non remboursé*) : prendre 1 gélule, matin, midi et soir, avant les repas, avec un grand verre d'eau.

POUR ÉLIMINER LES AIGREURS D'ESTOMAC

Argile blanche : cette roche peut soulager vos aigreurs très rapidement

L'argile blanche peut faire des miracles contre vos aigreurs.

En effet, cette roche tapisse la muqueuse de votre estomac et de vos intestins ; ainsi, elle lutte contre les douleurs et combat les brûlures. Elle peut même favoriser la cicatrisation d'un ulcère gastrique.

Comptez aussi sur elle pour vous donner un ventre plus plat.

Comme l'argile blanche absorbe les toxines logées dans votre tube digestif, elle est très utile en cas de diarrhée ou d'infection intestinale.

En cas d'aigreurs, de brûlures d'estomac, de régurgitations acides, les médicaments composés d'argile ou de kaolin sont généralement les mieux indiqués :

➤ Arkogélules Argile blanche® (Arkopharma, *non remboursé*) : prendre 3 gélules par jour, avec un grand verre d'eau, entre les repas.

Lithothame : c'est un puissant anti-acide qui soulagera sûrement vos aigreurs

Cette algue est un merveilleux don du monde marin.

Puissant anti-acide, le lithothame *(Lithothamnium calcareum)* combat brûlures d'estomac, douleurs et renvois aigres. Grâce à lui, vous allez retrouver une digestion agréable, sans tracas.

Si vous prenez de la cortisone ou des anti-inflammatoires, le lithothame protégera votre estomac des effets indésirables de ces médicaments.

En cas de brûlures d'estomac ou de l'œsophage :

➤ Arkogélules Lithothame® (Arkopharma, *non rembour-sé*) : prendre 1 gélule, matin, midi et soir, avec un grand verre d'eau, au moment des repas.

POUR EN FINIR AVEC LES BALLONNEMENTS ET GAZ INTESTINAUX

Charbon végétal : le moyen naturel le plus puissant pour combattre vos ballonnements

Le charbon végétal a été décrit comme étant "le plus puissant adsorbant d'origine naturelle, actuellement connu".

Il fait disparaître rapidement nombre de problèmes digestifs : ballonnements, gaz intestinaux, flatulences, éructations, mauvaise haleine. Il aide aussi à lutter contre les douleurs abdominales. Tous ces problèmes sont souvent dus à la présence dans vos intestins de fermentations et de bactéries.

Le charbon végétal agit aussi contre certaines diarrhées car c'est une sorte de "pansement" intestinal.

Le charbon végétal agit également avec efficacité sur les ballonnements :

➤ Arkogélules Charbon végétal® (Arkopharma, *non remboursé*) : chez l'adulte, prendre 4 gélules par jour, entre les repas. Chez l'enfant de 6 à 15 ans, prendre 1 à 3 gélules par jour. *Ne pas utiliser pendant plus de 10 jours.*

➤ Gastropax® (Lehning, *remboursé*) : ce médicament, composé de charbon et de thym, contient aussi des antiacides chimiques. Il calme les douleurs abdominales et les spasmes associés à la constipation. Prendre 1 mesure de poudre, 3 fois par jour, dans un peu d'eau, avant les repas.

Attapulgite de Mormoiron : cette roche absorbe vos gaz intestinaux

L'attapulgite de Mormoiron est une forme d'argile particulièrement bénéfique à la santé de votre estomac et de vos intestins.

Cette roche, une variété d'argile, combat avec grand succès les gaz qui se forment dans votre estomac et vos intestins : votre digestion en est facilitée car elle absorbe les toxines. Elle réduit aussi les aigreurs et autres brûlures d'estomac.

Elle vous sera aussi très utile en cas de diarrhée, rendant vos selles moins liquides. De plus, en luttant contre l'infection, elle soulagera aussi vos douleurs.

En cas de ballonnements ou d'aigreurs, voire de douleurs abdominales, l'attapulgite de Mormoiron vous apportera probablement le soulagement que vous attendez :

➤ Actapulgite® (Beaufour, *remboursé*) : principalement composé d'attapulgite de Mormoiron activée (argile), l'actapulgite protège votre tube digestif et prévient les renvois acides. Il combat aussi les ballonnements et la diarrhée. Chez l'adulte, prendre 2 à 3 sachets par jour. Chez l'enfant de plus de 10 kg, prendre 2 sachets par jour.

➤ Gastropulgite® (Beaufour, *remboursé*) : ce biomédicament est un véritable "pansement" de l'estomac. Il protège votre tube digestif et neutralise les acides sécrétés par votre estomac. Recommandé en cas de douleurs, brûlures ou aigreurs de l'œsophage, de l'estomac ou du duodénum. Prendre 2 à 4 sachets par jour, avant ou après les repas, ou au moment des douleurs, dilués dans un demi-verre d'eau.

➤ Calmodiger® (Plantes et Médecines, *non remboursé*) : ce biomédicament vous sert en cas de ballonnements.

Prendre 1 ou 2 comprimés par prise, sans dépasser 6 comprimés par jour.

➤ Bedelix® (Beaufour, *remboursé*) : composé d'argile et d'aluminium, ce biomédicament soigne les régurgitations. Chez l'adulte et l'enfant de plus de 10 ans, prendre 1 sachet, 3 fois par jour.

Angélique : une merveilleuse solution contre nombre de problèmes de digestion

L'angélique *(Angelica archangelica L.)* est une merveille contre nombre de problèmes de digestion.

Grâce à elle, vous digérez mieux car elle favorise l'écoulement de la bile. Si vous avez des gaz intestinaux ou des ballonnements, vous pouvez aussi compter sur l'angélique : elle est excellente contre l'aérophagie.

Si votre digestion s'accompagne souvent de spasmes intestinaux, liés par exemple à une colite, elle calmera vos douleurs. L'angélique est donc l'alliée de votre digestion.

➤ Arkogélules Angélique® (Arkopharma, *non remboursé*) : prendre 1 gélule, matin, midi et soir, avec un grand verre d'eau, au moment des repas.

LES AUTRES BIOMÉDICAMENTS QUI VOUS PROCURENT UNE DIGESTION AGRÉABLE

● Si vous ne connaissez pas la cause exacte de votre problème de digestion et si vous ne souffrez pas spécialement d'aigreurs ni de ballonnements, le complexe-roi, **composé d'artichaut, de boldo et de fumeterre**, est à essayer en priorité :

➤ Gastralsan® (Dolisos, *non remboursé*) : c'est un biomédicament au goût de mandarine, qui tire ses bienfaits de l'artichaut, de la boldo et de la fumeterre. Un ou

2 comprimés, 1 ou 2 fois par jour, à croquer ou à avaler avec un verre d'eau.

- En cas de digestion difficile associée à un problème de constipation :

  ➤ Aromabyl® (Plantes et Médecines, *non remboursé*) : riche de 6 plantes digestives, dont l'artichaut, la bardane, la boldo et la cascara – bien connue pour ses qualités de laxatif stimulant –, ce cocktail est recommandé en cas de digestion difficile associée à de la constipation. Prendre 25 gouttes, 3 fois par jour, avant les repas, dans un demi-verre d'eau chaude. *Ne pas utiliser chez l'enfant de moins de 15 ans.*

- D'autres plantes, comme **la cannelle**, sont efficaces :

  ➤ Élixir Grez® (Monin-Chanteaud, *non remboursé*) : En cas de ballonnements ou de flatulences, vous pouvez recourir à ce biomédicament, composé notamment d'orange amère et de cannelle. Prendre 30 gouttes, 3 fois par jour, dans un peu d'eau, avant les repas.

- En cas d'aérophagie ou de ballonnements accompagnés de spasmes intestinaux ou de douleurs, **la guimauve ou le cumin** apportent souvent le soulagement :

  ➤ Colitisane® (Lesourd, *non remboursé*) : riche en guimauve, elle vous soulage en cas de spasmes de l'intestin. Prendre 2 à 5 infusions par jour, préparées avec 1 tasse d'eau bouillante et 1 sachet-dose (ou 2 cuillerées à café de tisane).

  ➤ Élixir Bonjean® (Thépénier, *non remboursé*) : en cas de spasmes intestinaux, de crampes d'estomac, de ballonnements, les 6 plantes (dont du cumin) de ce biomédicament vous aident à mieux vous sentir après les repas. Prendre 1 cuillerée à soupe, 1 à 3 fois par jour, de préférence après les repas. *Ne pas utiliser chez l'enfant de moins de 15 ans.*

➤ Digestodoron® (Weleda, *non remboursé*) : les puissants extraits de plantes qui constituent ce biomédicament (notamment la fougère mâle et le saule blanc) le rendent efficace contre un grand nombre de troubles digestifs, tels que brûlures de l'estomac, ballonnements, spasmes de l'intestin et même constipation. Prendre 10 à 20 gouttes, 3 fois par jour, avec un peu d'eau, un quart d'heure avant les repas.

● Et en dernier, bien que ce ne soit pas le moindre, voici un "grand classique" des problèmes digestifs, un remède que vous devez toujours avoir dans votre armoire à pharmacie :

➤ Hépatoum® (Hépatoum, *non remboursé*) : chez l'adulte, prendre 2 à 3 cuillerées à soupe, 6 à 8 fois par jour ; chez l'enfant de 12 à 15 ans, réduire à 1 à 2 cuillerées à soupe. *Ne pas utiliser de façon prolongée.*

Dos (Mal de)

Tenter de compter le nombre de personnes qui souffrent du dos est purement et simplement impossible. En France, on peut dire qu'en moyenne, chaque médecin donne plusieurs consultations par jour pour cause de maux de dos.

Le mal de dos apparaît parfois à l'improviste, pour disparaître de la même manière, c'est pourquoi il est bien difficile d'en cerner les causes véritables.

Mal de dos : avez-vous de l'arthrose ?

L'arthrose du dos est souvent responsable des douleurs que vous ressentez.

Mais ce n'est pas tout : l'excès de poids, de mauvaises postures répétées pendant de longues années, l'ostéoporose et parfois le stress, sont aussi responsables de vos douleurs.

La meilleure solution pour faire disparaître définitivement un grand nombre de maux de dos

L'exercice est, à maints égards, la meilleure solution contre les maux de dos : faites de la marche chaque jour.

Mais, prenez garde aussi aux "faux mouvements", ne portez pas d'objets lourds. Si vous êtes assez corpulent, il faut envisager de perdre du poids, cela pourrait bien produire le miracle que vous attendez : la disparition complète de vos douleurs au dos.

LES PLANTES QUI SOULAGENT LES MAUX DE DOS

Harpagophytum : un anti-douleur très puissant

L'harpagophytum *(Harpagophytum procumbens DC)* vient en tête des nombreuses plantes qui soulagent l'arthrose et ses douleurs. C'est en fait un anti-inflammatoire naturel, très puissant.

Les indigènes des contrées du sud de l'Afrique où il pousse l'appellent "griffe du diable". Il a cette propriété extraordinaire de combattre en même temps la douleur et l'inflammation. Son action contre les rhumatismes est très appréciée pour sa grande efficacité.

Que vous souffriez de rhumatismes aigus ou chroniques, de polyarthrite rhumatoïde, d'arthrose, d'arthrite, de douleurs lombaires, de lumbago, de sciatique, de contractures, de goutte ou de tendinite, vous apprécierez les bienfaits de cette plante qui rend leur souplesse aux articulations.

Mais l'harpagophytum a bien d'autres vertus : il stimule le foie, combat l'excès de cholestérol et d'acide urique.

Quant aux personnes qui souffrent d'asthme, elles profiteront pleinement de son action désensibilisante.

Pour les indigènes, il s'agit bel et bien d'une herbe magique. Ils l'utilisent pour combattre les troubles digestifs, ainsi que comme calmant.

➤ Teinture Mère Harpagophytum : prendre 20 à 40 gouttes, 3 fois par jour.

➤ Arkogélules Harpagophytum® (Arkopharma, *non remboursé*) : en traitement d'attaque, 2 gélules, matin, midi et soir, au moment des repas ; en traitement de fond, 1 gélule, matin, midi et soir, au moment des repas.

➤ Élusanes Harpagésic® (Plantes et Médecines, *non remboursé*) : 1 gélule 2 fois par jour, à prendre matin et soir, accompagnée d'un grand verre d'eau.

➤ Élusanes Harpagésic gel® (Plantes et Médecines, *non remboursé*) : effectuer 3 applications par jour, en léger massage.

Bambou : il favorise la "reconstruction" de vos cartilages

Le bambou *(Bambousa arundinacea)* est un roseau très riche en silice. Grâce à lui, vos os et votre tissu conjonctif produisent davantage de collagène et favorisent la reconstruction de vos cartilages abîmés.

C'est une plante "miracle" en cas de problèmes articulaires car elle a un effet reminéralisant. Elle rend aussi des services prodigieux aux femmes au moment de la ménopause, car elle aide à combattre plus efficacement l'ostéoporose.

Si vous avez mal au dos, le bambou est sans doute indiqué car les douleurs au dos sont souvent d'origine articulaire, et la haute teneur du bambou en silice ne peut que vous faire grand bien.

Le bambou aidera enfin tous ceux qui souffrent d'une fracture et ont besoin d'un bon reminéralisant pour aider à la reconstruction de leurs os brisés.

➤ Arkogélules Bambou® (Arkopharma, *non remboursé*) : prendre 1 gélule, matin, midi et soir, avec un grand verre d'eau, au moment des repas.

LES AUTRES BIOMÉDICAMENTS

Les crèmes ci-dessous, composées de plantes et d'un dérivé salicylé (substance chimique proche de l'aspirine), soulagent les douleurs d'origine musculaire :

➤ Baume Arôma® (Mayoly-Spindler, *remboursé*) : masser la région douloureuse 2 fois par jour.

➤ Kamol® (Whitehall, *non remboursé*) : appliquer 2 ou 3 fois par jour, en massage doux et prolongé.

Douleurs, névralgies, douleurs articulaires

Si vous ressentez des douleurs, il est important de traiter la cause. Vos douleurs ne sont qu'un symptôme.

Que faire lorsque la douleur est trop difficile à supporter

Cependant, il peut être utile de traiter la douleur elle-même si elle est trop difficile à supporter.

En cas de douleurs aux seins, vous devez les palper ou

les montrer à votre médecin pour y chercher des "bosses ou inégalités suspectes".

LES PLANTES QUI SOULAGENT LES DOULEURS

Reine-des-prés : c'est une "aspirine végétale" dont les effets sont doux et progressifs

La reine-des-prés *(Filipendula ulmaria Maxim.)* a une puissante action anti-inflammatoire, elle combat la douleur et soulage l'arthrose et l'arthrite.

C'est une sorte "d'aspirine végétale" car elle contient de l'acide salicylique. De plus, comme son action est progressive et douce, elle est particulièrement bien tolérée.

La reine-des-prés est aussi diurétique : elle active l'élimination des déchets de votre corps et vous aide donc à combattre la goutte et l'urée ; elle permet aussi de combattre activement la cellulite, la culotte de cheval et même l'embonpoint localisé en s'attaquant aux excès de graisse.

➤ Artrosan® (Dolisos, *non remboursé*) : composé d'harpagophytum et de reine-des-prés. Prendre 1 à 2 doses, 2 à 3 fois par jour.

➤ Teinture Mère Reine-des-prés : prendre 40 gouttes, 3 fois par jour.

➤ Arkogélules Reine-des-prés® (Arkopharma, *non remboursé*) : 1 gélule matin, midi et soir, à prendre avec un grand verre d'eau, au moment des repas. La posologie peut être portée à 5 gélules par jour, si nécessaire.

➤ Élusanes Reine-des-prés® (Plantes et Médecines, *non remboursé*) : 1 gélule, 2 fois par jour, à prendre matin et soir, accompagnée d'un grand verre d'eau.

➤ Arkofusettes Reine-des-prés® (Arkopharma, *non rem-*

boursé) : prendre 2 à 5 sachets par jour de cet anti-rhumatismal, à préparer comme une tisane.

➤ Artival® (Chefaro-Ardeval, *non remboursé*) : très riche en cassis et en reine-des-prés. Prendre 1 à 2 doses, 2 à 3 fois par jour, en cas de douleurs.

Saule blanc : un anti-inflammatoire naturel, sans effets secondaires

Riche en acide salicylique, le saule blanc *(Salix alba L.)* est une sorte d'aspirine naturelle, mais sans effets secondaires.

C'est un anti-inflammatoire naturel qui combat les douleurs très efficacement.

➤ Teinture Mère Saule blanc : prendre 40 gouttes, 3 fois par jour.

➤ Arkogélules Saule blanc® (Arkopharma, *non remboursé*) : 1 gélule matin, midi et soir, à prendre dans un grand verre d'eau, au moment des repas.

Harpagophytum : le "numéro 1" des anti-inflammatoires naturels

Très puissant et très doux à la fois, l'harpagophytum *(Harpagophytum procumbens DC)* est le "numéro 1" des anti-inflammatoires naturels.

Cette plante africaine combat la douleur et l'inflammation... en même temps.

En cas de douleurs articulaires, vous pourrez constater les bienfaits de cette plante sur vos articulations.

Mais l'harpagophytum a bien d'autres vertus : il stimule le foie, combat l'excès de cholestérol et d'acide urique. Les personnes qui souffrent d'asthme profiteront pleinement de son action désensibilisante.

➤ Teinture Mère Harpagophytum : prendre 20 à 40 gouttes, 3 fois par jour.

➤ Arkogélules Harpagophytum® (Arkopharma, *non remboursé*) : en traitement d'attaque, 2 gélules matin, midi et soir, au moment des repas ; en traitement de fond, 1 gélule matin, midi et soir, au moment des repas.

➤ Élusanes Harpagésic® (Plantes et Médecines, *non remboursé*) : composé d'harpagophytum. Prendre 1 gélule 2 fois par jour, matin et soir, accompagnée d'un grand verre d'eau.

➤ Artrosan® (Dolisos, *non remboursé*) : composé d'harpagophytum et de reine-des-prés. Prendre 1 à 2 doses, 2 à 3 fois par jour.

Cassis : il réduit l'inflammation et prend soin de votre estomac

Le cassis *(Ribes nigrum L.)* est excellent pour soulager les douleurs articulaires.

Il réduit l'inflammation de manière bien moins agressive, surtout pour l'estomac, que les médicaments classiques.

De plus, en favorisant l'élimination des déchets de votre corps, le cassis l'assainit et accentue encore le soulagement. On le conseille d'ailleurs également en cas de goutte ou d'arthrose.

➤ Arkogélules Cassis® (Arkopharma, *non remboursé*) : 1 gélule matin, midi et soir, à prendre avec un grand verre d'eau, au moment des repas. La posologie peut être portée à 5 gélules, si nécessaire.

➤ Élusanes Cassis® (Plantes et Médecines, *non remboursé*) : prendre 1 gélule, matin et soir, au cours des repas, avec un verre d'eau.

➤ Artival® (Chefaro-Ardeval, *non remboursé*) : composé

de cassis et de reine-des-prés. Prendre 1 à 2 doses, 2 à 3 fois par jour.

LES AUTRES BIOMÉDICAMENTS

- Les crèmes ci-dessous, composées de plantes et d'un dérivé salicylé (substance chimique proche de l'aspirine), soulagent les douleurs d'origine musculaire :
  - ➤ Baume Arôma® (Mayoly-Spindler, *remboursé*) : masser la région douloureuse 2 fois par jour.
  - ➤ Kamol® (Whitehall, *non remboursé*) : appliquer 2 ou 3 fois par jour, en massage doux et prolongé.
- Pour cumuler les effets bénéfiques de l'harpagophytum, du cassis et du saule blanc, vous pouvez recourir à ce remède qui contient les trois plantes :
  - ➤ Arkophytum® (Arkopharma, *non remboursé*) : en traitement d'attaque, 2 gélules 3 fois par jour, à prendre à la fin des repas, pendant 15 jours environ ; en traitement d'entretien, 1 gélule 3 fois par jour, à prendre à la fin des repas, pendant 1 mois, renouvelable.

Eczéma

De l'eczéma, tout le monde en a, un jour ou l'autre, dans sa vie.

De tous les problèmes de peau, c'est le plus fréquent. Il est souvent d'origine allergique : le contact avec un produit irritant, un simple liquide vaisselle par exemple, peut provoquer cette réaction de la peau.

La peau devient rouge, de petites vésicules apparaissent et parfois suintent. Des croûtes et desquamations se forment alors. Le grand inconvénient de l'eczéma, ce sont bien sûr les démangeaisons qui l'accompagnent.

L'eczéma est souvent d'origine héréditaire : si l'un de vos parents en a, vos risques d'en avoir aussi sont multipliés.

3 excellents moyens pour vous débarrasser de l'eczéma

Aussi bien en période de poussée d'eczéma qu'à titre préventif, il existe 3 excellents moyens pour lutter contre cette maladie de peau.

D'abord, portez des vêtements en coton, en laine ou en lin : les fibres naturelles sont meilleures pour votre peau que les synthétiques.

Ensuite, prenez garde aux produits qui favorisent les allergies : faites la vaisselle avec des gants ; pour laver le linge, utilisez une lessive à base de savon ; évitez de vaporiser des insecticides dans votre maison.

Enfin, essayez de retrouver un mode de vie plus sain, moins stressant : faites de l'exercice, réduisez votre consommation d'alcool, mangez moins gras et ne vous exposez pas trop au soleil.

LES PLANTES QUI PEUVENT VOUS DÉLIVRER DE L'ECZÉMA

Bardane : elle purifie votre peau grâce à ses composants antibactériens

En cas d'eczéma, il importe de purifier la peau, ce que la bardane *(Arctium lappa L.)* fait de manière remarquable car elle facilite l'élimination des toxines par le foie et les reins.

Les composants antibactériens de la bardane favorisent encore davantage son action nettoyante. Cette plante a d'ailleurs la réputation millénaire de rendre la peau nette et lisse, et ce n'est pas une légende !

La bardane devrait donc vous aider efficacement à vous débarrasser de votre eczéma.

➤ Teinture Mère Bardane : prendre 40 à 50 gouttes, 3 fois par jour.

➤ Arkogélules Bardane® (Arkopharma, *non remboursé*) : 1 gélule matin, midi et soir, à prendre avec un grand verre d'eau, au moment des repas.

➤ Élusanes Bardane® (Plantes et Médecines, *non remboursé*) : prendre 1 gélule, matin et soir, au cours des repas, avec un verre d'eau.

Pensée sauvage : elle favorise la disparition de nombreux problèmes de peau, ainsi que de l'herpès

La pensée sauvage *(Viola tricolor L.)* nettoie votre peau, favorise l'élimination des impuretés et accélère la cicatrisation.

En stimulant vos fonctions d'élimination, ainsi qu'en vous apportant de la vitamine E, elle favorise la disparition de nombreux problèmes de peau : eczéma, acné, démangeaisons, urticaire, psoriasis. Elle vous sera aussi très utile si vous souffrez d'herpès.

➤ Teinture Mère Pensée sauvage : prendre 50 gouttes, 3 fois par jour.

➤ Arkogélules Pensée sauvage® (Arkopharma, *non remboursé*) : 1 gélule matin, midi et soir, à prendre avec un grand verre d'eau, au moment des repas.

➤ Élusanes Pensée Sauvage® (Plantes et Médecines, *non remboursé*) : prendre 1 gélule, matin et soir, au cours des repas, avec un verre d'eau.

Huile de bourrache : elle a le pouvoir "d'effacer" votre eczéma

L'huile de bourrache *(Borago officinalis L.)* est la bienfaitrice de votre peau.

Elle contient deux merveilleux composants : deux acides gras polyinsaturés qui ralentissent le vieillissement de votre peau, favorisent son hydratation et luttent contre la formation des rides.

Pour garder plus longtemps que les autres une belle peau, dépourvue de rides et bien hydratée, l'huile de bourrache est donc tout indiquée.

En traitement de fond, l'huile de bourrache rendra votre peau plus belle et plus résistante, notamment aux agressions extérieures et à l'eczéma.

➤ Teinture Mère Bourrache : prendre 30 gouttes, 3 fois par jour.

➤ Arkogélules Huile de bourrache® (Arkopharma, *non remboursé*) : prendre 1 ou 2 gélules, matin et soir.

Entorses

Elles font très mal mais sont, en général, sans gravité.

On parle d'entorse quand les ligaments d'une articulation se distendent brutalement, sous l'effet d'un choc, d'un "faux mouvement" ou à l'occasion d'une chute.

Une astuce de randonneur pour éviter le gonflement de l'articulation

Pour limiter le gonflement de l'articulation, appliquez immédiatement une poche de glace ou un spray réfrigérant. C'est une astuce bien connue des randonneurs de montagne.

Dans tous les cas, il est prudent de consulter le médecin pour s'assurer de l'absence de fracture.

LES PLANTES QUI SOULAGENT LA DOULEUR

Harpagophytum : calmez la douleur et réduisez l'inflammation de manière naturelle

L'harpagophytum *(Harpagophytum procumbens DC)* est l'anti-inflammatoire naturel par excellence.

En cas d'entorse, il combat la douleur et l'inflammation. Pour les indigènes d'Afrique du Sud, il s'agit bel et bien d'une herbe magique. Ils l'utilisent d'ailleurs comme calmant.

➤ Teinture Mère Harpagophytum : prendre 20 à 40 gouttes, 3 fois par jour.

➤ Arkogélules Harpagophytum® (Arkopharma, *non remboursé*) : en traitement d'attaque, 2 gélules matin, midi et soir, au moment des repas ; en traitement de fond, 1 gélule matin, midi et soir, au moment des repas.

➤ Élusanes Harpagophytum® (Plantes et Médecines, *non remboursé*) : 1 gélule, 2 fois par jour, à prendre matin et soir, accompagnée d'un grand verre d'eau.

Ananas : un autre moyen de réduire l'inflammation sans médicament chimique

L'ananas (Ananas comosus L.) – la tige et non pas le fruit ! – contient un puissant anti-inflammatoire naturel, la bromélaïne, qui est excellente contre les œdèmes localisés. L'ananas rend ainsi de grands services en cas de traumatismes tels que foulure, entorse, hématome, etc., car il réduit l'inflammation.

L'ananas est aussi un puissant "anti-cellulite". Il évite aussi la transformation des sucres en graisses. C'est pourquoi les personnes qui veulent maigrir en sont friandes.

➤ Arkogélules Ananas® (Arkopharma, *non remboursé*) : prendre 3 gélules par jour, entre les repas.

LES AUTRES BIOMÉDICAMENTS

● **L'arnica**, éventuellement associé à d'autres plantes, est connu depuis des siècles pour soulager les douleurs consécutives à un coup. Voici quelques biomédicaments composés d'arnica :

➤ Crème Rap® (Novartis Santé Familiale, *remboursé*) : cette crème, très efficace, est à essayer en priorité. Masser la région douloureuse matin et soir.

➤ Pharmadose Arnica® (Gilbert, *non remboursé*) : appliquer la compresse sur le bleu ou la bosse. *Ne pas appliquer sur les muqueuses.*

➤ Teinture Arnica Demel® (RPR Cooper, *non remboursé*) : faire une application sur le bleu ou la bosse, immédiatement après avoir reçu le coup.

➤ Lelong Contusions® (SmithKline Beecham, *non remboursé*) : masser doucement la partie souffrante plusieurs fois par jour. *Ne pas appliquer sur les plaies.*

● Les préparations suivantes, composées de **camphre**, donnent aussi de bons résultats :

➤ Kamol® (Whitehall, *non remboursé*) : faire 2 ou 3 applications par jour, en massage doux et prolongé. *Ne pas utiliser chez l'enfant, ni chez la femme enceinte ou qui allaite, sans avis médical.*

➤ Crème Ibis® (Amido, *non remboursé*) : faire 1 à 3 applications par jour, après avoir soigneusement nettoyé la peau. *Ne pas utiliser chez l'enfant de moins de 3 ans, ni chez celui de moins de 7 ans, sans avis médical.*

224

- **L'huile d'arachide** peut aussi se révéler bien utile :
  - ➤ Matiga® (Pierre Fabre Santé, *non remboursé*) : composé d'huile d'arachide et de menthol. Faire 2 massages ou 1 application en compresse par jour. *Ne pas utiliser chez l'enfant de moins de 12 ans. Ne pas appliquer sur les seins en cas d'allaitement.*

Fatigue, convalescence, surmenage, faiblesse

Le saviez-vous ? "En France, 50 % des consultations sont motivées par la *fatigue* ressentie par les patients", affirme Alexis Amziev, dans son *Dictionnaire médical Fleming*. C'est donc un problème très fréquent.

Mais la "fatigue" revêt une multitude de formes différentes : fatigue physique, intellectuelle, nerveuse, morale, sexuelle.

Fatigue physique : ce que vous devez vérifier en premier

La fatigue physique est souvent appelée "asthénie" par les médecins. C'est la fatigue que vous éprouvez lorsque vous travaillez trop ou si vous êtes stressé. Vous n'avez alors plus le goût de faire quoi que ce soit et vous n'aspirez qu'à vous reposer et à dormir.

Les changements de saison sont propices à ces "coups de pompe", à cette fatigue passagère qui disparaît d'elle-même au bout de quelque temps.

Commencez par vérifier votre literie : un mauvais lit favorise l'insomnie et, sans sommeil réparateur, la fatigue est inévitable.

Un merveilleux produit naturel contre la fatigue

Mangez des fruits de saison, faites-en des jus, par exemple. Mangez beaucoup de persil, de citron et de cassis. Sucrez vos aliments avec du miel, c'est un produit naturel merveilleux !

Si vous avez la possibilité de prendre des vacances, partez à la campagne ou à la montagne et profitez du grand air, frais et pur. Ce sera l'occasion pour vous de faire de l'exercice, de la marche à pied, notamment.

Fatigue intellectuelle : ce que vous ne devez jamais confondre

La fatigue intellectuelle qui survient à la suite d'un travail intellectuel intense n'a rien d'anormal. Si votre fils ou votre fille vient de passer son bac ou un examen universitaire, il est bien normal qu'il ou elle se sente fatigué(e).

Il est important toutefois de ne pas confondre cette saine fatigue intellectuelle, qui se résorbera après un bon repos, avec de la déprime ou un dégoût de l'existence qui nécessitent une consultation médicale.

La *vraie* cause de la fatigue nerveuse de nombreux adolescents

La fatigue nerveuse est encore une autre forme de fatigue, caractérisée quant à elle par un excès de stress.

Notez que les adolescents qui se plaignent de fatigue excessive sont souvent victimes de leur propre comportement : excès de sport, activités trop nombreuses.

La musique, en particulier le hard-rock et la techno, peut créer une excitation préjudiciable à la santé et à l'équilibre nerveux. Dans de nombreux cas, cette musique, jouée trop fort et trop longtemps, est la vraie cause de leur fatigue.

Le baladeur est une merveilleuse invention, à condition

de l'écouter à faible niveau sonore ; il n'est pas non plus recommandé de passer ses journées avec un casque sur les oreilles.

Comment mettre fin à votre fatigue sexuelle et retrouver une sexualité active et épanouie

Autre forme de fatigue : la fatigue sexuelle touche un grand nombre de personnes. Mais, comme bon nombre de problèmes intimes, on n'en parle pas facilement, d'où une plus grande difficulté à la résoudre qu'une autre forme de fatigue.

Si votre partenaire a envie de faire l'amour trois fois par jour, il est normal que vous n'ayez pas toujours la force de suivre ses désirs. Mais si vous n'éprouvez jamais de désir, ou rarement, vous êtes sans doute atteint de fatigue sexuelle. Dans ce cas, les revigorants sexuels mentionnés plus loin vous aideront sûrement.

LES PLANTES QUI VOUS AIDENT À VAINCRE LA FATIGUE

Ortie (ou feuille d'ortie) : ses nombreux composants "anti-fatigue" vous aident à retrouver votre pleine forme

Si vous êtes facilement fatigué, si vous dormez mal, si votre sommeil est agité ou bien si vous n'arrivez pas à récupérer comme vous le souhaiteriez, la feuille d'ortie *(Urtica dioica L.)* peut sans doute beaucoup pour vous.

Riche en vitamines B2, B5, en acide folique, en fer, silice, magnésium, cuivre, zinc, etc., elle vous aidera aussi à mieux vous concentrer. Votre attention sera donc accrue et des taches intellectuelles qui vous répugnent peut-être d'habitude, comme écrire votre courrier ou lire un livre, deviendront plus faciles, et peut-être même un véritable plaisir.

Si vous êtes parfois anxieux, déprimé, si vous "broyez du noir", si vous avez l'impression que tout va mal et que les choses ne s'améliorent pas, une cure de feuilles d'ortie, au changement de saison par exemple, sera très bénéfique.

Les convalescents profiteront aussi des bienfaits de la feuille d'ortie, toujours avec l'accord de leur médecin, évidemment.

➤ Teinture Mère Ortie : prendre 40 gouttes, 3 fois par jour.

➤ Arkogélules Ortie® (Arkopharma, *non remboursé*) : 1 gélule matin, midi et soir, à prendre avec un grand verre d'eau, avant les repas.

➤ Élusanes Ortie® (Plantes et Médecines, *non remboursé*) : prendre 1 gélule, matin et soir, au cours des repas, avec un verre d'eau.

Gelée royale lyophilisée : elle combat, à la fois, la fatigue et le vieillissement

La gelée royale est un cocktail de vie, un don des dieux...

Grâce à elle, la reine des abeilles vit 50 fois plus longtemps qu'une ouvrière. C'est en effet un puissant anti-vieillissement.

En outre, la gelée royale stimule vos défenses immunitaires et vous aide à combattre la fatigue. Les jeunes gens, les personnes âgées et les convalescents ont tout intérêt à profiter de ses bienfaits.

Enfin, elle se montre efficace contre l'anorexie.

➤ Arkogélules Gelée royale lyophilisée® (Arkopharma, *non remboursé*) : prendre 1 gélule, matin, midi et soir, avec un grand verre d'eau, au moment des repas.

Ginseng : voici un grand revitalisant sexuel, qui rend plus endurant...

Le ginseng *(Panax ginseng Meyer)* est cultivé depuis des millénaires en Asie, où les Chinois et les Coréens l'utilisent comme plante qui guérit.

Avec le ginseng, vos capacités physiques et intellectuelles se développent. Vous résistez mieux à l'effort et à la fatigue, les douleurs musculaires étant amoindries. Vous avez une meilleure mémoire. De plus, le ginseng agit aussi sur les réflexes.

Cette plante est connue pour être un revitalisant sexuel, un aphrodisiaque. Elle est donc excellente en cas de fatigue sexuelle.

Le ginseng rend votre cœur et vos poumons plus forts. C'est un "défatigant" efficace.

➤ Teinture Mère Ginseng : prendre 40 gouttes, 3 fois par jour.

➤ Arkogélules Ginseng® (Arkopharma, *non remboursé*) : prendre 2 gélules, le matin et le midi.

➤ Élusanes Ginseng® (Plantes et Médecines, *non remboursé*) : prendre 1 gélule, matin et soir, au cours des repas, avec un verre d'eau. *Réserver les gélules de 200 mg à l'adulte. Ne pas prolonger le traitement plus de 3 mois.*

➤ Ginseng Alpha® (Gilbert, *non remboursé*) : prendre 2 gélules, 2 fois par jour, avec un verre d'eau, au moment des repas.

➤ Ginseng Boiron® (Boiron, *non remboursé*) : prendre 1 gélule, 1 à 3 fois par jour, avec un grand verre d'eau. *Ne pas utiliser pendant plus de 3 mois, sans avis médical.*

➤ Natura Medica Ginseng® (Dolisos, *non remboursé*) :

prendre 1 ampoule, 2 fois par jour, dans un verre d'eau, avant les repas. *Ne pas utiliser chez l'enfant.*

➤ Arik Ginseng® (Arik, *non remboursé*) : prendre 2 à 4 gélules par jour. *Ne pas prolonger le traitement plus de 3 mois.*

➤ Tonisan® (Dolisos, *non remboursé*) : composé de ginseng et de thé. Prendre 1 ou 2 comprimés, 2 ou 3 fois par jour, avec un verre d'eau.

Éleuthérocoque : le secret des hommes qui ne connaissent jamais la fatigue sexuelle ?

Avec l'éleuthérocoque (*Eleutherococcus senticosus Maxim.*), vous augmentez votre résistance physique, vous vous adaptez mieux à votre environnement, vous devenez plus résistant, vous récupérez plus vite après avoir fait de l'exercice ou un effort.

Cette plante renforce les capacités sexuelles des hommes et favorise l'érection.

Vous avez intérêt à vous en remettre à cette merveilleuse plante si vous devez fournir un effort physique (compétition sportive par exemple) ou intellectuel (examen), ou encore si vous êtes convalescent pour retrouver toute votre santé encore plus rapidement.

Et l'éleuthérocoque a un avantage supplémentaire : ses effets se prolongent même après l'arrêt du traitement.

➤ Teinture Mère Éleuthérocoque : prendre 40 gouttes, 3 fois par jour.

➤ Arkogélules Éleuthérocoque® (Arkopharma, *non remboursé*) : prendre 2 gélules, matin et midi.

Spiruline : comment venir à bout de la fatigue, même si vous manquez d'appétit

La spiruline *(Spirulina maxima)* combat efficacement la fatigue. Elle est très riche en protéines (encore plus que le soja !), en fer, en bétacarotène, en vitamines B, en sels minéraux, en oligo-éléments et en acides gras essentiels.

La spiruline est également utile aux convalescents et aux sportifs.

Dans le cadre d'un régime amaigrissant, elle vous permet de ne pas avoir faim (alors que vous mangez moins) tout en conservant une bonne condition physique.

> ➤ Arkogélules Spiruline® (Arkopharma, *non remboursé*) : prendre 2 gélules, matin, midi et soir, avec un grand verre d'eau, au moment des repas.

LES AUTRES BIOMÉDICAMENTS

- Le **kola**, utilisé notamment dans la préparation du Coca-Cola®, est également un excellent tonique qui vous aidera efficacement à lutter contre la fatigue et à retrouver toute votre énergie.

  Il est important cependant de ne jamais en abuser, car il risque, à dose élevée, de *masquer* la fatigue et de créer une surexcitation, suivie d'une dépression.

- Dans les biomédicaments, on le retrouve seul ou associé à d'autres toniques tels que **le ginseng, la noix vomique ou le quinquina** :

  > ➤ Quintonine® (SmithKline Beecham, *non remboursé*) : composé de 7 plantes, dont le kola, le quinquina et la gentiane, ce cocktail au goût délicieux vous stimule, vous aide à combattre la fatigue et vous redonne de l'appétit. Essayez-le en premier. Diluer le flacon dans 1 litre d'eau ou de jus de fruits, et en boire un verre

avant les repas. ***Ne pas utiliser chez l'enfant de moins de 15 ans.***

➤ Kola Astier® (Urpac-Astier, *non remboursé*) : prendre 2 comprimés, 3 fois par jour, avec un verre d'eau.

➤ Kola Boiron® (Boiron, *non remboursé*) : prendre 1 ou 2 gélules, 3 fois par jour, avec un grand verre d'eau. ***Ne pas utiliser pendant plus de 3 mois, sans avis médical.***

➤ Fitonic® (Arkopharma, *non remboursé*) : composé de kola, ginseng et cannelle. Prendre 1 ou 2 sachets par jour, mélangés dans un grand verre d'eau, au moment des repas.

➤ Tonactil® (Arkopharma, *non remboursé*) : composé de kola et de ginseng. En traitement d'attaque, prendre 2 gélules matin et midi ; en traitement d'entretien, prendre 1 gélule, matin et midi, avec un grand verre d'eau. ***Réservé à l'adulte.***

➤ Starphyt® (Plantes et Médecines, *non remboursé*) : composé de kola et de ginseng. Prendre 2 gélules par jour avec un verre d'eau. ***Réservé à l'adulte.***

➤ Yse® (Chatelut, *non remboursé*) : composé de kola et de noix vomique. Prendre 2 à 4 comprimés, 2 fois par jour, pendant 2 à 4 semaines, avec un verre d'eau. ***Ne pas utiliser en cas de carence en cuivre.***

➤ Yse Glutamique® (Chatelut, *non remboursé*) : composé de kola et de noix vomique. Prendre 2 à 4 comprimés, 2 fois par jour, pendant 2 à 4 semaines, avec un verre d'eau. ***Ne pas utiliser en cas de carence en cuivre.***

● Le complexe suivant, riche en **ginseng, vitamines et minéraux**, est un remède bien connu contre la fatigue :

➤ Capsules Pharmaton® (Boehringer Ingelheim, *non remboursé*) : prendre 1 capsule, 2 fois par jour.

- **Le gingembre et l'argousier** sont d'autres plantes qui vous aident à éliminer la fatigue :
  - ➤ Phytémag® (Lesourd, *non remboursé*) : composé de gingembre et de chlorophylle. Prendre 1 gélule, 1 ou 2 fois par jour, avec un verre d'eau, avant les repas.
  - ➤ Hippophan® (Weleda, *non remboursé*) : composé d'argousier, une plante très riche en vitamine C. Chez l'adulte, prendre 1 cuillerée à soupe, pure ou diluée dans un verre d'eau, 3 à 5 fois par jour. Chez l'enfant de 6 à 15 ans, prendre 2 cuillerées à café, 3 fois par jour.

Fièvre

La fièvre est une réaction normale de votre corps lorsqu'il est agressé par un corps étranger, un microbe par exemple.

C'est d'ailleurs un symptôme bénéfique car, en augmentant sa température, le corps devient un milieu hostile au microbe en question.

Mais il faut bien admettre que c'est un symptôme désagréable, pas toujours facile à supporter, surtout si la fièvre est élevée.

Dans quel cas vous devez appeler le médecin

Que faire ? Si c'est un enfant ou un bébé qui est fiévreux, il est prudent de consulter le médecin. Le jeune enfant n'a souvent pas d'autre moyen de montrer qu'il est malade qu'en criant et en ayant de la fièvre. Pour un adulte, la consultation n'est indispensable qu'en cas de fièvre élevée, c'est-à-dire supérieure à 38,5°.

Pour prendre la température, utilisez de préférence un thermomètre buccal. Sinon, prenez-la avec un thermomètre ordinaire, placez-le durant une minute sous l'aisselle, puis ajoutez un demi-degré à la température indiquée.

Ce remède de grand-mère est un véritable anti-fièvre puissant

Buvez beaucoup d'eau : la fièvre fait transpirer et vous devez vous réhydrater. Le jus de citron pressé dans de l'eau sucrée est un remède vieux comme le monde, mais très efficace.

Si vous pouvez le supporter, essayez de ne pas vous couvrir trop, le frais est souvent bénéfique en cas de fièvre. Au contraire, appliquez des compresses d'eau froide sur le front et la nuque.

LES PLANTES QUI FONT "TOMBER" LA FIÈVRE

Quinquina : il peut faire des "miracles" contre une forte fièvre

Le quinquina *(Cinchonae cortex)* fait des miracles pour la santé des hommes depuis le XVIIe siècle : il fait tomber la fièvre.

Grâce au quinquina, une maladie grave comme le paludisme a disparu des pays occidentaux.

Le quinquina vous aidera en cas de fièvre, mais aussi en cas de grippe et d'état grippal. Cette plante renforcera votre corps et votre appétit afin que vous repreniez des forces très vite.

Si vous devez vous rendre dans un pays où le paludisme est fréquent, la prise de quinquina à titre préventif sera pour vous une grande protection.

➤ Teinture Mère Quinquina : prendre 30 gouttes, 3 fois par jour.

➤ Arkogélules Quinquina® (Arkopharma, *non rembour-*

sé) : prendre 1 gélule, matin, midi et soir, avec un grand verre d'eau, au moment des repas.

➤ Élusanes Quinquina® (Plantes et Médecines, *non remboursé*) : prendre 1 gélule, matin et soir, au cours des repas, avec un verre d'eau.

Saule blanc : sans effets secondaires, sa puissance est équivalente à celle de l'aspirine

Le saule blanc *(Salix alba L.)* vous aidera aussi à faire tomber la fièvre et sera d'un grand secours en cas de maladie infectieuse telle qu'une grippe ou un refroidissement.

Le saule blanc est aussi un anti-inflammatoire naturel. C'est une sorte d'aspirine naturelle, sans effets secondaires. Vous avez tout intérêt à recourir aux bienfaits du saule blanc pour calmer les souffrances causées par les douleurs articulaires.

➤ Teinture Mère Saule blanc : prendre 40 gouttes, 3 fois par jour.

➤ Arkogélules Saule blanc® (Arkopharma, *non remboursé*) : 1 gélule matin, midi et soir, à prendre dans un grand verre d'eau, au moment des repas.

Eupatoire : cet anti-microbien vous aide à vous rebâtir un puissant système immunitaire

L'eupatoire *(Eupatorium cannabinum L.)* est un excellent anti-microbien. Vous l'apprécierez si vous êtes sujet aux infections à répétition telles que rhumes ou rhino-pharyngites. Cette plante renforce votre système immunitaire et vous aide à prévenir les maladies virales comme la grippe, par exemple.

Par ailleurs, en cas de bronchite, l'eupatoire calmera l'inflammation de vos bronches.

On la recommande aussi aux convalescents d'une maladie infectieuse pour les aider à se reconstruire un système immunitaire puissant.

➤ Teinture Mère Eupatoire : prendre 30 gouttes, 3 fois par jour.

➤ Arkogélules Eupatoire® (Arkopharma, *non rembour-sé*) : prendre 1 gélule, matin, midi et soir, avec un grand verre d'eau, au moment des repas.

Levure de bière : elle renforce vos défenses naturelles et vous protège mieux des maladies hivernales

Ce champignon microscopique *(Saccharomyces cerevisiae)* est un véritable don de la nature. Il permet de résoudre une multitude de problèmes de santé. Il vous aide notamment à renforcer vos défenses naturelles et vous protège mieux des maladies hivernales. Il est riche de plusieurs composants antibactériens.

➤ Arkogélules Levure de bière revivifiable® (Arkopharma, *non remboursé*) : prendre 1 gélule, matin, midi et soir, avec un grand verre d'eau, avant les repas.

➤ Élusanes Levure de bière® (Plantes et Médecines, *non remboursé*) : 2 gélules, 2 fois par jour, à prendre avec un verre d'eau.

Salsepareille : avec elle, vous expulsez vos toxines et faites tomber la fièvre

La salsepareille *(Smilax medica L.)* est la plante purificatrice de votre corps par excellence. Elle stimule vos défenses immunitaires et nettoie vos tissus. C'est pourquoi on l'utilise depuis des générations en cas d'état fébrile ou de fièvre.

Les Sud-Américains l'utilisent comme plante virilisante car la salsepareille combat la fatigue sexuelle chez l'homme. On l'indique aussi pour la femme au début de la ménopause.

➤ Teinture Mère Salsepareille : prendre 30 gouttes, 3 fois par jour.

➤ Arkogélules Salsepareille® (Arkopharma, *non rembour-sé*) : prendre 1 gélule, matin, midi et soir, avec un grand verre d'eau, au moment des repas.

UN AUTRE BIOMÉDICAMENT

La reine-des-prés, bien connue pour son action sur les rhumatismes, a aussi une action anti-fièvre bien que ce ne soit pas sa principale propriété :

➤ Teinture Mère Reine-des-prés : prendre 40 gouttes, 3 fois par jour.

➤ Arkogélules Reine-des-prés® (Arkopharma, *non remboursé*) : prendre 1 gélule, matin, midi et soir, avec un grand verre d'eau, au moment des repas.

Foie paresseux, hépatite, ictère, jaunisse

Votre foie est une sorte de "gare de triage" de votre circulation sanguine. Il draine le sang (à la vitesse d'un litre et demi par minute !) et le nettoie ; il produit environ un litre de bile par jour ; il élimine les toxines et conserve les produits dont votre corps a besoin.

Foie paresseux : la cause véritable d'une multitude de problèmes de santé

Lorsque votre foie va mal, vous digérez mal, vous êtes constipé, vous pouvez souffrir d'eczéma ou d'urticaire, avoir des maux de tête, ou être tout simplement fatigué en permanence.

Si vous lui en demandez trop, en particulier si vous mangez mal (trop de gras, trop de sucres, trop d'alcool), votre foie travaille trop et se fatigue. Le plus simple est de lui faciliter la tâche : si vous évitez ces aliments, il n'aura pas besoin de les éliminer, et vous vous sentirez tellement mieux.

Le "truc" qui vous dit tout de suite si votre foie est fatigué

Un truc pour savoir si votre foie est fatigué : lorsque le blanc de votre œil est jaunâtre, c'est mauvais signe pour votre foie.

Mangez la viande grillée plutôt que frite. Découvrez les merveilles de la mer (le poisson est l'ami de votre foie) et les céréales complètes (pâtes complètes, riz complet, pain au sésame).

LES PLANTES QUI SOIGNENT VOTRE FOIE

Artichaut : voici comment combattre votre constipation, vous protéger des calculs et... faire baisser votre cholestérol !

L'artichaut *(Cynara scolymus L.)* agit sur le foie de manière très bénéfique puisqu'il régénère ses cellules et combat la constipation d'origine hépatique. En régénérant votre foie, l'artichaut (il s'agit de la feuille, et non pas de l'aliment que l'on mange en vinaigrette !) lutte aussi contre l'excès de cholestérol.

L'artichaut est excellent contre les problèmes de foie et de vésicule biliaire car il favorise la production de bile, ainsi que son élimination. On le recommande en cas de calculs biliaires.

En cas de jaunisse (ictère) et même de cirrhose, il rend de grands services car il favorise la régénération des cellules du foie : c'est dire sa puissance !

Si vous souffrez de constipation due à une mauvaise production de bile, le cas échéant accompagnée de migraines digestives, l'artichaut pourrait bien vous en délivrer.

Et comme l'artichaut est vraiment une plante de santé, il fait aussi baisser votre taux de cholestérol et votre tension artérielle.

- Teinture Mère Artichaut : prendre 30 gouttes, 3 fois par jour.

- Chophytol® (Rosa-Phytopharma, *remboursé*) : composé d'artichaut. Prendre 1 ou 2 comprimés ou 1 cuillerée à café de solution buvable, avec un verre d'eau, avant le petit déjeuner, le déjeuner et le dîner.

- Hépanéphrol® (Rosa-Phytopharma, *remboursé*) : composé d'artichaut. Prendre 1 ampoule, 3 fois par jour, dans un verre d'eau, avant les repas.

- Arkogélules Artichaut® (Arkopharma, *non remboursé*) : 1 gélule matin, midi et soir, à prendre dans un grand verre d'eau, avant les repas.

- Élusanes Artichaut® (Plantes et Médecines, *non remboursé*) : 1 gélule, 2 fois par jour, à prendre matin et soir, accompagnée d'un grand verre d'eau.

- Actibil® (Arkopharma, *non remboursé*) : composé d'artichaut et de fumeterre, il facilite la production de bile, favorise la digestion et améliore vos fonctions d'élimination. Prendre 1 à 2 gélules, 2 fois par jour, avec un verre d'eau, avant les repas.

- Gastralsan® (Dolisos, *non remboursé*) : ce biomédicament au goût de mandarine, tire ses bienfaits de l'artichaut, la boldo et la fumeterre. Prendre 1 ou

2 comprimés, 1 ou 2 fois par jour, à croquer ou à avaler avec un verre d'eau.

➤ Hépaclem® (Clément, *non remboursé*) : ce biomédicament, composé d'artichaut et de boldo notamment, peut être donné aux enfants de plus de 7 ans. Prendre 1 ou 2 comprimés, 3 fois par jour, de préférence avant les repas.

➤ Hépax® (Upsa, *non remboursé*) : composé notamment d'artichaut, de boldo et de romarin. Prendre 1 à 3 cuillerées à café par jour, dans un verre d'eau, à jeun ou avant les repas. *Ne pas utiliser chez l'enfant de moins de 15 ans.*

Chardon-Marie : la plante qui peut "reconstruire" votre foie endommagé

Le chardon-Marie *(Silybum marianum L.)* possède un pouvoir extraordinaire : celui de reconstruire votre foie. Cette plante est utilisée contre les cirrhoses et les hépatites dont elle favorise et accélère la guérison.

Grâce au chardon-Marie, votre bile s'écoule mieux. Le chardon-Marie vous aide donc si vous souffrez d'une insuffisance hépatique, ou même en cas de calculs biliaires.

Les personnes alcooliques ont intérêt à recourir aux bienfaits du chardon-Marie pour tenter de protéger leur foie des dégâts de l'alcool, en attendant bien sûr d'arrêter définitivement de boire.

Par ailleurs, si vous avez des règles trop abondantes, le chardon-Marie vous rendra de grands services car il a des propriétés hémostatiques : en d'autres termes, il arrête les écoulements de sang. C'est d'ailleurs pour cela qu'on le recommande aussi aux personnes qui saignent souvent du nez.

➤ Teinture Mère Chardon-Marie : prendre 30 gouttes, 3 fois par jour.

➤ Arkogélules Chardon-Marie® (Arkopharma, *non remboursé*) : prendre 1 gélule, matin, midi et soir, avec un grand verre d'eau, au moment des repas.

Radis noir : il peut faire disparaître calculs biliaires, migraines digestives... et même certaines allergies

Le radis noir *(Raphanus sativus L.)* aime votre foie et votre vésicule biliaire.

Grâce à lui, vous éliminez mieux les déchets et toxines de votre organisme. Que vous souffriez de digestion difficile, de calculs biliaires, de migraines d'origine hépatique, d'allergie digestive, le radis noir vous apportera sans doute le soulagement que vous attendez.

Si, d'une façon générale, vous avez le foie paresseux, si vous souffrez d'un peu de constipation, si vous avez la langue chargée, vous pouvez aussi compter sur le radis noir.

➤ Teinture Mère Radis noir : prendre 40 gouttes, 3 fois par jour.

➤ Raphanus S. Potier® (DB Pharma, *non remboursé*) : ce remède, préparé à partir de radis noir, est un grand classique pour soulager les problèmes digestifs. Prendre 1 ampoule, 2 fois par jour. *Ne pas utiliser en cas de calculs biliaires.*

➤ Arkogélules Radis noir® (Arkopharma, *non remboursé*) : prendre 1 gélule, matin, midi et soir, avec un grand verre d'eau, au moment des repas.

Aubier de tilleul : retrouvez une digestion agréable, sans ballonnements, ni spasmes, ni migraines

L'aubier de tilleul *(Tilia sylvestris)* est la plante du foie par excellence.

Si vous avez ce que l'on appelle le "foie paresseux", si vous ne produisez pas assez de bile – cause de nombreux problèmes de digestion –, cette plante vous aidera et facilitera votre digestion.

Les migraines d'origine hépatique et les nausées ne résistent généralement pas à l'aubier de tilleul.

De même, si vous avez des ballonnements, des flatulences ou de l'aérophagie, ou même des spasmes, vous pouvez compter sur l'aubier de tilleul pour vous aider à retrouver rapidement une digestion agréable rapidement.

➤ Vibtil® (Lafon, *remboursé*) : composé d'aubier de tilleul. Prendre 1 ou 2 comprimés, matin, midi et soir.

➤ Teinture Mère Aubier de tilleul : prendre 30 à 40 gouttes, 3 fois par jour.

➤ Arkogélules Aubier de tilleul® (Arkopharma, *non remboursé*) : prendre 1 gélule, matin, midi et soir, avec un grand verre d'eau, avant les repas.

➤ Extrait Aqueux d'Aubier de tilleul® (Super Diet, *non remboursé*) : 3 à 6 ampoules par jour, pures ou diluées dans un peu d'eau.

Chrysanthellum : il protège votre foie et améliore vos performances sexuelles

Le chrysanthellum *(Chrysanthellum americanum)* est ce que l'on appelle un "hépatoprotecteur" : il protège votre foie des agressions qu'il subit lorsque vous mangez trop, buvez trop ou êtes victime d'une intoxication alimentaire ou médicamenteuse. Il favorise même votre rétablissement après une hépatite virale ou une cirrhose.

Il protège aussi votre pancréas ; il améliore également votre sécrétion biliaire, et donc votre digestion. De plus, il lutte contre les calculs biliaires et rénaux.

Par ailleurs, c'est une plante "anti-jambes lourdes". Mais comme c'est aussi un vasoprotecteur et un stimulant des glandes surrénales, il a pour effet d'entraîner une amélioration des fonctions sexuelles.

➤ Teinture Mère Chrysanthellum : prendre 40 gouttes, 3 fois par jour.

➤ Arkogélules Chrysanthellum® (Arkopharma, *non remboursé*) : prendre 1 gélule, matin, midi et soir, avec un grand verre d'eau, au moment des repas.

LES AUTRES BIOMÉDICAMENTS

● **La fumeterre** est une autre plante qui soulage les problèmes de digestion difficile, liés à un foie paresseux. On la retrouve souvent associée à l'artichaut, mais aussi toute seule comme dans les remèdes qui suivent :

➤ Extrait Aqueux de Fumeterre® (Super Diet, *non remboursé*) : 3 à 6 ampoules par jour, pures ou diluées dans un peu d'eau.

➤ Oddibil® (Théraplix, *non remboursé*) : composé de fumeterre. Prendre 1 comprimé, avec un verre d'eau, avant les 3 repas et au coucher.

● **La boldo** est très utile en cas de repas trop copieux. Dans le biomédicament qui suit, elle est associée à la camomille, autre plante digestive par excellence :

➤ Stago® (Pharmadéveloppement, *non remboursé*) : riche en boldo et en camomille, il contribue à faire passer les symptômes désagréables de la digestion. Chez l'adulte, prendre 4 à 6 cuillerées à soupe par jour, en plusieurs prises. Chez l'enfant de 12 à 15 ans, consulter votre médecin ou votre pharmacien. *Ne pas utiliser en cas d'insuffisance hépatique grave ou de calculs biliaires.*

● En cas de difficulté de digestion, le remède suivant est un "grand classique" que vous devez toujours avoir dans votre armoire à pharmacie (ou dans votre réfrigérateur, après ouverture) :

➤ Hépatoum® (Hépatoum, *non remboursé*) : chez l'adulte, prendre 2 à 3 cuillerées à soupe, 6 à 8 fois par jour ; chez l'enfant de 12 à 15 ans, réduire à 1 à 2 cuillerées à soupe. *Ne pas utiliser de façon prolongée.*

Gastrite, maux d'estomac

La gastrite est une inflammation de la muqueuse de l'estomac.

Elle provoque des douleurs au niveau de l'estomac, sous les côtes. Si vous avez de mauvaises dents et que vous mâchez mal vos aliments, vous êtes un candidat idéal à la gastrite.

Les 3 médicaments qui favorisent les gastrites

Certains médicaments, tels que l'aspirine, la cortisone et les laxatifs irritants, favorisent les gastrites.

Il est prudent, si ces maux persistent, de consulter votre médecin : une gastrite peut, en effet, cacher un ulcère ou un cancer.

LES PLANTES QUI SOIGNENT LES MAUX D'ESTOMAC

Argile blanche : probablement le meilleur protecteur naturel de votre estomac

Existe-t-il une meilleure substance naturelle que l'argile blanche pour protéger votre estomac ?

Cette roche est très riche en composants qui favorisent votre santé gastrique.

En tapissant la muqueuse de votre estomac et de vos intestins, l'argile blanche, très riche en silice, aluminium et sels minéraux, lutte contre les maux d'estomac, combat les brûlures d'estomac, vous donne un ventre beaucoup plus plat et peut même favoriser la cicatrisation d'un ulcère gastrique.

Comme l'argile blanche absorbe les toxines logées dans votre tube digestif, elle est très utile en cas de diarrhée ou d'infection intestinale.

➤ Arkogélules Argile blanche® (Arkopharma, *non remboursé*) : prendre 3 gélules par jour, avec un grand verre d'eau, entre les repas.

Attapulgite de Mormoiron : elle absorbe les toxines responsables de vos douleurs

L'attapulgite de Mormoiron est une forme d'argile particulièrement bénéfique à la santé de votre estomac et de vos intestins.

Cette roche élimine les gaz qui se forment dans votre estomac et vos intestins. Elle absorbe les toxines responsables de douleurs. Elle réduit aussi les aigreurs et brûlures d'estomac.

Très utile en cas de diarrhée, elle rend vos selles moins liquides.

➤ Bedelix® (Beaufour, *remboursé*) : composé d'argile et d'un anti-acide, ce biomédicament soigne les régurgitations. Chez l'adulte et l'enfant de plus de 10 ans, prendre 1 sachet, 3 fois par jour.

➤ Gastropulgite® (Beaufour, *remboursé*) : ce biomédicament est un véritable "pansement" de l'estomac. Il protège votre tube digestif et neutralise les acides sécrétés par votre estomac. Recommandé en cas de douleurs, brûlures ou aigreurs de l'œsophage, de l'estomac ou du duodénum. Prendre 2 à 4 sachets par jour, avant ou après les repas, ou au moment des douleurs, dilués dans un demi-verre d'eau.

➤ Actapulgite® (Beaufour, *remboursé*) : principalement composé d'attapulgite de Mormoiron activée (argile), l'actapulgite protège votre tube digestif et prévient les renvois acides. Il combat aussi les ballonnements et la diarrhée. Chez l'adulte, prendre 2 à 3 sachets par jour. Chez l'enfant de plus de 10 kg, prendre 2 sachets par jour.

➤ Calmodiger® (Plantes et Médecines, *non remboursé*) : ce biomédicament vous sert en cas de ballonnements. Prendre 1 ou 2 comprimés par prise, sans dépasser 6 comprimés par jour.

Fenouil : voici comment "réparer" naturellement votre estomac en cas de gastrite

Le fenouil *(Anethum foeniculum L.)*, également appelé aneth doux, est généralement utilisé contre les problèmes de gastrite et de colite. Il stimule la digestion et combat très efficacement l'aérophagie.

Les jeunes mamans l'utiliseront plutôt en cas de montée de lait difficile ou insuffisante.

➤ Teinture Mère Fenouil : prendre 40 gouttes, 3 fois par jour.

➤ Arkogélules Fenouil® (Arkopharma, *non remboursé*) : prendre 1 gélule matin, midi et soir, dans un grand verre d'eau, avant les repas.

Lithothame : en réduisant votre acidité gastrique, il protège votre estomac

Le lithothame *(Lithothamnium calcareum)* est un puissant anti-acide.

Cette algue combat l'acidité gastrique et ses effets courants : brûlures d'estomac, douleurs, renvois aigres. Grâce à elle, vous allez retrouver une digestion agréable, sans ces tracas que sont les reflux acides et autres brûlures.

Mais, l'excès d'acidité est aussi en cause dans de nombreux problèmes tels que l'arthrose, les rhumatismes, l'arthrite, les tendinites, les crampes, les gingivites, les sciatiques, la fatigue chronique, etc. Le lithothame est recommandé dans tous ces cas et même contre les aphtes et les cystites.

Si vous prenez de la cortisone ou des anti-inflammatoires, le lithothame protégera ici encore votre estomac des effets néfastes de ces médicaments.

➤ Arkogélules Lithothame® (Arkopharma, *non remboursé*) : prendre 1 gélule, matin, midi et soir, avec un grand verre d'eau, au moment des repas.

Thym : cette épice soulage ballonnements et aérophagie

Très utilisé en cuisine, le thym *(Thymus vulgaris L.)* est un antiseptique de grande valeur.

En cas de troubles de l'intestin tels que ballonnements ou aérophagie, vous pouvez comptez sur lui, généralement en association avec le charbon végétal.

Le thym soulage aussi en cas de diarrhée ou de vers intestinaux. Vous pouvez aussi recourir à lui en cas d'infection pulmonaire. On dit même que le thym est assez puissant pour détruire le virus de la grippe.

➤ Teinture Mère Thym : prendre 40 gouttes, 3 fois par jour.

➤ Arkogélules Thym® (Arkopharma, *non remboursé*) : prendre 1 gélule, matin, midi et soir, avec un grand verre d'eau, avant les repas.

LES AUTRES BIOMÉDICAMENTS

Le charbon végétal, puissant adsorbant naturel, est utile en cas de maux d'estomac tels que ballonnements, aérophagie, éructations :

➤ Carbolevure Adulte® (Vedim, *remboursé*) : prendre 1 gélule Adulte, 3 fois par jour.

➤ Carbolevure Enfant® (Vedim, *remboursé*) : prendre 1 gélule Enfant, 1 à 3 fois par jour.

➤ Gastropax® (Lehning, *remboursé*) : composé notamment de thym et de charbon végétal. Prendre 1 mesure de poudre, 3 fois par jour, dans un peu d'eau, avant les repas.

➤ Carbophagix® (Darcy, *non remboursé*) : chez l'adulte et l'enfant de plus de 2 ans, prendre 3 gélules par jour.

➤ Arkogélules Charbon végétal® (Arkopharma, *non remboursé*) : chez l'adulte, prendre 4 gélules par jour, entre les repas. Chez l'enfant de 6 à 15 ans, prendre 1 à 4 gélules par jour. *Ne pas utiliser pendant plus de 10 jours.*

Gencives, gingivite

Les gencives sont les fondations de vos dents. Il ne sert à rien d'avoir des dents saines si vos gencives sont faibles.

La gingivite est une inflammation sans gravité de la gencive, mais cela ne signifie pas qu'il ne faut pas la soigner. Cela peut en effet se transformer en abcès et attaquer les racines des dents.

Gencives saignantes : voici quoi faire rapidement

Si vous saignez souvent des gencives, lors du brossage par exemple, il est possible que vous ayez besoin d'un détartrage. Il est recommandé d'en faire faire un, tous les six mois, chez votre dentiste.

Par ailleurs, souvent les problèmes de gencives trouvent leur origine dans un problème d'estomac.

LES PLANTES QUI SOIGNENT VOS GENCIVES

Argile blanche : pour nettoyer de fond en comble votre bouche, votre tube digestif et votre estomac

L'argile blanche, véritable protecteur de la santé de votre estomac, est utile en cas de problèmes gastro-intestinaux. On la recommande aussi en cas de gingivite.

Comme elle absorbe les toxines logées dans votre tube digestif, elle est très utile en cas de diarrhée ou d'infection intestinale également.

➤ Arkogélules Argile blanche® (Arkopharma, *non remboursé*) : prendre 3 gélules par jour, avec un grand verre d'eau, entre les repas.

Lithothame : cette algue réduit votre acidité gastrique et soulage votre gingivite

Le lithothame *(Lithothamnium calcareum)* est une excellente algue de santé.

Anti-acide, elle aide à résoudre de nombreux problèmes

de santé où l'acidité du corps est en cause tels que les gingivites et les aphtes.

➤ Arkogélules Lithothame® (Arkopharma, *non remboursé*) : prendre 1 gélule, matin, midi et soir, avec un grand verre d'eau, au moment des repas.

UN AUTRE BIOMÉDICAMENT

Composé d'extrait d'huile de maïs, ce biomédicament est très efficace en cas d'inflammation des gencives avec déchaussement des dents :

➤ Insadol® (Expanpharm, *remboursé*) : prendre 1 cuillerée à café par jour, ou bien 2 comprimés, 3 fois par jour, dans un verre d'eau, au début des repas. *Ne pas utiliser chez l'enfant de moins de 15 ans.*

Goutte, excès d'acide urique

Si vous souffrez d'un excès d'acide urique, la goutte vous guette... Mais il est parfaitement possible de l'éviter. En premier lieu, un suivi médical est indispensable, mais si vous savez que vous avez trop d'acide urique, c'est sans doute que votre médecin vous a prescrit des analyses de sang et que vous êtes entre ses mains.

Comment reconnaître un excès d'acide urique et quand faire une analyse de sang ?

Voici 3 indices pour savoir si vous êtes le candidat idéal à la goutte

Les personnes qui n'ont jamais souffert de cette maladie ont toutes la même image des malades de la goutte : celle d'une personne assise dans un fauteuil, une jambe étendue sur un tabouret, le pied pris dans un énorme pansement, et cela est si sensible que le moindre frôlement peut la faire hurler de douleur.

La goutte est la conséquence d'un excès d'acide urique dans le sang. Si vous êtes un gros mangeur, en particulier de viande rouge, si vous aimez bien l'alcool et si vous êtes un homme de plus de 40 ans, vous êtes le candidat idéal à la goutte.

LES PLANTES QUI COMBATTENT LA GOUTTE ET L'EXCÈS D'ACIDE URIQUE

Lamier blanc : il expulse votre acide urique et empêche dans certains cas l'apparition de la goutte

Le lamier blanc *(Lamium album L.)* est aussi connu sous le nom d'ortie blanche. Il aide vos reins à mieux éliminer l'acide urique. C'est un excellent remède naturel contre la goutte. Il est donc très efficace pour empêcher son apparition.

De plus, le lamier blanc est recommandé en cas de pertes blanches et de saignements intervenant entre les règles ou chez les femmes ménopausées.

➤ Teinture Mère Lamier blanc : prendre 40 gouttes, 3 fois par jour.

➤ Arkogélules Lamier blanc® (Arkopharma, *non remboursé*) : prendre 1 gélule, matin, midi et soir, avec un grand verre d'eau, au moment des repas.

Harpagophytum : cette plante sud-africaine fait baisser votre acide urique et votre cholestérol en même temps

L'harpagophytum *(Harpagophytum procumbens DC)* est bien connu pour ses vertus anti-arthrose.

Mais cette plante sud-africaine a bien d'autres vertus :

elle stimule le foie, combat l'excès de cholestérol et d'acide urique.

Par ailleurs, les personnes qui souffrent d'asthme profiteront pleinement de son action désensibilisante.

➤ Teinture Mère Harpagophytum : prendre 20 à 40 gouttes, 3 fois par jour.

➤ Arkogélules Harpagophytum® (Arkopharma, *non remboursé*) : en traitement d'attaque, 2 gélules matin, midi et soir, au moment des repas ; en traitement de fond, 1 gélule matin, midi et soir, au moment des repas.

➤ Élusanes Harpagophytum® (Plantes et Médecines, *non remboursé*) : 1 gélule, 2 fois par jour, à prendre matin et soir, accompagnée d'un grand verre d'eau.

Busserole : en urinant davantage, vous nettoyez vous-même vos reins et vous vous protégez de la goutte

La busserole *(Arctostaphylos uva-ursi Spreng.)* est une excellente amie de votre taux d'acide urique.

En multipliant le volume des urines, elle facilite l'élimination de l'urée par vos reins et donc votre guérison.

➤ Teinture Mère Busserole : prendre 20 à 30 gouttes, 3 fois par jour.

➤ Arkogélules Busserole® (Arkopharma, *non remboursé*) : prendre 2 gélules, matin et midi, avec un grand verre d'eau, au moment des repas. Il est important de boire 1,5 à 2 litres d'eau minérale par jour. *Ne pas utiliser chez la femme enceinte ou qui allaite.*

➤ Élusanes Busserole® (Plantes et Médecines, *non remboursé*) : prendre 1 gélule, matin et soir, au cours des repas, avec un verre d'eau.

Vergerette du Canada : pour tous ceux qui veulent se débarrasser pour toujours de la goutte

La vergerette du Canada *(Erigeron canadensis L.)* est un excellent anti-inflammatoire.

Dans le cadre d'un traitement de fond "anti-goutte", vous l'associerez au lamier blanc. Ainsi, vous profiterez mieux de son action préventive.

Excellent diurétique, vous pourrez aussi compter sur l'efficacité de la vergerette du Canada pour aider à résorber les œdèmes.

➤ Extrait fluide Vergerette du Canada : prendre 2 cuillerées à café par jour.

➤ Arkogélules Vergerette du Canada® (Arkopharma, *non remboursé*) : prendre 1 gélule, matin, midi et soir, avec un grand verre d'eau, au moment des repas.

Frêne : éliminez mieux vos déchets, vos toxines, votre acide urique en excès... ainsi que la goutte

Le frêne *(Fraxinus excelsior L.)* est une autre de ces plantes qui soignent avec bonheur l'excès d'acide urique et la goutte.

Il a une action diurétique et légèrement laxative : il permet donc de mieux éliminer et d'entraîner à l'extérieur de votre corps les déchets et poisons de votre corps.

Par conséquent, le frêne est tout à fait indiqué pour soigner goutte, arthrose, douleurs articulaires et arthrite, de préférence en association avec l'harpagophytum.

De plus, les chercheurs lui attribuent depuis peu une action anti-vieillissement des articulations. Le frêne serait donc tout à fait recommandable à titre préventif, pour empêcher ou retarder au maximum l'apparition de l'arthrose.

➤ Teinture Mère Frêne : prendre 30 gouttes, 3 fois par jour.

➤ Arkogélules Frêne® (Arkopharma, *non remboursé*) : 1 gélule matin, midi et soir, à prendre avec un grand verre d'eau, au moment des repas.

➤ Élusanes Frêne® (Plantes et Médecines, *non remboursé*) : prendre 1 gélule, matin et soir, au cours des repas, avec un verre d'eau.

Grippe

Des courbatures... de la fièvre... le nez encombré...

Si vous êtes en hiver, il y a neuf "chances" sur dix pour que vous ayez attrapé la grippe.

Attention ! Comment vous protéger de cette maladie banale... mais qui est parfois mortelle

C'est une maladie banale, mais qui peut être grave parfois. Ainsi, en 1919, la grippe "espagnole", qui en réalité venait de Chine, fit plus de morts que le Première Guerre Mondiale.

La solution de ce célèbre médecin pour éviter la grippe... sans piqûre !

Le docteur Gérard Pacaud, célèbre médecin homéopathe, recommande le vaccin homéopathique suivant : prenez 1 dose de Sérum de Yersin 15 CH, tous les quinze jours, pendant les mois d'automne et d'hiver. Cela doit vous empêcher d'attraper la grippe.

Il peut malheureusement arriver que, malgré ces précautions, vous attrapiez la grippe. Dans ce cas, si vous avez plus de soixante ans ou si vous souffrez de troubles respiratoires, cardiaques ou rénaux, consultez votre médecin le jour même. Il faut aussi le faire si le malade est un enfant.

Dans les autres cas, même si, comme le dicton, vous pensez qu'"une grippe bien soignée guérit en une semaine, et une grippe pas soignée, en 7 jours", gardez la chambre, reposez-vous, mangez du bouillon de légumes et beaucoup d'oranges pour leur vitamine C.

LES PLANTES QUI PRÉVIENNENT ET SOIGNENT LA GRIPPE

Échinacée : les Allemands utilisent ce puissant "anti-viral" pour éviter la grippe

Voici une plante qui stimule vos défenses immunitaires de manière naturelle. L'échinacée *(Echinacea purpurea Moench.)* vous aide à vous protéger des infections de l'hiver : grippe, trachéites, angines, etc.

Faites-en une cure en début d'hiver pour renforcer votre système immunitaire et profiter des remarquables effets antiviraux de cette plante, très prisée en Allemagne.

➤ Teinture Mère Échinacée : prendre 30 gouttes, 3 fois par jour.

➤ Arkogélules Échinacée® (Arkopharma, *non remboursé*) : prendre 1 gélule, matin, midi et soir, avec un grand verre d'eau, au moment des repas.

➤ Mucorhine® (Boiron, *non remboursé*) : composé d'échinacée et de baume du Pérou. Pulvériser dans chaque narine, 2 ou 3 fois par jour. *Ne pas utiliser en cas d'allergie au baume du Pérou.*

Propolis : elle peut, dans certains cas, empêcher le déclenchement de la grippe

En cas de grippe, la propolis combat les microbes et champignons, calme l'inflammation et accélère la cicatrisation.

Cette plante sert à prévenir et à soigner nombre de maladies respiratoires telles que bronchite, angine, pharyngite, rhume ou rhume des foins.

En plus, comme elle renforce votre système immunitaire, la propolis est aussi très utile pour combattre l'herpès.

➤ Arkogélules Propolis® (Arkopharma, *non remboursé*) : prendre 1 gélule, matin, midi et soir, avec un grand verre d'eau, avant les repas.

Eupatoire : elle accélère votre complet rétablissement après la grippe

L'eupatoire *(Eupatorium cannabinum L.)* est un puissant anti-microbien.

Elle renforce votre système immunitaire et vous aide à prévenir les maladies virales, la grippe notamment. Vous l'apprécierez aussi si vous êtes sujet aux infections à répétition telles que rhumes ou rhino-pharyngites.

En cas de bronchite, l'eupatoire calmera l'inflammation de vos bronches.

On la recommande aussi aux convalescents d'une maladie infectieuse pour les aider à se reconstruire un système immunitaire puissant.

➤ Teinture Mère Eupatoire : prendre 30 gouttes, 3 fois par jour.

➤ Arkogélules Eupatoire® (Arkopharma, *non remboursé*) : prendre 1 gélule, matin, midi et soir, avec un grand verre d'eau, au moment des repas.

Quinquina : la plante "miracle" qui fait tomber la fièvre et renforce vos défenses naturelles

Le quinquina *(Cinchonae cortex)* fait des miracles pour la santé des hommes depuis le XVIIe siècle, car il fait tomber la fièvre.

Le quinquina vous aidera donc en cas de fièvre mais également en cas de grippe et d'état grippal. Cette plante renforcera votre corps et votre appétit afin que vous repreniez très vite des forces.

Si vous devez vous rendre dans un pays où le paludisme est fréquent, la prise de quinquina à titre préventif sera pour vous une grande protection.

➤ Teinture Mère Quinquina : prendre 30 gouttes, 3 fois par jour.

➤ Arkogélules Quinquina® (Arkopharma, *non remboursé*) : prendre 1 gélule, matin, midi et soir, avec un grand verre d'eau, au moment des repas.

➤ Élusanes Quinquina® (Plantes et Médecines, *non remboursé*) : prendre 1 gélule, matin et soir, au cours des repas, avec un verre d'eau.

Saule blanc : un moyen naturel de faire tomber la fièvre en cas de grippe

Le saule blanc *(Salix alba L.)* vous aide à faire tomber la fièvre : il vous sera donc d'un grand secours en cas de grippe ou de simple refroidissement.

Anti-inflammatoire naturel, le saule blanc est en effet riche en acide salicylique : il agit comme une aspirine naturelle, mais sans effets secondaires.

Le saule blanc est d'ailleurs utilisé pour calmer les souffrances causées par les douleurs articulaires : arthrose, rhumatismes, etc.

➤ Teinture Mère Saule blanc : prendre 40 gouttes, 3 fois par jour.

➤ Arkogélules Saule blanc® (Arkopharma, *non remboursé*) : 1 gélule matin, midi et soir, à prendre dans un grand verre d'eau, au moment des repas.

Ginseng : cette racine orientale peut vous aider à échapper à l'épidémie annuelle de grippe

Avec le ginseng *(Panax ginseng Meyer)*, vous reconstruirez vos forces après une grippe. Mais il peut aussi vous aider à échapper à l'épidémie annuelle.

Sous l'effet de cette plante, vos capacités physiques et intellectuelles se développent. Vous résistez mieux à l'effort et à la fatigue, les douleurs musculaires étant amoindries. Vous avez une meilleure mémoire. Par ailleurs, le ginseng agit aussi sur les réflexes.

Revitalisant sexuel, aphrodisiaque, le ginseng est aussi un "défatigant" très efficace. Il rend votre cœur et vos poumons plus forts.

Et, en plus, il fait baisser votre taux de cholestérol, de triglycérides et de sucre. Certains médecins l'utilisent même comme traitement complémentaire en cas de léger excès de cholestérol et de diabète léger.

➤ Teinture Mère Ginseng : prendre 40 gouttes, 3 fois par jour.

➤ Arkogélules Ginseng® (Arkopharma, *non remboursé*) : prendre 2 gélules, matin et midi.

➤ Élusanes Ginseng® (Plantes et Médecines, *non remboursé*) : prendre 1 gélule, matin et soir, au cours des repas, avec un verre d'eau. *Réserver les gélules de 200 mg à l'adulte. Ne pas prolonger le traitement plus de 3 mois.*

Éleuthérocoque : cette "plante secrète" est si puissante que ses effets se prolongent, même après l'arrêt du traitement !

L'éleuthérocoque *(Eleutherococcus senticosus Maxim.)* est la "plante secrète des Russes" qui aiment la phytothérapie en général, et cette plante en particulier.

Avec cette plante, vous augmentez votre résistance physique, vous vous adaptez mieux à votre environnement, vous devenez plus résistant, vous récupérez plus vite après un exercice, un effort ou une maladie.

En cas de fatigue, qu'elle soit physique ou intellectuelle, vous pouvez donc compter sur elle.

Tonique masculin, elle renforce aussi les capacités sexuelles des hommes et favorise l'érection.

Après une grippe, l'éleuthérocoque vous aidera à retrouver toute votre santé encore plus rapidement. De plus, il a un avantage merveilleux : ses effets se prolongent même après la fin du traitement.

➤ Teinture Mère Éleuthérocoque : prendre 40 gouttes, 3 fois par jour.

➤ Arkogélules Éleuthérocoque® (Arkopharma, *non remboursé*) : prendre 2 gélules, le matin et le midi.

LES AUTRES BIOMÉDICAMENTS

● Voici 2 tisanes bien utiles pour nettoyer vos voies respiratoires en cas de grippe. Elles sont composées de plusieurs plantes qui calment la toux et favorisent l'expectoration de vos sécrétions :

➤ Hamon N° 15 État Grippal® (Aérocid, *non remboursé*) : prendre 1 tasse le matin, à midi et au coucher.

➤ Médiflor Tisane Pectorale d'Alsace N° 8® (Monot, *non remboursé*) : boire 1 tasse d'infusion, 3 fois par jour.

● Les composés salicylés (similaires à de l'aspirine naturelle) de la **reine-des-prés** aident à faire baisser la fièvre éventuelle :

➤ Teinture Mère Reine-des-prés : prendre 40 gouttes, 3 fois par jour.

➤ Natura Medica Reine-des-prés® (Dolisos, *non remboursé*) : prendre 1 ampoule, 2 fois par jour, dans un verre d'eau, au cours des repas. *Ne pas utiliser chez l'enfant.*

Haleine (Mauvaise)

Les chroniqueurs du XVIIe siècle racontent que le bon roi Henri IV aimait beaucoup l'ail et qu'il avait fort mauvaise haleine. Même sa main, qu'il tendait à baiser à ses sujets lorsqu'ils venaient le voir, sentait d'une manière peu agréable.

Son petit-fils, Louis XIV, connaissait, à la fin de sa vie, un problème du même genre, bien que l'origine en fût différente. Lors de l'extraction d'une dent, le chirurgien lui avait arraché par erreur une partie du palais et dès lors, le roi eut une haleine fort incommodante pour tous ceux qui l'approchaient.

Voici ce qu'il faut vérifier en premier, si vous avez souvent mauvaise haleine

Si vous avez l'haleine malodorante, commencez par consulter un dentiste : souvent, les dents ou les gencives sont en cause.

Brossez-vous les dents immédiatement après chaque repas,

y compris le petit déjeuner ; et prenez soin de retirer, avec du fil dentaire ou un hydropulseur, tous les déchets d'aliments coincés entre vos dents. Lors du brossage des dents, brossez aussi votre langue.

LA "PLANTE" QUI VOUS DONNE UNE HALEINE FRAÎCHE ET AGRÉABLE

Charbon végétal : il "adsorbe" les bactéries qui provoquent votre mauvaise haleine

Le charbon végétal est l'un des meilleurs remèdes naturels contre la mauvaise haleine.

Il nettoie vos intestins des fermentations et bactéries qu'ils contiennent souvent. Ainsi, il fait disparaître rapidement nombre de problèmes digestifs : ballonnements, gaz intestinaux, flatulences, éructations et, bien sûr, mauvaise haleine.

Le charbon végétal est une sorte de "pansement" intestinal, si bien qu'il agit aussi sur certaines diarrhées. Il aide aussi à lutter contre les douleurs abdominales.

➤ Carbolevure Adulte® (Vedim, *remboursé*) : prendre 1 gélule Adulte, 3 fois par jour.

➤ Carbolevure Enfant® (Vedim, *remboursé*) : prendre 1 gélule Enfant, 1 à 3 fois par jour.

➤ Gastropax® (Lehning, *remboursé*) : composé notamment de thym et de charbon végétal. Prendre 1 mesure de poudre, 3 fois par jour, dans un peu d'eau, avant les repas.

➤ Carbophagix® (Darcy, *non remboursé*) : chez l'adulte et l'enfant de plus de 2 ans, prendre 3 gélules par jour.

➤ Arkogélules Charbon végétal® (Arkopharma, *non remboursé*) : chez l'adulte, prendre 4 gélules par jour, entre les repas. Chez l'enfant de 6 à 15 ans, prendre 1 à 4 gélules par jour. *Ne pas utiliser pendant plus de 10 jours.*

UN AUTRE BIOMÉDICAMENT

Voici un produit vendu en pharmacie, **composé de persil et de tournesol**, qui vous donnera une haleine fraîche :

➤ Breath Asure® (Dislab, *non remboursé*) : avaler 2 ou 3 capsules avec un verre d'eau, après les repas. Agit en 30 mn environ. *Ne pas utiliser chez la femme enceinte, sans avis médical.*

Hémorroïdes

On en parle rarement, parfois même pas à son conjoint ou à son médecin. Sans doute par excès de pudeur. Mais il faut bien admettre que, s'il est embarrassant d'aborder le sujet, il est encore plus difficile de vivre avec des hémorroïdes.

Les hémorroïdes apparaissent quand du sang stagne dans les veines de l'anus et provoque de petites varices.

Les trois principales causes en sont la constipation, l'excès de poids et la grossesse. Mais si vous faites peu d'exercice et si vous restez longtemps assis (à votre bureau, par exemple), vous êtes aussi un candidat idéal aux hémorroïdes.

En cas de constipation, résolvez d'abord ce problème ; vos hémorroïdes disparaîtront ensuite plus facilement. Si vous souffrez d'excès de poids, vous devez maigrir.

Comment vaincre vos hémorroïdes sans renoncer à la viande

Mangez plus de légumes verts, et moins de matières grasses

et de viandes rouges. Si vous aimez beaucoup la viande, évitez le bœuf et l'agneau, mais consommez plutôt du porc, dont la graisse est localisée et donc facile à enlever.

Faites également de l'exercice, de la marche par exemple. Forcez-vous à marcher le plus possible : laissez votre voiture au garage lorsque vous vous rendez à moins d'un kilomètre ; quand vous allez dans un centre commercial, garez-vous le plus loin possible de l'entrée.

Si votre emploi du temps le permet, prenez l'habitude de marcher 1 heure par jour : commencez par un quart d'heure la première semaine, puis une demi-heure la suivante, et ainsi de suite. L'exercice physique favorise la circulation du sang et combat efficacement les hémorroïdes.

Voici un truc "à base d'eau" qui donne des résultats étonnants contre les hémorroïdes

Un truc qui donne des résultats étonnants : prenez des douches froides de la région anale. Deux à trois minutes, 3 fois par jour suffisent amplement. Le froid tonifiera vos veines et favorisera la disparition de vos hémorroïdes.

LES PLANTES QUI FAVORISENT LA DISPARITION DE VOS HÉMORROÏDES

Cyprès : il empêche votre sang de stagner et réduit l'inflammation

Le cyprès *(Cupressus sempervivens L.)* vous fera sans doute le plus grand bien si vous avez des hémorroïdes. Cette plante renferme en effet une substance qui empêche le sang de stagner dans les veines.

Le cyprès est aussi utile en cas de crise d'hémorroïdes car il a un effet anti-inflammatoire que vous apprécierez sans le moindre doute.

Évidemment, le cyprès est très efficace contre les jambes lourdes et les varices.

➤ Teinture Mère Cyprès : prendre 20 à 40 gouttes, avant chaque repas.

➤ Arkogélules Cyprès® (Arkopharma, *non remboursé*) : 1 gélule matin, midi et soir, à prendre avec un grand verre d'eau, au moment des repas.

Hamamélis : elle rend vos veines plus fortes et fait disparaître les hémorroïdes

L'hamamélis *(Hamamelis virginiana L.)* est excellente pour soigner les hémorroïdes, qui sont des varices de l'anus. Elle renforce vos veines et vos capillaires.

Avec des veines plus fortes, dans lesquelles le sang circule mieux et ne stagne pas, vous voyez vos problèmes d'hémorroïdes se résoudre. Elle aide aussi à lutter contre les varices et à résorber les œdèmes veineux.

L'hamamélis renforce aussi vos capillaires. Plus solides, ils n'éclatent plus sous la peau et vous luttez ainsi contre la couperose.

➤ Histo-Fluine P® (Richard, *remboursé*) : composé de marronnier d'Inde et d'hamamélis. Prendre 30 à 60 gouttes, dans un verre d'eau, avant les repas.

➤ Fluon® (Marx, *non remboursé*) : composé notamment d'hamamélis et de marronnier d'Inde. Prendre 2 ou 3 comprimés, ou 40 à 60 gouttes par jour.

➤ Veinofit® (Arkopharma, *non remboursé*) : composé d'hamamélis et de mélilot. Prendre 1 ou 2 sachets par jour, au moment des repas.

➤ Teinture Mère Hamamélis : prendre 30 gouttes, 3 fois par jour.

➤ Arkogélules Hamamélis® (Arkopharma, *non rembour-*

sé) : 1 gélule matin, midi et soir, à prendre avec un grand verre d'eau, au moment des repas.

➤ Élusanes Hamamélis® (Plantes et Médecines, *non remboursé*) : prendre 1 gélule, matin et soir, au cours des repas, avec un verre d'eau.

Marronnier d'Inde : en cas de crise, il "resserre" vos veines et calme vos douleurs

Le marronnier d'Inde *(Aesculus hippocastanum)* aide depuis des siècles les personnes qui souffrent d'hémorroïdes.

Il agit sur le tonus de vos veines et rend vos capillaires plus résistants.

En cas de crise d'hémorroïdes, vous apprécierez ses propriétés vasoconstrictrices. Par ailleurs, il améliore votre circulation lymphatique.

Bien sûr, comme elle améliore votre circulation veineuse, il est également très efficace contre les varices et les jambes lourdes.

➤ Histo-Fluine P® (Richard, *remboursé*) : composé de marronnier d'Inde et d'hamamélis. Prendre 30 à 60 gouttes, dans un verre d'eau, avant les repas.

➤ Opo-Veinogène® (Théra France, *remboursé*) : composé de marronnier d'Inde et de vigne rouge. Prendre 2 ou 3 cuillerées par jour, avec un verre d'eau, avant les repas.

➤ Teinture Mère Marronnier d'Inde : prendre 20 gouttes, 3 fois par jour.

➤ Arkogélules Marronnier d'Inde® (Arkopharma, *non remboursé*) : 1 gélule matin, midi et soir, à prendre avec un grand verre d'eau, au moment des repas. Vous pouvez prendre jusqu'à 6 gélules par jour, si nécessaire.

➤ Élusanes Marronnier d'Inde® (Plantes et Médecines, *non remboursé*) : prendre 1 gélule, matin et soir, au cours des repas, avec un verre d'eau.

➤ Intrait de Marronnier d'Inde® (Synthélabo, *non remboursé*) : prendre 100 à 500 gouttes, en 3 à 6 prises, avec un peu d'eau, au moment des repas, suivant l'intensité des troubles.

➤ Hémorrogel® (Arkopharma, *non remboursé*) : composé, entre autres, de marronnier d'Inde. Utiliser 1 tube par jour, avant d'aller à la selle ou après.

➤ Fluon® (Marx, *non remboursé*) : composé notamment d'hamamélis et de marron d'Inde. Prendre 2 ou 3 comprimés, ou 40 à 60 gouttes par jour.

➤ Veinophytum® (Arkopharma, *non remboursé*) : composé de marron d'Inde et de vigne rouge. Prendre 2 gélules, matin et soir, avec un verre d'eau.

LES AUTRES BIOMÉDICAMENTS

● Voici 2 crèmes qui soulageront vos douleurs en cas de crise :

➤ Karélyne® (Urgo, *non remboursé*) : composé d'huile d'amandes douces. Appliquer 2 fois par jour, en massant légèrement.

➤ Hirucrème® (Roche Nicholas, *remboursé*) : composé d'*Hirudo medicinalis*. En cas d'hémorroïdes, faire 1 application, matin et soir, en massages légers.

● **Le mélilot, la vigne rouge et le cyprès** sont d'autres plantes qui favorisent la circulation veineuse et luttent efficacement contre les hémorroïdes :

➤ Veinosane® (Dolisos, *non remboursé*) : composé de

mélilot et de vigne rouge. Prendre 1 ou 2 comprimés,
1 à 3 fois par jour, avec un verre d'eau.

➤ Natura Medica Cyprès® : prendre 1 ampoule, 2 fois par
jour, dans un verre d'eau, au cours des repas. *Ne pas
utiliser chez l'enfant.*

Herpès

Beaucoup de femmes voient apparaître, bien souvent au
moment de leurs règles, un "bouton de fièvre" sur la lèvre
supérieure. Sous ce nom anodin se cache en fait un trouble
appelé herpès.

L'herpès, qui peut également être génital, est causé par
un virus qui reste tapi dans votre système lymphatique en
temps normal, mais se révèle en cas de fatigue, à la suite
d'un bain de soleil prolongé ou bien, cas très fréquent, lors
d'un changement hormonal.

Un truc de première efficacité contre le bouton de fièvre

Quoi qu'il arrive, ne vous grattez surtout pas. Votre herpès
pourrait infecter une autre partie du corps, les yeux notamment.

Contre l'herpès buccal (herpès 1), appliquez un glaçon
tout juste sorti du congélateur, sur le petit bouton. En cas
d'herpès oculaire, consultez sans tarder un ophtalmologiste.

LES PLANTES QUI COMBATTENT L'HERPÈS

Thym : il combat avec succès les virus les plus résistants, tels que l'herpès, la grippe et le zona

Le thym *(Thymus vulgaris L.)* est un puissant anti-viral. Il serait même capable de détruire le virus de la grippe. Pour la même raison, le thym est efficace aussi en cas d'herpès et de zona, pour prévenir les récidives.

De plus, cette plante méditerranéenne, très utilisée en cuisine, est un antiseptique de grande valeur.

Pour cet effet, vous pouvez aussi recourir au thym en cas d'infection pulmonaire : il calme les quintes de toux et diminue les sécrétions nasales.

Mais le thym soulage aussi en cas de ballonnements, de diarrhée ou de vers intestinaux.

➤ Teinture Mère Thym : prendre 40 gouttes, 3 fois par jour.

➤ Arkogélules Thym® (Arkopharma, *non remboursé*) : prendre 1 gélule, matin, midi et soir, avec un grand verre d'eau, avant les repas.

Propolis : contre l'herpès, bâtissez-vous un système immunitaire aussi puissant qu'une forteresse imprenable

La propolis renforce votre système immunitaire : elle est donc très utile pour combattre l'herpès.

Elle sert aussi à prévenir et à soigner nombre de maladies respiratoires. En cas d'angine, de bronchite, de grippe, de pharyngite, de rhume ou de rhume des foins, la propolis combat les microbes et champignons, calme l'inflammation et accélère la cicatrisation.

➤ Arkogélules Propolis® (Arkopharma, *non remboursé*) : prendre 1 gélule, matin, midi et soir, avec un grand verre d'eau, avant les repas.

LES AUTRES BIOMÉDICAMENTS

L'échinacée et l'eupatoire ne combattent pas directement le virus de l'herpès mais elles renforcent vos défenses immunitaires :

> Teinture Mère Échinacée : prendre 30 gouttes, 3 fois par jour.

> Arkogélules Échinacée® (Arkopharma, *non remboursé*) : prendre 1 gélule, matin, midi et soir, avec un grand verre d'eau, au moment des repas.

> Teinture Mère Eupatoire : prendre 30 gouttes, 3 fois par jour.

> Arkogélules Eupatoire® (Arkopharma, *non remboursé*) : prendre 1 gélule, matin, midi et soir, avec un grand verre d'eau, au moment des repas.

Hypertension

L'hypertension artérielle est un problème de santé qui passe souvent inaperçu. Vous pouvez, en effet, être hypertendu pendant des années sans le savoir.

Comme des milliers de gens, faites-vous de l'hypertension artérielle... sans le savoir ?

Le meilleur moyen de prévenir ce genre de problème et d'y porter remède par des techniques douces, est de rendre visite à votre médecin au moins tous les six mois, même si vous êtes en parfaite santé.

Votre médecin procédera à un examen de routine qui comprend une prise de la tension artérielle, et il pourra éventuellement déceler à ses débuts un problème, avant qu'il ne s'installe et s'aggrave.

Retrouver une tension artérielle normale sans médicaments : c'est possible !

L'hypertension artérielle peut souvent être combattue très, très efficacement sans médicaments, surtout si elle est repérée à ses débuts, lorsqu'elle est encore faible.

Si vous fumez, il est grand temps d'arrêter : votre hypertension est un signal d'alarme de votre corps contre les effets néfastes du tabac.

L'alcool peut également avoir des conséquences fâcheuses : vous devez boire le vin, la bière et tout autre alcool avec modération ; un verre de bon Bordeaux par repas est une quantité raisonnable.

Ce drôle de "petit lait" qui fait monter votre tension artérielle

Méfiez-vous des bières légères : sous prétexte qu'elles sont "light", certaines personnes les boivent comme du petit lait. En fait, elles contiennent environ 2,5° d'alcool. Elles peuvent donc être un piège : si vous en buvez trois, vous avez consommé plus d'alcool pur qu'avec une seule bière ordinaire.

Le thé et le café sont aussi des excitants qui peuvent faire monter la tension. Si vous faites partie de ces personnes qui boivent huit à dix cafés par jour, il n'est peut-être pas nécessaire d'aller chercher plus loin la raison de votre hypertension.

Le secret trop souvent méconnu pour faire baisser la tension artérielle et maigrir en même temps

Contre le stress, souvent à l'origine de l'hypertension, il n'y a rien de mieux que le sport. Une activité modérée, comme la marche ou la natation, vous aidera à libérer votre trop plein d'excitation et à faire baisser votre tension nerveuse.

Cela vous aidera aussi à maigrir si vous avez un peu d'embonpoint, car l'excès de poids fait aussi monter la tension artérielle.

Enfin, ultime conseil mais non le moindre, modifiez vos habitudes alimentaires : les sauces, le beurre (surtout cuit), les pâtisseries, l'excès de viande sont néfastes. En faisant un petit effort, vous pourriez vous mettre à apprécier les légumes, les fruits, le poisson (le poisson le plus gras est moins gras que la viande la moins grasse !).

Maux de tête : le geste le plus utile que vous puissiez faire

L'hypertension se manifeste souvent par des maux de tête. Si vous en avez fréquemment, le geste le plus utile que vous puissiez faire est de prendre ou faire prendre votre tension artérielle.

LES PLANTES QUI FONT BAISSER VOTRE TENSION ARTÉRIELLE

Ail : ce que vous devez prendre en premier, en cas d'hypertension

Cela fait des millénaires que l'ail *(Allium sativum L.)* est considéré comme une plante qui guérit. Déjà, dans l'Antiquité, les Égyptiens s'étaient rendu compte qu'il protégeait contre les infections. Les constructeurs de pyramides en consommaient sans modération : il les aidait à fournir les efforts, parfois surhumains, que nécessitait leur métier.

Au Moyen-Âge, sa réputation était si grande qu'on prétendait même qu'il pouvait protéger de la peste. C'est ainsi que l'on fabriquait, avec lui, un vinaigre dit "des 4 voleurs", censé épargner ceux qui le buvaient de ce terrible fléau. La légende prétend même qu'il faisait fuir les vampires...

Aujourd'hui, la part des choses a été faite et on distingue les légendes des véritables propriétés miracle de cette plante. C'est pourquoi, les vertus thérapeutiques de l'ail sont désormais officiellement reconnues.

Consommer régulièrement de l'ail améliorera votre circulation sanguine et réduira votre tension artérielle, car l'ail favorise la dilatation des vaisseaux sanguins. Par ailleurs, votre sang sera plus fluide, ce qui contribue à lutter contre l'artérite des membres inférieurs.

De plus, l'ail favorise aussi bien la circulation sanguine dans les artères que la microcirculation. Il abaisse également le taux de sucre sanguin, ce qui le rend tout à fait bénéfique pour les personnes qui souffrent de diabète.

L'ail joue aussi un rôle efficace contre l'excès de cholestérol. Il fait baisser votre taux de LDL (mauvais cholestérol) et augmente celui de HDL (bon cholestérol).

Il est désormais prouvé que l'ail a le pouvoir de détruire les microbes : il est donc tout spécialement indiqué en période d'épidémies, car il aide à prévenir angines, bronchites, grippe, etc. L'ail nettoie également les voies respiratoires : il vous aidera donc également à guérir des affections mentionnées précédemment, si vous les avez contractées.

Mais l'ail fait encore davantage : il nettoie votre corps des produits toxiques que vous ingérez quotidiennement malgré vous, conséquence, hélas inévitable, de notre industrialisation moderne. Additifs et colorants alimentaires, pesticides et engrais sont éliminés plus facilement, grâce au concours de l'ail. De même, le plomb et le mercure, métaux lourds néfastes à votre santé, sont plus facilement neutralisés.

L'action purificatrice de l'ail s'étend, en outre, aux voies digestives. D'une façon générale, l'ail renforce vos défenses immunitaires et vous rend plus fort contre la maladie.

L'ail est aussi un anti-inflammatoire puissant. Il est naturellement riche en sélénium, un minéral d'une grande efficacité dans la lutte contre le vieillissement des cellules.

Récemment, des recherches ont mis en évidence l'action favorable de l'ail sur la production des spermatozoïdes. On le recommandera donc vivement aux hommes.

Pour tous ceux qui répugnent à consommer l'ail tel quel en raison de l'haleine peu agréable qu'il donne, les gélules donnent des résultats équivalents, sinon meilleurs. Cette forme d'absorption empêche en effet la destruction d'un de ses principes par les sucs digestifs.

- ➤ Ex'Ail Vitaminé P® (Phygiène, *non remboursé*) : composé, entre autres, d'ail. Prendre 1 ou 2 comprimés, 3 fois par jour, avec un verre d'eau, au moment des repas.
- ➤ Teinture Mère Ail : prendre 40 à 50 gouttes, 3 fois par jour.
- ➤ Arkogélules Ail® (Arkopharma, *non remboursé*) : 1 gélule matin, midi et soir, à prendre avec un grand verre d'eau, au moment des repas.

Aubépine : elle est l'amie de votre cœur, de vos vaisseaux et de votre tension artérielle

L'aubépine *(Crataegus laevigata)* est une puissante plante "anti-hypertension" qui protège votre cœur et vos vaisseaux.

On l'a d'ailleurs appelée "l'amie du cœur". Elle ralentit votre cœur, s'il bat trop vite, et elle l'accélère, s'il bat trop lentement. En cas d'insuffisance cardiaque, c'est un excellent remède naturel qui apporte souvent une nette amélioration.

Si vous avez des palpitations, l'aubépine peut les réduire, et si vous êtes anxieux et "sentez" en permanence les battements de votre cœur, l'aubépine vous aidera.

Mais ce n'est pas tout, si vous êtes anxieux, nerveux, si vous dormez mal, l'aubépine vous aidera à faire disparaître ces troubles. Et elle peut même être donnée aux enfants. Et tout cela, sans aucune accoutumance, ni effets secondaires.

➤ Teinture Mère Aubépine : prendre 30 gouttes, 3 fois par jour.

➤ Arkogélules Aubépine® (Arkopharma, *non remboursé*) : prendre 1 gélule, matin, midi et soir, avec un grand verre d'eau, au moment des repas.

➤ Élusanes Aubépine® (Plantes et Médecines, *non remboursé*) : prendre 1 gélule, matin et soir, au cours des repas, avec un verre d'eau.

➤ Santane H 7® (Iphym, *non remboursé*) : composé notamment d'aubépine, de gui et d'olivier. Boire 1 à 4 tasses d'infusion par jour.

Piloselle : en éliminant le sel, elle vous aide à retrouver une tension artérielle normale

La piloselle *(Hieracium pilosella L.)* est une excellente plante qui aide votre organisme à mieux éliminer l'eau et le sel prisonniers dans vos tissus.

Si vous souffrez d'hypertension artérielle et que le sel vous est interdit, elle vous aidera à éliminer le sel en excédent.

Cette plante vous aidera aussi à maigrir en cas d'excès de poids dû à un problème de rétention d'eau. De plus, cette plante, qui facilite l'élimination de l'urée, peut faire disparaître les œdèmes des jambes.

➤ Pilosuryl® (Pierre Fabre Santé, *remboursé*) : prendre 2 à 3 cuillerées à café, dans un verre d'eau, avant les repas de midi et du soir.

➤ Teinture Mère Piloselle : prendre 50 gouttes, 3 fois par jour.

➤ Arkogélules Piloselle® (Arkopharma, *non remboursé*) : prendre 2 gélules au petit déjeuner et au déjeuner.

➤ Élusanes Piloselle® (Plantes et Médecines, *non remboursé*) : prendre 1 gélule, matin et soir, au cours des repas, avec un verre d'eau.

Olivier : voici comment soulager maux de tête, vertiges et bourdonnements d'oreilles, en cas d'hypertension artérielle

Cette plante miracle fait baisser la tension artérielle et combat maux de tête, vertiges et bourdonnements d'oreilles qui y sont souvent associés.

L'olivier *(Olea europaea L.)* agit aussi sur votre taux de cholestérol et fait baisser le taux de LDL (le mauvais cholestérol) en même temps qu'il augmente le HDL (le bon cholestérol). Et pour compléter le tout, l'olivier assouplit vos artères coronaires et rend votre rythme cardiaque plus régulier.

La feuille d'olivier fait aussi baisser votre taux de sucre dans le sang. Pour cette raison, en cas de diabète, vous pouvez avoir intérêt, à titre de traitement complémentaire, à recourir aux biomédicaments à base d'olivier.

L'olivier est vraiment la plante idéale pour les nombreux diabétiques souffrant d'hypertension.

➤ Oliviase® (Upsa, *non remboursé*) : composé d'olivier. Prendre 3 comprimés, matin et soir, avec un verre d'eau.

➤ Teinture Mère Olivier : prendre 40 gouttes, 3 fois par jour.

➤ Arkogélules Olivier® (Arkopharma, *non remboursé*) :

1 gélule matin, midi et soir, à prendre avec un grand verre d'eau, au moment des repas.

➤ Santane H 7® (Iphym, *non remboursé*) : composé notamment d'aubépine, de gui et d'olivier. Boire 1 à 4 tasses d'infusion par jour.

LES AUTRES BIOMÉDICAMENTS

Le gui peut aussi se révéler très efficace pour lutter contre la tension artérielle. Il peut être utilisé aussi bien en traitement d'attaque qu'en traitement d'entretien, limitant ainsi les risques de rechute :

➤ Teinture Mère Gui : prendre 30 gouttes, 3 fois par jour.

➤ Arkogélules Gui® (Arkopharma, *non remboursé*) : prendre 1 gélule, matin, midi et soir, avec un grand verre d'eau, au moment des repas.

Hypotension

L'hypotension est moins fréquente que l'hypertension, mais elle ne doit pas être négligée pour autant.

C'est un problème bien gênant car vous risquez en permanence de tomber à la suite d'un vertige, de voir moins nettement, ou même carrément de ne pouvoir rien faire à cause de votre faiblesse.

Il est important que vous consultiez un médecin pour déterminer la cause de votre tension artérielle trop faible.

LES PLANTES QUI FONT REMONTER VOTRE TENSION À SON NIVEAU NORMAL

Café vert : combattez la fatigue et retrouvez votre énergie

Le café vert (*Coffea arabica L.*) est du café non torréfié. Plus riche en caféine, il contient aussi deux substances qui disparaissent ensuite, au moment de la torréfaction : le cafestol et le kahweol.

Ces deux composants favorisent la désintoxication de votre corps. Grâce à eux, votre corps produit plus de GST, une enzyme qui a le pouvoir de rendre inoffensifs les produits toxiques que la pollution d'aujourd'hui nous amène à côtoyer, sans même que nous les sentions : gaz d'échappement, insecticides, fumées toxiques, produits de nettoyage, tabac, etc.

Le café vert vous permet aussi de mieux lutter contre les radicaux libres. Polluants et radicaux libres étant souvent une cause de fatigue inexpliquée, le café vert vous rend votre tonus et votre énergie.

Le café vert est aussi recommandé aux fumeurs et aux personnes qui vivent avec eux.

➤ Arkogélules Café vert® (Arkopharma, *non remboursé*) : prendre 1 gélule, matin, midi et soir, avec un grand verre d'eau, au moment des repas.

Ginseng : ce revitalisant physique, intellectuel et sexuel, vous aide à surmonter toutes sortes de fatigues

Le ginseng (*Panax ginseng Meyer*) est cultivé depuis des millénaires en Asie, où les Chinois et les Coréens l'utilisent comme plante qui guérit.

Le ginseng blanc est meilleur que le ginseng rouge, qui

est bouilli et dont certains composants sont détruits par la chaleur.

Avec le ginseng, vos capacités physiques et intellectuelles se développent. Vous résistez mieux à l'effort et à la fatigue, les douleurs musculaires étant amoindries. Vous avez une meilleure mémoire. De plus, le ginseng agit aussi sur les réflexes.

Par ailleurs, cette plante est connue pour être un revitalisant sexuel, un aphrodisiaque.

Le ginseng rend votre cœur et vos poumons plus forts. C'est aussi un "défatigant" efficace.

Plante adaptogène, le ginseng aide votre corps à mieux s'adapter à son environnement.

Enfin, le ginseng fait baisser votre taux de cholestérol, de triglycérides et de sucre. Il est donc indiqué comme traitement complémentaire en cas de léger excès de cholestérol et de diabète léger.

➤ Teinture Mère Ginseng : prendre 40 gouttes, 3 fois par jour.

➤ Arkogélules Ginseng® (Arkopharma, *non remboursé*) : prendre 2 gélules, matin et midi.

➤ Élusanes Ginseng® (Plantes et Médecines, *non remboursé*) : prendre 1 gélule, matin et soir, au cours des repas, avec un verre d'eau. *Réserver les gélules de 200 mg à l'adulte. Ne pas prolonger le traitement plus de 3 mois.*

➤ Ginsana® (Boehringer Ingelheim, *non remboursé*) : prendre 1 ou 2 capsules, 2 fois par jour, avec un verre d'eau, au moment des repas.

➤ Ginseng Alpha® (Gilbert, *non remboursé*) : prendre

2 gélules, 2 fois par jour, avec un verre d'eau, au moment des repas.

➤ Ginseng Boiron® (Boiron, *non remboursé*) : prendre 1 gélule, 1 à 3 fois par jour, avec un grand verre d'eau. *Ne pas utiliser pendant plus de 3 mois, sans avis médical.*

Impuissance, frigidité, troubles sexuels masculins et féminins, baisse de vigueur sexuelle

Contre l'impuissance, tout le monde en parle ces temps-ci, il y a désormais la fameuse petite pilule bleue : Viagra®.

Mais il s'agit d'un médicament chimique, fort coûteux, disponible uniquement sur ordonnance, qui nécessite une surveillance médicale stricte et dont l'utilisation peut entraîner des effets secondaires désagréables.

Le désormais fameux Viagra® peut-il mettre votre santé en danger ?

On a déjà dénombré la mort de 16 personnes, dans les heures qui ont suivi la prise de ce médicament. Et pour l'instant, Dieu seul sait avec certitude si le Viagra® en est responsable ou pas ! La polémique est cependant ouverte aux États-Unis...

Impuissance : certains médicaments sont-ils responsables ?

On parle d'impuissance lorsqu'un homme, pourtant sexuellement excité, ne parvient pas à obtenir ou à maintenir une érection suffisante pour avoir une relation avec sa partenaire.

Les causes de l'impuissance sont multiples : elles peuvent être physiques ou psychologiques.

Certains médicaments troublent la fonction sexuelle et la première chose à faire, si vous rencontrez ce problème, est de vérifier si un traitement en cours est en cause. N'arrêtez surtout pas le remède soupçonné, surtout s'il s'agit d'un bêtabloquant ! Mais laissez votre pudeur de côté et parlez-en à votre médecin : un simple changement de médicament pourrait très bien tout remettre dans l'ordre.

Une impuissance passagère peut être due à la fatigue : même si vous avez la plus belle femme du monde dans votre lit, il n'est pas anormal de ne pas pouvoir faire l'amour après avoir couru un marathon ! Dans ce cas, ne dramatisez surtout pas, reposez-vous et gardez confiance : tout ira bien dans 2 ou 3 jours.

Certaines maladies, telles que le diabète, peuvent aussi engendrer une impuissance.

Une mauvaise alimentation et ses conséquences sur votre système cardio-vasculaire, peuvent avoir des résultats désastreux sur votre sexualité.

En effet, l'érection est conditionnée par le bon état des artérioles du pénis : si ces minuscules artères sont rétrécies ou bouchées, le sang ne peut affluer dans votre sexe, rendant toute érection impossible. L'excès de cholestérol et l'athérosclérose favorisent donc l'impuissance. Si vous êtes dans ce cas, il conviendra en premier lieu de résoudre la cause du problème.

Frigidité : comment améliorer de manière notable votre vie intime

Les femmes ne sont pas non plus épargnées par les troubles sexuels.

Une mauvaise irrigation de la région pelvienne, des lèvres vaginales et du clitoris rendent les relations sexuelles moins agréables, voire douloureuses. L'absence ou l'insuffisance de lubrification vaginale sont aussi de nature à rendre pénibles des moments qui, au contraire, devraient être joyeux et satisfaisants.

Qu'il s'agisse de résoudre des troubles masculins ou féminins, plusieurs plantes peuvent apporter une amélioration notable de votre vie intime.

LES PLANTES QUI RENDENT VOTRE VIE SEXUELLE PLUS HEUREUSE

Yohimbé : un puissant biomédicament contre l'impuissance... *remboursé* par la Sécurité sociale !

Le yohimbé *(Psausynstalia yohimbe K. Schum)* est une plante originaire du Gabon et du Cameroun.

C'est un aphrodisiaque puissant qui dilate les vaisseaux sanguins et provoque, explique le docteur Berdonces, "une érection plus forte et plus dure".[7] On l'emploie donc en cas d'impuissance et, dans une moindre mesure, en cas de frigidité féminine.

> ➤ Teinture Mère Yohimbé : prendre 20 gouttes, 3 fois par jour.

> ➤ Yohimbine Houdé® (Houdé, *remboursé*) : en cas d'impuissance masculine, prendre 3 comprimés, 3 fois par

---

7 Berdonces i Serra (Dr Joseph Lluis), Gran Enciclopedia de las plantas medicinales, Madrid, 1998, p. 968.

jour, loin des repas. *Ne pas utiliser en cas d'insuffisance hépatique ou rénale grave.*

Damiana : on l'emploie aussi bien contre l'impuissance masculine que la frigidité féminine

La damiana *(Turnera difusa L.)* est une plante qui nous vient du Mexique et de Bolivie. C'est un remède populaire très réputé pour ses vertus aphrodisiaques.

"Les vertus aphrodisiaques de la damiana sont le fruit de la stimulation générale qu'elle produit sur le système nerveux" explique Alfredo Roldán[8], un naturopathe très réputé en Espagne.

C'est aussi une plante qui renforce le cœur, ce qui est bien utile pour maintenir ou retrouver une bonne vigueur sexuelle.

Le docteur Berdonces ajoute qu'"on l'emploie aussi bien en cas d'impuissance masculine qu'en cas de frigidité féminine, spécialement quand ces troubles sont dues à une cause psychologique".[9]

➤ Teinture Mère Damiana : prendre 30 gouttes, 3 fois par jour.

➤ Extrait fluide Damiana : prendre 2 à 3 grammes, 3 fois par jour.

Muira puama : cette plante entraîne une érection plus forte et retarde l'éjaculation

La muira puama *(Lirisoma ovata L., psychopealtun olacoides L.)* est une plante d'Amazonie que les Indiens connaissent depuis l'Antiquité mais que les Occidentaux n'ont découverte qu'au début du siècle.

---

8 Alfredo Ara Roldán, *100 plantas medicinales escogidas*, Madrid, 1997, p. 148.
9 Docteur Josep Lluís Berdonces i Serra, *op. cit.*, p. 369 s.

En Amérique du Sud, on l'utilise pour stimuler l'activité sexuelle. "La muira puama, explique Alfredo Roldán, provoque dans les organes sexuels masculins une dilatation des vaisseaux sanguins et des corps caverneux, ce qui entraîne une érection plus forte et retarde l'éjaculation."[10]

Chez la femme, on constate une meilleure irrigation des lèvres vaginales et du clitoris ainsi qu'une augmentation de la lubrification vaginale, rendant ainsi les rapports sexuels plus faciles et plus agréables.

> ➤ Extrait fluide Muira puama : prendre 15 à 25 gouttes, 3 fois par jour.

> ➤ Poudre de Muira puama : prendre 0,5 gramme, 3 fois par jour.

Gingembre : un aphrodisiaque qui améliore la fertilité des hommes

Le gingembre *(Zingiber officinale R.)* a la réputation d'être un puissant aphrodisiaque. Il contient en effet des gingérols, substances dont on pense qu'elles augmentent la quantité de sperme fabriqué et rendent les spermatozoïdes plus mobiles.

Le gingembre serait donc excellent pour améliorer la fertilité des hommes.

Cette plante est également conseillée par nombre de spécialistes pour lutter contre la fatigue sexuelle et l'impuissance.

> ➤ Teinture Mère Gingembre : prendre 20 gouttes, 3 fois par jour.

> ➤ Arkogélules Gingembre® (Arkopharma, *non remboursé*) : prendre 2 gélules, matin et midi, avec un grand verre d'eau.

---

10 Alfredo Ara Roldán, *op. cit.,* p. 277.

Kola : il favorise les efforts physiques prolongés

Le kola *(Cola acuminata L.)*, plante de Côte d'Ivoire et du Nigeria, contient de la caféine et de la théobromine.

Ces deux composants ont un effet stimulant, favorisant les efforts physiques, notamment lors des relations sexuelles. La théobromine présente une propriété intéressante : ses effets se prolongent dans le temps. Elle aide donc à prolonger la durée des relations sexuelles.

➤ Teinture Mère Kola : prendre 30 gouttes, 3 fois par jour.

➤ Arkogélules Kola® (Arkopharma, *non remboursé*) : prendre 2 gélules, matin, midi et soir, avec un grand verre d'eau, au moment des repas.

➤ Yse® (Chatelut, *non remboursé*) : composé de kola notamment. Prendre 2 à 4 comprimés, 2 fois par jour, pendant 2 à 4 semaines, avec un verre d'eau. *Ne pas utiliser en cas de carence en cuivre.*

➤ Yse Glutamique® (Chatelut, *non remboursé*) : composé de kola notamment. Prendre 2 à 4 comprimés, 2 fois par jour, pendant 2 à 4 semaines, avec un verre d'eau. *Ne pas utiliser en cas de carence en cuivre.*

Insomnie, sommeil difficile, cauchemars, nervosité

Y a-t-il un secret pour tomber, chaque soir, sans la moindre difficulté, dans les bras de Morphée ?

Si vous faites partie de ces personnes qui ont du mal à s'endormir et qui appréhendent le moment de se coucher, ce secret vous intéresse sûrement.

En fait, une légère insomnie passagère, d'une nuit, liée à un problème personnel, à la fatigue ou au stress, n'a rien de grave. Par contre, si vous avez, chaque soir ou presque, des difficultés à trouver le sommeil et si, de plus, vous vous réveillez en pleine nuit, vous avez un vrai problème d'insomnie.

Voici 4 secrets qui font merveille pour trouver plus facilement le sommeil chaque soir

Plusieurs "secrets" font merveille pour vous aider à mieux dormir.

1. Tout d'abord, prenez l'habitude de cesser toute consommation de café, thé, alcool après 17 heures.

2. Ensuite, mangez léger au repas du soir : votre repas le plus copieux doit être celui de midi.

3. Éteignez la télévision une heure minimum avant de vous coucher, et ne regardez pas de films violents.

4. Abstenez-vous également du journal télévisé : les mauvaises nouvelles, hausses d'impôts et scandales en tous genres qu'on y annonce chaque jour, ont de quoi énerver le citoyen et contribuable que vous êtes, même si vous ne vous en rendez pas compte.

Sauf avis médical, évitez toujours les médicaments chimiques qui aident à s'endormir : ils créent une accoutumance préjudiciable à votre santé.

Bien souvent, les problèmes d'insomnie ne se manifestent que dans un deuxième temps. Cela commence souvent par un banal stress, de la nervosité, avant de se compliquer en anxiété et angoisses.

Si vous êtes angoissé, si vous êtes trop souvent "sur les nerfs", les plantes décrites plus loin devraient vous permettre de combattre efficacement cet état. Cela vous aidera aussi à empêcher l'apparition de problèmes d'insomnie.

LES PLANTES QUI VOUS AIDENT À MIEUX DORMIR

Passiflore : elle est assez puissante pour remplacer, dans bien des cas, les somnifères chimiques

Rapportée d'Amérique du Sud par les Jésuites qui accompagnaient les *conquistadores,* la passiflore *(Passiflora incarnata L.)* était utilisée par les Aztèques pour favoriser leur sommeil. Et cette propriété est toujours autant appréciée de nos jours.

Si vous avez du mal à dormir, la passiflore vous aidera à retrouver un vrai sommeil, grâce auquel vous récupérez de la fatigue de la journée. Vous éliminerez peu à peu stress, angoisse et anxiété, qui sont les principales causes de la grande majorité des insomnies.

Contrairement aux médicaments chimiques contre l'insomnie, la passiflore ne crée pas d'accoutumance : ses effets ne diminuent pas avec le temps, il n'y a pas lieu d'augmenter les doses, et vous pouvez en prendre pendant de longues périodes sans crainte.

La passiflore ne crée pas non plus de dépendance : ce n'est pas une drogue, et si vous arrêtez d'en prendre, vous ne vous sentirez pas "en manque".

Si vous prenez des hypnotiques (des médicaments fréquemment prescrits pour lutter contre l'insomnie et qui, eux, entraînent accoutumance et dépendance), la passiflore peut vous aider à ne plus en prendre.

Avec l'accord préalable de votre médecin, bien entendu, il suffit de remplacer chaque semaine un quart des doses d'hypnotiques par de la passiflore, associée à de l'aubépine.

Vous vous libérerez ainsi peu à peu de vos médicaments chimiques.

La passiflore est également utile en cas de nervosité, de spasmes nerveux, de stress ou d'anxiété. On l'utilise même pour faciliter la désintoxication des personnes dépendantes de la drogue, de l'alcool ou du tabac.

➤ Teinture Mère Passiflore : prendre 25 gouttes, 3 fois par jour. Le cas échéant, prendre 50 gouttes au coucher.

➤ Passiflore Boiron® (Boiron, *non remboursé*) : chez l'adulte, prendre 1 ou 2 gélules, 1 à 3 fois par jour. Chez l'enfant : prendre 1 à 2 gélules par jour.

➤ Arkogélules Passiflore® (Arkopharma, *non remboursé*). Adultes : en cas d'insomnie, 2 gélules avant le dîner puis 2 au coucher, à prendre avec un grand verre d'eau ; en cas de nervosité, 1 gélule matin, midi et soir au moment des repas. Enfants : 1 gélule le soir et 1 gélule au coucher, à prendre en cas de troubles du sommeil.

➤ Élusanes Passiflore® (Plantes et Médecines, *non remboursé*) : 1 gélule matin et soir à prendre avec un verre d'eau.

➤ Passiflorine® (Parke-Davis, *remboursé*) : bien dosé en passiflore et aubépine, il vous aide à vous calmer et à mieux dormir. Chez l'adulte, prendre 1 ou 2 cuillerées à café, midi et soir, avant les repas. En cas de troubles du sommeil, prendre 1 à 4 cuillerées à café au coucher. Chez l'enfant, prendre 1 ou 2 cuillerées à café par jour.

Valériane : cette plante vous aide à mieux dormir et... à arrêter de fumer !

La valériane *(Valeriana officinalis L.)* est une autre merveilleuse plante contre l'insomnie.

Si vous êtes angoissé ou anxieux, elle vous calme et vous prépare ainsi à trouver un bon sommeil réparateur.

Très puissante mais sans effets secondaires, ni accoutumance, la valériane aide aussi les épileptiques à prévenir les crises.

De plus, si vous tentez d'arrêter de fumer, la valériane peut aussi vous rendre grand service car, non seulement elle donne à la cigarette un goût différent et peu agréable, mais elle vous soulage de l'agacement que connaissent généralement les fumeurs qui tentent de "décrocher".

➤ Teinture Mère Valériane : prendre 100 gouttes au coucher.

➤ Noctaval® (Ponroy, *non remboursé*) : prendre 1 sachet, dilué dans une tasse d'eau chaude, une demi-heure avant le coucher. *Ne pas utiliser chez l'enfant de moins de 12 ans.*

➤ Arkogélules Valériane® (Arkopharma, *non remboursé*) : chez l'adulte, contre l'insomnie, prendre 2 gélules avant le dîner puis 2 autres au coucher ; en cas de nervosité, prendre 1 gélule matin, midi et soir. Chez l'enfant qui dort mal, prendre 1 gélule au repas du soir et 1 autre au coucher.

➤ Élusanes Valériane® (Plantes et Médecines, *non remboursé*) : prendre 1 gélule, matin et soir, au cours des repas, avec un verre d'eau.

➤ Noctisan® (Dolisos, *non remboursé*) : composé d'aubépine et valériane ainsi que d'une autre plante bien connue pour ses vertus calmantes : le tilleul. Prendre

1 ou 2 comprimés, avec un verre d'eau, 1 à 3 fois par jour.

Aubépine : cette plante vous calme, repose votre cœur et vous aide à mieux dormir

L'aubépine *(Crataegus laevigata)* est bien connue pour être la plante du cœur. C'est aussi une excellente plante "anti-insomnie" et "anti-anxiété".

Si vous êtes angoissé, stressé, nerveux, si vous dormez mal, l'aubépine vous aidera à faire disparaître ces troubles. Et cette plante peut même être donnée aux enfants.

Si vous avez des palpitations, l'aubépine peut les réduire. Si vous "sentez" en permanence les battements de votre cœur, l'aubépine vous aidera. C'est une grande amie de votre cœur. Elle le ralentit quand il bat trop vite ; elle l'accélère quand il bat trop lentement.

De plus, l'aubépine ne crée aucune accoutumance et n'a pas d'effets secondaires. Si vous prenez actuellement un traitement à base de benzodiazépines ou d'autres anxiolytiques chimiques, lesquels malheureusement produisent parfois de la somnolence ou des pertes de mémoire, vous pourrez, avec l'accord de votre médecin, envisager de les remplacer progressivement par l'aubépine.

➤ Teinture Mère Aubépine : prendre 30 gouttes, 3 fois par jour.

➤ Arkogélules Aubépine® (Arkopharma, *non remboursé*) : prendre 1 gélule, matin, midi et soir, avec un grand verre d'eau, au moment des repas.

➤ Élusanes Aubépine® (Plantes et Médecines, *non remboursé*) : prendre 1 gélule, matin et soir, au cours des repas, avec un verre d'eau.

Eschscholtzia : comment vaincre les cauchemars et l'insomnie

Voici une plante qui vous aidera à vous endormir plus facilement, à passer des nuits paisibles et à mieux récupérer.

L'eschscholtzia *(Eschscholtzia californica Cham.)* – aussi connue sous le nom de "coquelicot de Californie" – agit également sur la qualité de votre sommeil : vous ne faites pas de cauchemars et vous ne vous réveillez pas en pleine nuit.

De plus, cette plante réduit l'anxiété et la nervosité. Votre existence est ainsi de meilleure qualité.

Et comme cet hypnotique naturel, contrairement aux substances chimiques, n'a pas d'effets secondaires et ne provoque pas d'accoutumance, vous pouvez compter sur lui pour vous redonner un sommeil comme vous n'en connaissiez peut-être plus depuis votre enfance.

Enfin, en cas de douleurs ou de spasmes intestinaux, souvent d'origine nerveuse, vous pouvez aussi compter sur l'eschscholtzia.

➤ Teinture Mère Eschscholtzia : prendre 30 à 40 gouttes, 3 fois par jour.

➤ Arkogélules Eschscholtzia® (Arkopharma, *non remboursé*) : chez l'adulte, prendre 2 gélules le soir et 2 autres au coucher. Chez l'enfant, prendre 1 gélule le soir, puis 1 autre au coucher.

➤ Élusanes Eschscholtzia® (Plantes et Médecines, *non remboursé*) : prendre 1 gélule, matin et soir, au cours des repas, avec un verre d'eau.

➤ Sedalozia® (Plantes Tropicales, *non remboursé*) : composé d'aubépine, de valériane et d'eschscholtzia. Chez l'adulte, prendre 3 comprimés, 1 ou 2 fois par jour. Chez l'enfant de plus de 12 ans, prendre 1 à 3 comprimés par jour.

Lavande : elle apporte calme, sérénité et sommeil de qualité à tous, adultes comme enfants

La lavande (*Lavandula angustifolia L.*) vous calme et vous apporte une sérénité très appréciable. Grâce à elle, vous vous sentez mieux, moins nerveux, moins anxieux.

Cette plante a des effets très bénéfiques sur votre système nerveux. Elle est d'ailleurs aussi efficace sur les enfants que sur les adultes.

Si vous avez du mal à vous endormir, elle vous apportera le sommeil réparateur que vous attendez.

De plus, la lavande agit contre les infections respiratoires (bronchite, rhume, sinusite) et calme l'inflammation.

➤ Teinture Mère Lavande : prendre 30 gouttes, 3 fois par jour.

➤ Arkogélules Lavande® (Arkopharma, *non remboursé*) : chez l'adulte, prendre 2 gélules au repas du soir puis 2 autres, au coucher. Chez l'enfant, prendre 1 gélule au repas du soir puis 1 autre, au coucher.

Coquelicot : il vous aide à mieux vous endormir, vous libère des cauchemars et calme vos palpitations

Le coquelicot (*Papaver rhoeas L.*) n'est pas seulement cette belle fleur rouge qui perd ses pétales quand on la cueille.

Cette plante est avant tout un remède de grande qualité contre les problèmes d'insomnie, en particulier si vous êtes émotif, anxieux, sensible, etc. Elle vous aide à mieux dormir, sans faire de cauchemars.

Le coquelicot, contrairement à tant de remèdes chimiques, ne crée aucune accoutumance. Cela fait de lui un remède que l'on n'hésite pas à donner, même aux enfants et aux personnes âgées.

Par ailleurs, si vous toussez, le coquelicot adoucit votre

gorge et apaise les irritations. Et en plus, le coquelicot calme les palpitations cardiaques.

➤ Teinture Mère Coquelicot : prendre 25 gouttes, 3 fois par jour.

➤ Arkogélules Coquelicot® (Arkopharma, *non remboursé*) : chez l'adulte, prendre 2 gélules au repas du soir puis 2 autres, au coucher. Chez l'enfant, prendre 1 gélule au repas du soir puis 1 autre, au coucher.

➤ Nocvalène® (Arkopharma, *non remboursé*) : composé d'aubépine, de coquelicot et de passiflore, il combat la nervosité chez l'adulte et l'enfant. Chez l'adulte, prendre 1 ou 2 gélules par jour. Chez l'enfant, demander conseil à votre médecin ou à votre pharmacien.

LES AUTRES BIOMÉDICAMENTS

● Contre les problèmes d'insomnie, il y a lieu d'essayer en priorité un biomédicament **composé de passiflore, de valériane et d'aubépine**. Ces trois plantes combinent leurs vertus d'une manière très efficace et, bien souvent, règlent vos problèmes d'insomnie dès la première nuit ! Voici une liste de ces précieux biomédicaments :

➤ Neuroflorine® (Fuca, *non remboursé*) : chez l'adulte, prendre 2 ou 3 comprimés avec un verre d'eau, ou 1 à 2 cuillerées à café, avant les repas. En cas de troubles du sommeil, prendre 4 à 6 comprimés ou 2 ou 3 cuillerées à café, 1 heure environ avant de vous coucher. Chez l'enfant de plus de 6 ans, prendre 1 à 3 comprimés ou 1 à 3 cuillerées à café par jour.

➤ Phytocalm® (Upsa, *non remboursé*) : un autre excellent cocktail de plantes qui vous calmera et vous aidera à mieux dormir. Chez l'adulte et l'enfant de plus de

13 ans, prendre 3 cuillerées à café de solution buvable par jour.

➤ Phytoneurol® (Pionneau, *non remboursé*) : véritable cocktail de plantes calmantes, ce biomédicament vous calme, vous aide à mieux dormir et réduit vos palpitations. Il est utile aussi au moment de la ménopause. Prendre 1 cuillerée à café, 3 fois par jour. En cas de troubles du sommeil, prendre 1 cuillerée à café au coucher.

➤ Passinévryl® (Thera France, *non remboursé*) : chez l'adulte, prendre 2 comprimés, 3 fois par jour.

● Contre l'anxiété, le stress, les angoisses et peurs de toutes sortes, les remèdes suivants, **composés notamment de valériane et d'aubépine**, donnent généralement d'excellents résultats :

➤ Tranquital® (Novartis Santé Familiale, *remboursé*) : riche en valériane et en aubépine, pour calmer votre nervosité. Chez l'adulte, prendre 4 à 6 comprimés par jour.

➤ Spasmine Jolly® (Jolly-Jatel, *remboursé*) : composé de valériane et d'aubépine. Chez l'adulte, prendre 1 à 2 comprimés, 3 fois par jour. En cas de troubles du sommeil, prendre 2 à 4 comprimés au coucher. Chez l'enfant, prendre 1 à 3 comprimés par jour.

Jambes lourdes, varices

Voici le portrait-robot du "candidat" idéal aux jambes lourdes et aux varices :
1) C'est une femme,

2) qui reste longtemps debout dans la journée,

3) qui a des kilos en trop.

Les "jambes lourdes" sont en fait le signe d'une mauvaise circulation du sang dans vos jambes. Votre sang éprouve des difficultés à remonter le long de vos veines. Attention ! c'est le prélude à la formation de varices, qui sont des déformations veineuses très laides.

Ce que vous devez toujours faire la nuit, si vous passez vos journées debout

Si votre profession vous oblige à rester debout toute la journée, choisissez des chaussures basses. La nuit, dormez les jambes surélevées par un oreiller.

Si vous avez un excès de poids, un meilleur régime alimentaire et de l'exercice vous feront le plus grand bien. Perdre vos kilos en trop pourrait bien vous redonner les jambes les plus légères que vous ayez eues depuis des années.

Pourquoi il est important de soigner les jambes lourdes tout de suite

Il est important de lutter contre cette sensation de jambes lourdes dès qu'elle apparaît : elle vous signale un problème circulatoire. C'est la meilleure manière d'éviter d'avoir des varices plus tard.

Si vous avez déjà des varices, les mêmes conseils s'appliquent. Vous avez aussi intérêt à porter des bas spéciaux qui facilitent la circulation dans vos veines et, surtout, empêchent la stagnation du sang. Il est d'ailleurs recommandé de mettre ces bas dès le matin, avant même de vous lever du lit, lorsque vous êtes encore allongée.

Si vous ressentez soudain comme un "coup de poignard" dans le mollet, consultez un médecin d'urgence, car c'est l'un des symptômes de la phlébite.

LES PLANTES QUI RENDENT VOS JAMBES TELLEMENT PLUS LÉGÈRES

Vigne rouge : une plante grimpante qui rend vos jambes plus légères... et réduit la cellulite

La vigne rouge *(Vitis vinifera L.)* est une plante grimpante, considérée depuis des siècles comme un excellent remède – très efficace ! – pour les problèmes circulatoires en général.

Elle lutte d'une manière remarquable contre l'insuffisance veineuse, rend vos veines et vos capillaires plus toniques : elle favorise donc la disparition de toute une série de problèmes circulatoires tels que jambes lourdes, varices, hémorroïdes, ecchymoses, couperose, vaisseaux fragiles, etc.

Le secret de la vigne rouge réside dans plusieurs de ses composants qui augmentent la résistance de vos vaisseaux, évitent la congestion de vos veines, et favorisent le retour du sang veineux vers votre cœur.

Et ce n'est pas tout. La vigne rouge, véritable "plante miracle", agit contre les radicaux libres, dont on sait qu'ils participent au vieillissement de l'appareil circulatoire.

La vigne rouge est même recommandée en cas de cellulite car elle favorise l'élimination des déchets de l'organisme. Vous pouvez donc faire "d'une pierre, deux coups". N'hésitez donc pas à recourir à la vigne rouge pour tous vos problèmes circulatoires.

➤ Extrait fluide de feuilles de Vigne rouge : prendre 2 cuillerées à café par jour.

➤ Arkogélules Vigne rouge® (Arkopharma, *non remboursé*) : 1 gélule matin, midi et soir, à prendre avec un grand verre d'eau au moment des repas.

➤ Élusanes Vigne rouge® (Plantes et Médecines, *non*

remboursé) : 1 gélule matin et soir à prendre avec un verre d'eau.

➤ Opo-Veinogène® (Théra France, *remboursé*) : composé de vigne rouge et de marronnier d'Inde. Prendre 2 ou 3 cuillerées par jour, avec un verre d'eau, avant les repas.

Marronnier d'Inde : il soigne jambes lourdes, varices et hémorroïdes

Le marronnier d'Inde *(Aesculus hippocastanum)* aide depuis des siècles les personnes qui souffrent d'hémorroïdes.

Il agit sur le tonus de vos veines et rend vos capillaires plus résistants.

En cas de crise d'hémorroïdes, vous apprécierez ses propriétés vasoconstrictrices. Par ailleurs, il améliore votre circulation lymphatique.

Bien sûr, comme il améliore votre circulation veineuse, le marronnier d'Inde est également très efficace contre les varices et les jambes lourdes.

➤ Teinture Mère Marronnier d'Inde : prendre 20 gouttes, 3 fois par jour.

➤ Arkogélules Marronnier d'Inde® (Arkopharma, *non remboursé*) : prendre 1 gélule, matin, midi et soir, avec un grand verre d'eau, au moment des repas.

➤ Élusanes Marronnier d'Inde® (Plantes et Médecines, *non remboursé*) : prendre 1 gélule, matin et soir, au cours des repas, avec un verre d'eau.

➤ Opo-Veinogène® (Théra France, *remboursé*) : composé de vigne rouge et de marronnier d'Inde. Prendre 2 ou 3 cuillerées par jour, avec un verre d'eau, avant les repas.

➤ Climaxol® (Lehning, *remboursé*) : composé d'hama-

mélis, de fragon et de marronnier d'Inde. Prendre 20 à 25 gouttes, 2 ou 3 fois par jour, avec un verre d'eau, avant les repas.

➤ Veinostase® (Richelet, *remboursé*) : composé d'hamamélis, de marronnier d'Inde et de cyprès. Chez l'adulte, prendre 1 ampoule, matin, midi et soir, avec un verre d'eau.

➤ Histo-Fluine P® (Richard, *remboursé*) : composé de marronnier d'Inde et d'hamamélis, notamment. Prendre 30 à 60 gouttes, dans un verre d'eau, avant les repas.

➤ Crème Rap® (Novartis Santé Familiale, *remboursé*) : composé de 6 plantes, dont le marronnier d'Inde. Masser la partie douloureuse matin et soir. *Ne pas utiliser sur les lésions infectées ou suintantes.*

➤ Fluon® (Marx, *non remboursé*) : composé de 5 plantes dont l'hamamélis et le marronnier d'Inde. Prendre 2 ou 3 comprimés, ou 40 à 60 gouttes par jour.

Fragon : pour rendre vos capillaires plus résistants et réduire l'inflammation

Le fragon *(Ruscus aculeatus L.)* sert aussi bien en cas de jambes lourdes que d'hémorroïdes.

Cette plante rend en effet vos capillaires plus résistants. Par ailleurs, elle resserre vos vaisseaux et lutte contre l'inflammation et les œdèmes.

➤ Teinture Mère Fragon : prendre 40 gouttes, 3 fois par jour.

➤ Arkogélules Fragon® (Arkopharma, *non remboursé*) : prendre 1 gélule, matin, midi et soir, avec un grand verre d'eau, au moment des repas.

➤ Climaxol® (Lehning, *remboursé*) : composé d'hama-

mélis, de fragon et de marronnier d'Inde. Prendre 20 à 25 gouttes, 2 ou 3 fois par jour, avec un verre d'eau, avant les repas.

➤ Veinofit® (Arkopharma, *non remboursé*) : composé de fragon, d'hamamélis et de mélilot. Prendre 1 ou 2 sachets par jour, au moment des repas.

Hamamélis : construisez-vous des veines plus fortes et n'ayez plus jamais les jambes lourdes

L'hamamélis *(Hamamelis virginiana L.)* renforce vos veines et vos capillaires.

Avec des veines plus fortes, dans lesquelles le sang circule mieux et ne stagne pas, vous voyez vos problèmes de jambes lourdes disparaître. De même, l'hamamélis est excellente pour soigner les varices et les hémorroïdes, qui sont des varices de l'anus. Elle aide aussi à résorber les œdèmes veineux.

Mais l'hamamélis renforce également vos capillaires. Plus solides, ils n'éclatent plus sous la peau et vous luttez ainsi contre la couperose.

➤ Teinture Mère Hamamélis : prendre 30 gouttes, 3 fois par jour.

➤ Arkogélules Hamamélis® (Arkopharma, *non remboursé*) : prendre 1 gélule, matin, midi et soir, avec un grand verre d'eau, au moment des repas.

➤ Élusanes Hamamélis® (Plantes et Médecines, *non remboursé*) : prendre 1 gélule, matin et soir, au cours des repas, avec un verre d'eau.

➤ Élusanes Hamamélis gel® (Plantes et Médecines, *non remboursé*) : effectuer 3 applications par jour, en massant légèrement de bas en haut.

➤ Climaxol® (Lehning, *remboursé*) : composé d'hama-

mélis, de fragon et de marronnier d'Inde. Prendre 20 à 25 gouttes, 2 ou 3 fois par jour, avec un verre d'eau, avant les repas.

➤ Veinostase® (Richelet, *remboursé*) : composé d'hamamélis, de marronnier d'Inde et de cyprès. Chez l'adulte, prendre 1 ampoule, matin, midi et soir, avec un verre d'eau.

➤ Histo-Fluine P® (Richard, *remboursé*) : composé de marronnier d'Inde et d'hamamélis, notamment. Prendre 30 à 60 gouttes, dans un verre d'eau, avant les repas.

➤ Veinofit® (Arkopharma, *non remboursé*) : composé de fragon, d'hamamélis et de mélilot. Prendre 1 ou 2 sachets par jour, au moment des repas.

➤ Fluon® (Marx, *non remboursé*) : composé de 5 plantes dont l'hamamélis et le marronnier d'Inde. Prendre 2 ou 3 comprimés, ou 40 à 60 gouttes par jour.

LES AUTRES BIOMÉDICAMENTS

Le cyprès est un bon veinotonique si bien qu'il entre souvent dans la composition des biomédicaments contre les varices et jambes lourdes. Mais on peut aussi le prendre seul :

➤ Teinture Mère Cyprès : prendre 20 à 40 gouttes, avant chaque repas.

➤ Natura Medica Cyprès® (Dolisos, *non remboursé*) : prendre 1 ampoule, 2 fois par jour, dans un verre d'eau, au cours des repas. *Ne pas utiliser chez l'enfant.*

Laryngite, pharyngite, trachéite, maux de gorge, inflammation de la gorge

Sous les noms de laryngite et de pharyngite se cachent les banals maux de gorge que nous connaissons tous un jour ou l'autre.

Le truc pour ne jamais confondre pharyngite et angine

Dans la laryngite, les cordes vocales sont affectées et la voix modifiée : elle disparaît même parfois. Les symptômes de la pharyngite rappellent ceux de l'angine, mais sans points rouges ou blancs au fond de la gorge.

Couvrez votre gorge et aérez bien votre maison. Bien sûr, si vous êtes fumeur, c'est le moment idéal pour arrêter... et ne jamais recommencer !

LES PLANTES QUI COMBATTENT LES MAUX DE GORGE

Papaye : cette plante exotique diminue l'inflammation et vous aide à retrouver votre voix

La papaye *(Carica papaya L.)*, puissant anti-inflammatoire, vous aidera à soigner plus efficacement les laryngites, pharyngites et autres affections inflammatoires de la gorge.

De plus, elle vous aide à éliminer la cellulite, en particulier la cellulite douloureuse accompagnée d'œdème. Car cette plante "digère" les protéines et a un effet anti-inflammatoire.

Enfin, la papaye améliore votre digestion grâce à ses enzymes qui aident vos sucs digestifs.

> ➤ Arkogélules Papaye® (Arkopharma, *non remboursé*) : prendre 3 gélules par jour, entre les repas.

Saule blanc : son écorce combat l'inflammation aussi efficacement que de l'aspirine

Le saule blanc *(Salix alba L.)* est un anti-inflammatoire naturel. Il vous aidera aussi à faire tomber la fièvre et sera donc d'un grand secours en cas de maladie infectieuse telle qu'une grippe ou un refroidissement.

De plus, son écorce est riche en aspirine naturelle. C'est pourquoi il vous fera grand bien également en cas de douleurs articulaires.

> ➤ Teinture Mère Saule blanc : prendre 40 gouttes, 3 fois par jour.

> ➤ Arkogélules Saule blanc® (Arkopharma, *non remboursé*) : 1 gélule matin, midi et soir, à prendre dans un grand verre d'eau, au moment des repas.

LES AUTRES BIOMÉDICAMENTS

● **Composé d'eucalyptus et de benjoin**, voici un excellent biomédicament qui traite la plupart des affections des voies respiratoires. Il décongestionne en effet les muqueuses :

> ➤ Fumigalène® (RPR Cooper, *remboursé*) : faire 1 à 3 inhalations par jour, avec 1 cuillerée à café de solution dans un bol d'eau très chaude ou un inhalateur. *Ne pas utiliser chez l'enfant de moins de 12 ans.*

● **L'eucalyptus** est un remède bien connu contre les problèmes de gorge. C'est un antiseptique pulmonaire puissant et naturel :

➤ Teinture Mère Eucalyptus : prendre 20 à 35 gouttes, 3 fois par jour.

➤ Balsolène® (RPR Cooper, *non remboursé*) : composé entre autres d'eucalyptus. Chez l'adulte et l'enfant de plus de 12 ans, faire 1 inhalation, 3 fois par jour, avec 1 cuillerée à café de solution. *Ne pas utiliser chez l'enfant de moins de 12 ans. Ne pas dépasser la dose prescrite.*

➤ Calyptol® (Techni Pharma, *remboursé*) : composé entre autres d'eucalyptus. Faire 1 inhalation, 2 à 3 fois par jour, avec une ampoule, dans un bol d'eau très chaude. *Ne pas dépasser la dose prescrite.*

● D'autres plantes sont capables aussi de soulager votre gorge, notamment **la guimauve, le camphre, le thym** :

➤ Élusanes Guimauve® (Plantes et Médecines, *non remboursé*) : effectuer 3 ou 4 pulvérisations par jour.

➤ Euvanol® (Monot, *non remboursé*) : composé de camphre, notamment. Après s'être mouché avec soin, faire 1 pulvérisation par narine, 4 à 6 fois par jour, pendant quelques jours maximum. *Ne pas utiliser chez l'enfant de moins de 30 mois, ni – sauf avis médical – chez celui de moins de 7 ans. Ne pas dépasser la dose prescrite.*

➤ Nazinette Pommade® (PPDH, *non remboursé*) : composé entre autres de thym. Chez l'adulte, appliquer la pommade 1 à 3 fois par jour, après s'être mouché avec soin. Chez l'enfant, appliquer 1 fois par jour seulement. *Ne pas utiliser chez l'enfant de moins de 30 mois, ni chez la femme enceinte ou qui allaite.*

● Le biomédicament qui suit est composé d'un anesthésique et de 4 plantes antispasmodiques et décongestionnantes. Il est utile pour calmer les maux de gorge et l'enrouement :

➤ Glottyl® (Marion Merrel, *non remboursé*) : chez l'adulte, prendre 40 à 50 gouttes, 4 à 6 fois par jour, dans un verre d'eau ; chez l'enfant de 6 à 15 ans, prendre 10 à 20 gouttes, 4 fois par jour. *Ne pas utiliser chez l'enfant de moins de 6 ans. Toujours consulter un médecin pour les enfants de moins de 12 ans.*

● Voici enfin un excellent bain de bouche composé de 11 plantes qui purifieront votre gorge :

➤ Homéodent® (Boiron, *non remboursé*) : faire un bain de bouche, 2 ou 3 fois par jour, en diluant 1 cuillerée à café de solution dans un verre d'eau. *Ne pas avaler.*

Maigrir, obésité, excès de poids, excès d'appétit

À l'approche des beaux jours, les belles journées ensoleillées se faisant plus nombreuses, la chaleur aidant, la tentation est grande d'aller à la mer ou à la piscine se rafraîchir, s'ébattre dans l'eau et prendre un bon bain de soleil.

C'est excellent pour la santé, mais c'est aussi l'occasion de vous mettre en maillot de bain et de vous rendre compte que vos formes ne sont peut-être pas aussi harmonieuses que vous le souhaiteriez.

Des moyens naturels pour perdre du poids et pouvoir vous mettre en maillot de bain, sans la moindre angoisse

Comment perdre ces kilos en trop qui rendent votre physique moins agréable ?

Vous pouvez souhaiter perdre du poids pour des raisons esthétiques, ou bien parce que vous vous rendez compte que vous êtes manifestement trop gros, et qu'à la longue, cela peut nuire à votre santé. De toute façon, il existe des règles simples et faciles à mettre en œuvre pour perdre du poids de manière durable... et ne plus jamais reprendre vos kilos perdus !

D'où viennent vos kilos en trop ? Du fait que vous mangez trop par rapport à vos besoins. Sachez cependant que cette quantité de nourriture nécessaire à une bonne santé est variable d'une personne à l'autre.

Comment maigrir, même si vous êtes un "gros" de nature, à qui un "rien" fait prendre du poids

Nous connaissons tous des gens qui ne peuvent pas se permettre de manger un croissant sans grossir ("tout leur profite") alors que d'autres peuvent, au contraire, "engloutir" un gigot ou un gâteau entier, sans prendre un gramme. La Nature nous a tous faits différents, et il faut d'abord nous accepter tels que nous sommes.

Toutefois, si vous êtes l'un de ces "gros" innés, auquel tout profite, il existe tout de même des possibilités.

Mais dans ce cas, nous vous recommandons, surtout si vous avez de nombreux kilos à perdre (il n'est pas rare chez ces personnes d'avoir une surcharge pondérale de 30 kg), de vous faire aider par un médecin nutritionniste. Il pourra tout d'abord déterminer la cause exacte de votre excès de poids (problème hormonal, par exemple), vous aider à prendre les mesures efficaces et surveiller votre perte de poids ainsi que votre état de santé.

Sachez cependant que toute perte de poids importante, surtout si elle est rapide, doit être effectuée sous une stricte surveillance médicale.

Comme l'immense majorité des gens qui veulent maigrir, vous êtes sûrement victime de vos mauvaises habitudes alimentaires

Mais peu de gens sont vraiment concernés par ce problème-là. En fait, vous êtes certainement victime de mauvaises habitudes alimentaires.

Dans notre société, dès l'enfance, on conditionne les enfants à manger beaucoup. Un enfant qui a bon appétit est censé être en bonne santé, un autre qui mange peu suscite l'inquiétude.

Avoir bon appétit est assurément un bon signe, surtout chez un enfant. Mais bien souvent, on satisfait le "bon appétit" de nos bambins avec des gâteaux, bonbons et autres sucreries, au lieu de leur donner des fruits ou un bon morceau de fromage.

"Si vous voulez *vraiment* perdre vos kilos superflus, vous les perdrez !"

Nous pouvons affirmer sans grand risque de nous tromper que, si vous voulez *vraiment* perdre vos kilos superflus, vous les perdrez.

Il est important de commencer par un bilan de vos habitudes alimentaires : pendant 15 jours, ne changez rien à vos habitudes, mangez autant que vous voulez, mais notez tout ce que vous mangez.

Notez absolument tout : y compris le petit bonbon que votre collègue vous donne dans l'ascenseur en allant au bureau ; y compris le petit chocolat que vous grignotez après le café sans même y prêter attention. Notez aussi toutes les boissons.

Un petit exercice facile pour commencer à maigrir... sans rien changer à vos habitudes alimentaires

Cet exercice fastidieux va vous permettre de vous rendre compte de ce que vous mangez exactement, et aussi du fait, sans doute, que vous mangez beaucoup plus que vous croyez.

Prenez aussi vos mesures : poids et mensurations.

Mais, prenez garde aux coupe-faim chimiques. Ces produits sont trop souvent dangereux.

Elles vous coupent l'appétit et vous maigrissez sans faire le moindre effort de volonté

Par contre, certaines plantes ont "un effet coupe-faim", c'est-à-dire qu'elles réduisent l'appétit en créant la sensation d'avoir fait un repas copieux alors qu'il n'a été que frugal. C'est extrêmement pratique pour limiter votre appétit et perdre du poids plus rapidement.

Vous êtes peut-être conditionné depuis votre petite enfance pour croire que la santé se mesure à l'appétit. Si vous avez cette fausse croyance, il faudra vous en défaire. Les gens qui mangent léger, sans pour autant tomber dans la malnutrition, sont en meilleure santé que ceux qui mangent beaucoup.

Un truc pour tous ceux qui grossissent sous l'effet du stress

Si vous êtes un stressé qui mange pour se calmer, essayez le truc suivant : chaque fois que vous êtes énervé, buvez un ou deux grands verres d'eau. Vous pourriez bien vous mettre à perdre du poids d'une manière qui vous étonnera... et entièrement naturelle.

Il est aussi très important que vous ne sautiez jamais aucun repas. C'est une grossière erreur qui favorise la prise de poids et l'obésité. Lorsque l'on saute un repas, le corps réagit en "stockant" les aliments aux repas suivants. Ainsi tout vous "profite" plus, même si vous mangez peu.

LES PLANTES QUI VOUS AIDENT À MAIGRIR ET À CONSERVER VOTRE POIDS IDÉAL

Orthosiphon : il accélère l'amaigrissement et fait disparaître la "peau d'orange"

En contribuant à nettoyer l'organisme, l'orthosiphon *(Orthosiphon stamineus Benth.)* accélère l'amaigrissement chez les personnes qui souhaitent perdre du poids. Il favorise également la lutte contre la cellulite et aide à retrouver de belles hanches, sans "peau d'orange".

Cette plante débarrasse aussi votre corps des chlorures, de l'acide urique et de l'urée. Elle est également prescrite contre la goutte et en cas de calculs biliaires et rénaux.

L'orthosiphon est donc utile en phase d'attaque pour nettoyer l'organisme et favoriser la perte de poids.

➤ Teinture Mère Orthosiphon : prendre 50 gouttes, 3 fois par jour.

➤ Arkogélules Orthosiphon® (Arkopharma, *non remboursé*) : 2 gélules, le matin et le midi, à prendre avec un grand verre d'eau, au moment des repas.

➤ Élusanes Orthosiphon® (Plantes et Médecines, *non remboursé*) : prendre 1 gélule, matin et soir, au cours des repas, avec un verre d'eau.

➤ Téalène® (Arkopharma, *non remboursé*) : composé de thé vert et d'orthosiphon. Chez l'adulte, prendre 1 ou 2 gélules, 2 fois par jour.

➤ Aminsane® (Dolisos, *non remboursé*) : composé de fucus, d'orthosiphon et de reine-des-prés. Prendre 1 ou

2 comprimés, 1 ou 2 fois par jour, croqués ou dissous dans de l'eau chaude.

➤ Dellova® (PPDH, *non remboursé*) : composé de fucus et d'orthosiphon. Chez l'adulte, prendre 2 comprimés, 2 fois par jour. *Ne pas utiliser chez l'enfant de moins de 15 ans.*

➤ Infusion Milical® (Diététiques et Santé, *non remboursé*) : composé d'orthosiphon, de cassis et de frêne. Prendre 2 à 4 tasses d'infusion par jour.

➤ Urosiphon® (Pierre Fabre Santé, *non remboursé*) : composé d'orthosiphon. Prendre 1 ou 2 ampoules par jour, dans un verre d'eau.

Fucus : cette algue gonfle dans votre estomac et réduit considérablement votre appétit

Le fucus *(Fucus vesiculosus L.)* est aussi connu sous le nom de "varech vésiculeux". Cette algue est un précieux produit de la mer dont elle concentre un grand nombre de bienfaits.

En favorisant la combustion des graisses, elle lutte très efficacement contre l'obésité et la cellulite et facilite la perte de poids. Le *Fucus vesiculosus* vous aidera donc à éliminer les toxines qui empoisonnent peu à peu votre organisme et redonnera du tonus à votre métabolisme.

La liste de ses précieux composants est longue : cuivre, chrome, zinc, sélénium, zinc, fer, manganèse, iode, or, vitamines C, B1, B2, B6, B12.

Vous apprécierez le *Fucus vesiculosus* comme coupe-faim naturel, sans danger, contrairement aux coupe-faim chimiques. Il gonfle dans votre estomac, réduisant automatiquement votre appétit et favorisant votre transit intestinal. C'est une excellente algue, chaudement recommandée pour mieux contrôler votre appétit et perdre vos kilos en trop.

➤ Teinture Mère Fucus : prendre 40 gouttes, 3 fois par jour.

➤ Arkogélules Fucus® (Arkopharma, *non remboursé*) : prendre 1 gélule 15 minutes avant chaque repas, avec un grand verre d'eau.

➤ Élusanes Fucus® (Plantes et Médecines, *non remboursé*) : prendre 1 gélule, matin et soir, au cours des repas, avec un verre d'eau.

➤ Effidose Fucus® (Chefaro-Ardeval, *non remboursé*) : prendre 1 récipient unidose par jour, dilué dans un demi-verre d'eau. *Ne pas utiliser chez l'enfant de moins de 15 ans.*

➤ Promincil® (Chefaro-Ardeval, *non remboursé*) : composé de fucus, de reine-des-prés et de prêle. Boire 1 récipient unidose, 1 à 4 fois par jour, dans un grand verre d'eau. *Ne pas utiliser chez l'enfant de moins de 15 ans.*

➤ Médiflor Tisane Diététique N° 1® (Monot, *non remboursé*) : composé de fucus, de frêne, de bourdaine et de séné. Boire 1 tasse d'infusion, 3 fois par jour. *Ne pas utiliser de manière prolongée sans avis médical, ni chez l'enfant de moins de 15 ans, ni chez la femme enceinte ou qui allaite. Cette tisane contient des laxatifs stimulants : elle doit être utilisée avec précaution.*

➤ Hamon N° 11 Amaigrissante® (Aérocid, *non remboursé*) : composé notamment de fucus et de chiendent. Préparer un demi-litre d'infusion avec 3 cuillerées à café de tisane et consommer au cours de la journée.

➤ Dellova® (PPDH, *non remboursé*) : composé de fucus et d'orthosiphon. Chez l'adulte, prendre 2 comprimés, 2 fois par jour. *Ne pas utiliser chez l'enfant de moins de 15 ans.*

➤ Aminsane® (Dolisos, *non remboursé*) : composé de fucus, d'orthosiphon et de reine-des-prés. Prendre 1 ou 2 comprimés, 1 ou 2 fois par jour, croqués ou dissous dans de l'eau chaude.

➤ Tisane Obéflorine® (Lehning, *non remboursé*) : composé de fucus, de frêne et de séné. Boire 1 tasse d'infusion, midi et soir. *Cette tisane contient un laxatif stimulant : elle doit être utilisée avec précaution.*

➤ Boribel N° 9® (Diététiques et Santé, *non remboursé*) : composé de fucus et de frêne. Prendre 1 ou 2 gélules, matin, midi et soir.

Piloselle : quoi faire quand l'excès de poids est dû à de la rétention d'eau

La piloselle *(Hieracium pilosella L.)* est une excellente plante qui aide votre organisme à mieux éliminer l'eau et le sel, prisonniers dans vos tissus. Si votre excès de poids est dû à un problème de rétention d'eau, la piloselle vous aidera sûrement à maigrir.

De plus, cette plante peut faire disparaître les œdèmes des jambes et rend plus facile l'élimination de l'urée par les reins. Si vous souffrez d'hypertension artérielle et que le sel vous est interdit, elle vous aidera aussi à éliminer le sel en excédent.

➤ Teinture Mère Piloselle : prendre 50 gouttes, 3 fois par jour.

➤ Arkogélules Piloselle® (Arkopharma, *non remboursé*) : prendre 2 gélules au petit déjeuner et au déjeuner.

➤ Élusanes Piloselle® (Plantes et Médecines, *non remboursé*) : prendre 1 gélule, matin et soir, au cours des repas, avec un verre d'eau.

310

Guarana : il vous aide à brûler vos graisses en excès et réduit la fatigue

Le guarana *(Paulinia cupana Kunth.)* est ce qu'on appelle un "activateur d'amincissement".

Le guarana aide votre corps à mieux brûler les graisses en excès, c'est pourquoi il est si précieux pour tous ceux qui veulent maigrir. De plus, la caféine qu'il contient combat très efficacement la fatigue qui va souvent de pair avec les régimes amincissants.

Plus riche en caféine que le café, le guarana est un puissant anti-fatigue ; il aide aussi à mieux se protéger des maladies infectieuses.

➤ Arkogélules Guarana® (Arkopharma, *non remboursé*) : 1 gélule matin, midi et soir, à prendre avec un grand verre d'eau, au moment des repas.

➤ Élusanes Guarana® (Plantes et Médecines, *non remboursé*) : prendre 1 gélule, matin et soir, avec un verre d'eau.

Thé vert : il déloge la graisse des cellules et diminue l'absorption du sucre

Le thé vert ou thé vierge *(Camellia sinensis)* vous aide à maigrir et à retrouver une belle silhouette, un beau corps dans lequel vous vous sentirez plus heureux.

Le thé vierge oblige les graisses stockées dans votre corps à sortir des cellules graisseuses ! Quelle extraordinaire propriété !

De plus, le thé vierge rend les graisses et les sucres que vous mangez moins efficaces, c'est-à-dire qu'ils vous profitent moins. Ainsi, lentement mais sûrement, vous perdez votre excès de poids.

Enfin, comme il est riche en caféine, le thé vert vous aide

à garder la forme pendant votre régime, mais sans vous énerver car il la distille peu à peu dans votre corps.

➤ Arkogélules Thé vierge® (Arkopharma, *non remboursé*) : prendre 1 gélule, matin, midi et soir, avec un grand verre d'eau, au moment des repas.

➤ Élusanes Thé vert® (Plantes et Médecines, *non remboursé*) : prendre 1 gélule, matin et soir, au cours des repas, avec un verre d'eau.

➤ Téalène® (Arkopharma, *non remboursé*) : composé de thé vert et d'orthosiphon. Chez l'adulte, prendre 1 ou 2 gélules, 2 fois par jour.

➤ Mincifit® (Arkopharma, *non remboursé*) : composé de thé vert et de cassis. Prendre 1 sachet par jour, de préférence au cours du repas de midi, dilué dans un demi-verre d'eau. *Ne pas utiliser chez l'enfant de moins de 15 ans.*

➤ Minciflorine® (Exflora, *non remboursé*) : composé de 6 plantes dont le thé, le frêne et le cassis. Boire 1 à 4 tasses d'infusion par jour, de préférence avant 17 heures.

Karaya : il oblige votre corps à maigrir... même si vous n'avez aucune volonté

Le karaya *(Sterculia urens)* fait maigrir... même ceux qui n'ont pas assez de volonté pour se retenir de manger !

En effet, il forme un gel dans votre estomac. Ce gel volumineux va vous donner l'impression d'avoir déjà mangé et vous couper l'appétit. Ainsi vous maigrissez faute d'appétit.

Comme le karaya ne vous apporte aucune calorie, c'est un coupe-faim idéal, bien meilleur que les biscuits que certaines personnes absorbent une demi-heure avant midi pour se couper l'appétit, et qui en réalité les font encore plus grossir qu'un vrai repas.

Par ailleurs, le karaya lutte contre la constipation et réduit l'assimilation des sucres et des graisses.

Le karaya vous aide vraiment à maigrir.

➤ Arkogélules Karaya® (Arkopharma, *non remboursé*) : prendre 2 gélules, matin, midi et soir, 15 minutes avant les repas, avec un grand verre d'eau.

Konjac : cette plante japonaise vous coupe l'appétit juste au moment de vous mettre à table

Le konjac *(Amorphophallus konjac)* est un coupe-faim naturel.

Cette plante japonaise absorbe l'eau dans votre estomac, gonfle énormément et, au moment de passer à table, miracle ! vous n'avez plus faim.

De cette manière, vous pouvez suivre un régime amaigrissant très facilement, sans cette désagréable sensation de faim.

De plus, comme c'est un coupe-faim naturel, il n'est pas dangereux, contrairement aux coupe-faim chimiques qui agissent parfois sur vos glandes ou votre cerveau.

Enfin, le konjac absorbe les graisses et les sucres dans votre intestin, augmentant ainsi l'effet amaigrissant. Vous perdez du poids plus facilement, et sans être constipé.

➤ Arkogélules Konjac® (Arkopharma, *non remboursé*) : prendre 2 gélules, matin, midi et soir, 15 minutes avant les repas, avec un grand verre d'eau.

Ananas : il vous aide à dissoudre vos amas de graisse, en particulier la cellulite

L'ananas *(Ananas comosus L.)* est bien connu comme un

"anti-cellulite" puissant. Nous le devons à Christophe Colomb qui le rapporta de la Guadeloupe, en 1493.

Il contient une enzyme qui empêcherait votre taux d'insuline de monter quand vous mangez des aliments riches en sucres rapides tels que gâteaux, sodas, etc. Et cela permettrait du même coup d'éviter la transformation de ces sucres en graisses !

L'ananas vous aide donc à dissoudre vos amas de graisse, en particulier la cellulite.

➤ Arkogélules Ananas® (Arkopharma, *non remboursé*) : prendre 3 gélules par jour, entre les repas.

Pamplemousse : le double effet amaigrissant de ce délicieux fruit

Quelle est la partie secrète du pamplemousse *(Citrus decumana)* qui vous aide à maigrir ? Ce n'est ni la peau, ni la pulpe du fruit. Il s'agit de l'albedo : on désigne par ce terme barbare la partie blanche du fruit, située entre la peau proprement dite et la pulpe, et que l'on jette d'habitude car elle a peu de goût et qu'elle est difficile à avaler.

Comme le pamplemousse est un fruit succulent, vous pouvez bien sûr le consommer comme un aliment ordinaire.

Mais attention ! Si vous le mangez coupé en deux, saupoudré de sucre, et avec une petite cuillère, comme c'est l'usage, il y a peu de chances pour qu'il vous fasse maigrir.

En effet, de cette manière, vous mangerez du sucre et vous vous priverez de cette précieuse substance blanche qui sépare les quartiers de fruit.

La meilleure manière de le consommer est de découper le pamplemousse comme si c'était une orange et de le manger en quartiers, en prenant bien soin de ne pas jeter les "peaux" blanches et spongieuses qui enveloppent les quartiers de fruit. Mâchez bien car ce n'est pas toujours facile à avaler.

Il y a un truc pour que le pamplemousse, pris sous la forme du fruit lui-même ou d'un biomédicament, vous aide à perdre du poids : vous devez boire beaucoup d'eau. Au contact de l'eau, dans votre estomac, les substances actives du pamplemousse (les pectines) prennent du volume et provoquent un "effet coupe-faim". Vous êtes donc mieux rassasié et moins tenté de manger.

Mais ce n'est pas tout. Une fois dans votre estomac, les fibres du pamplemousse réduisent l'absorption par votre sang des graisses et des sucres. En somme, le pamplemousse a un double effet amaigrissant : vous mangez moins, mais sans avoir l'impression de vous priver, et vous "profitez" moins de ce que vous mangez.

Par ailleurs, les fibres du pamplemousse favorisent votre transit intestinal et évitent, ou même suppriment, la constipation.

> ➤ Arkogélules Pamplemousse® (Arkopharma, *non remboursé*) : 2 gélules matin, midi et soir, à prendre avec un grand verre d'eau, au moment des repas.

Reine-des-prés : pour éliminer tous les déchets de votre corps, y compris la graisse indésirable

La reine-des-prés (*Filipendula ulmaria Maxim.*) est un grand diurétique.

Cette plante active l'élimination des déchets de votre corps et vous aide donc à combattre activement la cellulite, la culotte de cheval et même l'embonpoint localisé en s'attaquant aux excès de graisse.

> ➤ Teinture Mère Reine-des-prés : prendre 40 gouttes, 3 fois par jour.

➤ Arkogélules Reine-des-prés® (Arkopharma, *non remboursé*) : 1 gélule matin, midi et soir, à prendre avec un grand verre d'eau au moment des repas. La posologie peut être portée à 5 gélules par jour, si nécessaire.

➤ Élusanes Reine-des-prés® (Plantes et Médecines, *non remboursé*) : 1 gélule, 2 fois par jour, à prendre matin et soir, accompagnée d'un grand verre d'eau.

➤ Arkofusettes Reine-des-prés® (Arkopharma, *non remboursé*) : prendre 2 à 5 sachets par jour de cet anti-rhumatismal, à préparer comme une tisane.

➤ Aminsane® (Dolisos, *non remboursé*) : composé de fucus, d'orthosiphon et de reine-des-prés. Prendre 1 ou 2 comprimés, 1 ou 2 fois par jour, croqués ou dissous dans de l'eau chaude.

➤ Promincil® (Chefaro-Ardeval, *non remboursé*) : composé de fucus, de reine-des-prés et de prêle. Boire 1 récipient unidose, 1 à 4 fois par jour, dans un grand verre d'eau. ***Ne pas utiliser chez l'enfant de moins de 15 ans.***

Papaye : elle "digère" les protéines et certains sucres et graisses

La papaye (*Carica papaya L.*) "digère" les protéines avec une efficacité époustouflante, ainsi que certains sucres et graisses. Pour cette raison, elle est très utile pour perdre du poids, en particulier si vous souffrez de cellulite douloureuse accompagnée d'œdème.

Cette plante a un effet anti-inflammatoire : elle calme vos douleurs et réduit l'œdème.

Si votre digestion est difficile, les enzymes contenues dans la papaye la rendent plus facile, car d'une certaine manière elles se substituent à vos sucs digestifs.

La papaye, vous aidera aussi à soigner plus efficacement les laryngites, pharyngites et autres affections inflammatoires de la gorge.

➤ Arkogélules Papaye® (Arkopharma, *non remboursé*) : prendre 3 gélules par jour, entre les repas.

Marc de raisin : il capture les graisses des aliments et empêche leur mise en réserve

Le marc de raisin (*Vitis vinifera L.*) est très efficace si vous souhaitez perdre du poids ou bien votre cellulite.

Cette plante, par un mystérieux mécanisme, capture les graisses des aliments et empêche leur mise en réserve. De cette manière, ce que vous mangez vous "profite" moins.

De plus, le marc de raisin a un léger effet laxatif : en éliminant davantage, vous luttez mieux contre l'excès de poids.

Mais ce n'est pas tout. Le marc de raisin améliore la circulation sanguine dans vos veines, luttant ainsi contre la cellulite. Il favorise aussi la production de collagène.

En fin de compte, tout ceci permet de désagréger peu à peu vos amas de cellulite.

La perte de poids réalisée à l'aide du marc de raisin est sans danger, car cette plante n'est pas toxique. De plus, l'amaigrissement lent et régulier est plus durable et bénéfique pour la santé.

➤ Arkogélules Marc de raisin® (Arkopharma, *non remboursé*) : prendre 2 gélules, matin, midi et soir, avec un grand verre d'eau, au moment des repas.

LES AUTRES BIOMÉDICAMENTS

● **La gomme de sterculia** qui compose ce biomédicament,

gonfle dans votre estomac, le remplit et réduit donc votre appétit :

➤ Préfine® (Pierre Fabre Santé, *non remboursé*) : prendre 1 sachet, une demi-heure avant les 3 repas.

● **La caféine** de ce biomédicament, à appliquer en massages, traverse votre peau et favorise la disparition des graisses localisées, la "culotte de cheval" notamment. Vous pouvez l'utiliser en supplément d'un traitement par voie interne :

➤ Percutaféïne® (Pierre Fabre Santé, *non remboursé*) : composé de caféine. Faire 1 application par jour, pendant 5 à 6 semaines.

Mal de mer, de voiture, des transports

Faites-vous partie de ces personnes qui ne peuvent jamais monter à l'arrière d'une voiture sans ressentir des "haut-le-cœur" au premier tournant ? Qui doivent absolument passer toute traversée maritime sur le pont du bateau, au grand air, car l'envie de vomir les prend dès qu'elles entrent à l'intérieur ?

Dans ce cas, vous avez le mal des transports.

Mal des transports : est-ce la faute de votre foie ?

Nausées et vomissements viennent alors gâcher un dimanche qui s'annonçait agréable, ou bien rendre très pénible un déplacement professionnel.

Si vous êtes enceinte, les nausées sont fréquentes le matin, en début de grossesse ; elles disparaissent par la suite.

En cas de foie fatigué, les nausées sont un des symptômes fréquents. Il faut dans ce cas le "nettoyer" et les nausées disparaîtront d'elles-mêmes.

Heureusement, les plantes et les biomédicaments apportent des solutions naturelles et très efficaces.

LA PLANTE QUI SUPPRIME LE MAL DES TRANSPORTS

Gingembre : dites "adieu" au mal des transports

Le gingembre (Zingiber officinale R.) est bien connu pour être un aphrodisiaque puissant.

Mais on sait moins qu'il protège très efficacement du mal des transports et permet une meilleure digestion.

Grâce au gingembre, vous pourrez enfin prendre la voiture, le bateau ou l'avion, sans appréhension.

➤ Teinture Mère Gingembre : prendre 20 gouttes, 3 fois par jour.

➤ Arkogélules Gingembre® (Arkopharma, *non remboursé*) : prendre 2 gélules, le matin et le midi, avec un grand verre d'eau.

LES AUTRES BIOMÉDICAMENTS

L'eschscholtzia, par son action calmante, sera bien utile pour les passagers qui ont peur en voiture :

➤ Teinture Mère Eschscholtzia : prendre 30 à 40 gouttes, 3 fois par jour.

➤ Arkogélules Eschscholtzia® (Arkopharma, *non remboursé*) : chez l'adulte, prendre 2 gélules le soir et 2 autres, au coucher. Chez l'enfant, prendre 1 gélule le soir, puis 1 autre au coucher.

➤ Élusanes Eschscholtzia® (Plantes et Médecines, *non*

remboursé) : prendre 1 gélule, matin et soir, au cours des repas, avec un verre d'eau.

Ménopause, bouffées de chaleur

La ménopause est souvent perçue par les femmes, et peut-être encore plus par les hommes, comme la fin de la féminité.

En fait, ce cap, à condition d'être franchi dans de bonnes conditions, peut être le point de départ d'une nouvelle vie, plus radieuse, sans problème de santé particulier. La ménopause n'est pas synonyme de vieillesse, et les bouffées de chaleur, troubles de l'humeur et problèmes sexuels ne sont pas une fatalité.

Il est vrai cependant que ce bouleversement hormonal n'est pas sans conséquences sur votre vie, au moment où vous le subissez.

Bouffées de chaleur : un symptôme courant qui peut être éliminé

Aux alentours de la cinquantaine, l'arrêt définitif des règles est un cap obligé chez la femme. C'est une situation nouvelle à laquelle vous allez devoir vous adapter.

Les bouffées de chaleur sont un symptôme fréquent, probablement le plus courant, mais qui peut être vaincu.

Il est important que vous gardiez le moral. Prenez garde aux graisses et aux sucres : ces aliments sont vos pires ennemis. Et surtout, faites de l'exercice : un peu chaque jour, et vous verrez sans doute la plupart de vos troubles atténués. C'est aussi le moyen le plus naturel pour lutter contre la fragilisation de vos os.

Sécheresse vaginale : voici comment maintenir des relations sexuelles de qualité

Contre les problèmes de sécheresse vaginale, n'hésitez pas à recourir aux lubrifiants intimes vendus en pharmacie. Ils vous aideront à maintenir des relations sexuelles de qualité avec votre partenaire.

C'est important pour que votre ménopause se déroule dans de bonnes conditions.

LES PLANTES QUI SOULAGENT LES TROUBLES DE LA MÉNOPAUSE

Sauge : ses "œstrogènes végétaux" peuvent faire des "miracles" contre vos bouffées de chaleur

Si vous êtes une femme qui souffre de bouffées de chaleur, la sauge (*Salvia lavandulifolia*) est pour vous.

Très populaire dans le midi de la France, un proverbe affirme : "Qui a de la sauge dans son jardin n'a pas besoin de médecin !"

Les vertus de cette plante sont appréciées depuis l'Antiquité.

Pour les femmes, la sauge fait parfois des "miracles". Elle contient en effet des "œstrogènes végétaux" : vos règles deviennent plus régulières, moins douloureuses. Au moment de la ménopause, la sauge diminue les bouffées de chaleur et la transpiration excessive.

Par ailleurs, si vous souffrez de digestion lente, de ballonnements ou de renvois désagréables, la sauge fera de votre digestion un vrai plaisir.

➤ Teinture Mère Sauge : prendre 25 gouttes, 3 fois par jour.

➤ Arkogélules Sauge® (Arkopharma, *non remboursé*) :

prendre 1 gélule, matin, midi et soir, avec un grand verre d'eau, au moment des repas.

Salsepareille : elle soulage les troubles de la ménopause et rend leur vigueur sexuelle aux hommes

La salsepareille (*Smilax medica L.*) est la plante purificatrice de votre corps par excellence. Elle stimule vos défenses immunitaires et nettoie vos tissus. C'est pourquoi, on l'utilise depuis des générations en cas d'état fébrile ou de fièvre.

Si vous avez des problèmes de peau comme le psoriasis ou l'eczéma par exemple, elle favorise la guérison.

Les Sud-Américains l'utilisent comme plante virilisante car la salsepareille combat la fatigue sexuelle chez l'homme. On l'indique aussi pour la femme au début de la ménopause.

➤ Teinture Mère Salsepareille : prendre 30 gouttes, 3 fois par jour.

➤ Arkogélules Salsepareille® (Arkopharma, *non remboursé*) : prendre 1 gélule, matin, midi et soir, avec un grand verre d'eau, au moment des repas.

Alfalfa : elle peut lutter contre tous les problèmes de la ménopause, y compris l'ostéoporose (et elle vous protège aussi de l'athérosclérose !)

Qui imaginerait que la plante préférée des lapins est un trésor de santé ?

L'alfalfa (*Allium sativum L.*), qui est en fait de la luzerne, est très riche en protéines, en acides aminés, en vitamines et en minéraux.

L'alfalfa contient aussi un "œstrogène végétal" qui permet de lutter contre les problèmes de ménopause, et même l'ostéoporose.

Riche en fer, l'alfalfa vous fera le plus grand bien si vous faites de l'anémie ou si vous êtes tout simplement fatigué. Prenez-en aussi si vos cheveux sont ternes ou se cassent facilement ; de même, si vous avez les ongles fragiles.

Enfin, propriété miracle découverte récemment, en prenant régulièrement de l'alfalfa, vous préviendrez l'excès de cholestérol et sa conséquence grave : l'athérosclérose.

> ➤ Teinture Mère Alfalfa : prendre 40 gouttes, 3 fois par jour.

> ➤ Arkogélules Alfalfa® (Arkopharma, *non remboursé*) : prendre 1 gélule, matin, midi et soir, avec un grand verre d'eau, au moment des repas.

Houblon : avec lui, votre ménopause se déroulera plus facilement et vous dormirez mieux

Le houblon (*Humulus lupulus L.*) sert en cas de problèmes féminins tels que les règles douloureuses ou insuffisantes. Il vous aide aussi en cas de troubles de la ménopause dont les bouffées de chaleur notamment.

Il contient en effet une substance qui agit de la même manière que les œstrogènes. Cette plante apporte souvent un réel soulagement aux femmes au moment de la ménopause, car elles souffrent d'un déficit en ces hormones essentielles à la bonne santé des femmes.

Enfin, le houblon vous calme en cas d'anxiété, de nervosité ou de troubles du sommeil.

> ➤ Teinture Mère Houblon : prendre 20 à 30 gouttes, 3 fois par jour.

> ➤ Arkogélules Houblon® (Arkopharma, *non remboursé*) : prendre 2 gélules au repas du soir et au coucher, avec un grand verre d'eau.

LES AUTRES BIOMÉDICAMENTS

Voici quelques biomédicaments composés de plantes calmantes. Sans agir sur la cause de vos troubles, elles sont très utiles, occasionnellement, pour soulager les symptômes désagréables de la ménopause :

➤ Phytocalm® (Upsa, *non remboursé*) : composé de passiflore, d'aubépine, de valériane et de ballote. Chez l'adulte, prendre 3 cuillerées à café par jour, dans un verre d'eau.

➤ Phytoneurol® (Pionneau, *non remboursé*) : composé de passiflore, d'aubépine, de valériane et de ballote. Chez l'adulte, prendre 1 cuillerée à café, 3 fois par jour. En cas de troubles du sommeil, prendre 1 cuillerée à café au coucher.

➤ Calmiflorine® (Diététiques et Santé, *non remboursé*) : composé, entre autres, d'aubépine, de passiflore et de valériane. Prendre 1 à 4 tasses par jour. Préparer une infusion avec 1 sachet-dose pour 1 tasse d'eau bouillante. Laisser infuser 5 à 10 minutes. *Contient de la réglisse : déconseillé aux personnes qui souffrent d'hypertension artérielle.*

➤ Valériane Pachaut® (Richelet, *non remboursé*) : chez l'adulte, prendre 1 à 4 cuillerées à café par jour. Chez l'enfant, prendre 1 à 2 cuillerées à café par jour.

Migraine, céphalée, mal de tête

Que faire quand vos tempes sont serrées comme dans un étau et que le moindre bruit résonne dans votre tête comme un coup de cymbales ?

Il faut bien distinguer entre le banal mal de tête, également appelé "céphalée", et la migraine.

Migraine, mal de tête : quelle est la différence ?

Vous pouvez avoir une céphalée si vous avez une mauvaise digestion, de l'arthrose cervicale, une sinusite, mal aux dents, ou tout simplement si vous êtes contrarié ou stressé.

La migraine, quant à elle, touche plutôt les femmes et n'est douloureuse que d'un seul côté de la tête.

Dans tous les cas, si les douleurs reviennent fréquemment, vous devez en déterminer leur cause.

Prenez votre tension artérielle ou faites-la prendre par votre médecin : l'hypertension cause souvent des maux de tête.

Si, malgré tout, vos maux de tête persistent, il est plus prudent de consulter votre médecin. Ces douleurs peuvent en effet cacher une grave affection.

LES PLANTES QUI COMBATTENT LA MIGRAINE

Partenelle ou Grande Camomille : comment avoir des migraines moins fortes et moins fréquentes

Le secret "anti-migraine" de la partenelle (*Tanacetum parthenium*), également connue sous le nom de grande camomille, se trouve dans un de ses composants : le parthénolide.

On sait aujourd'hui que les crises migraineuses trouvent leur origine dans la libération dans l'organisme de sérotonine. Cette substance, dont la production est favorisée par votre cycle menstruel, le stress, une émotion ou l'absorption d'un aliment, provoque des dilatations et des contractions répétées de vos artères cérébrales. Ce sont ces dilatations et contractions qui provoquent les douleurs que vous connaissez.

Le parthénolide empêche simplement la libération de sérotonine et son cortège d'effets douloureux.

Grâce à la partenelle, vous pouvez réduire vos migraines : vous en aurez moins souvent, et elles seront moins fortes. Un traitement de 3 mois est généralement optimal pour obtenir des effets probants.

Toutefois, la partenelle est contre-indiquée si vous êtes enceinte.

➤ Poudre de Partenelle ou Grande Camomille : prendre 300 à 600 mg, plusieurs fois par jour. *Ne pas utiliser chez la femme enceinte.*

➤ Arkogélules Partenelle® (Arkopharma, *non remboursé*) : 1 gélule matin, midi et soir, à prendre avec un grand verre d'eau au moment des repas. *Ne pas utiliser chez la femme enceinte.*

➤ Élusanes Grande Camomille® (Plantes et Médecines, *non remboursé*) : prendre 1 gélule, matin et soir, au cours des repas, avec un verre d'eau.

➤ Dologyne® (Arkopharma, *non remboursé*) : composé de grande camomille et d'armoise. Prendre 2 gélules, 2 fois par jour, avec un grand verre d'eau, avant les repas.

Saule blanc : cette plante est tout simplement de l'aspirine naturelle, sans effets secondaires !

Le saule blanc (*Salix alba L.*) est excellent en cas de maux de tête.

Riche en acide salicylique, cette plante agit de la même manière que de l'aspirine. Il s'agit cependant d'une aspirine naturelle, sans effets secondaires.

Le saule blanc aide aussi à faire tomber la fièvre : il sera donc d'un grand secours en cas de maladie infectieuse telle qu'une grippe ou un refroidissement.

➤ Teinture Mère Saule blanc : prendre 40 gouttes, 3 fois par jour.

➤ Arkogélules Saule blanc® (Arkopharma, *non rembour-sé*) : 1 gélule matin, midi et soir, à prendre dans un grand verre d'eau, au moment des repas.

LES AUTRES BIOMÉDICAMENTS

Même s'ils ne se manifestent pas après les repas, certains maux de tête ont une origine digestive. Si vous pensez être dans ce cas, les biomédicaments suivants, en stimulant vos fonctions digestives, pourraient bien les faire disparaître rapidement :

➤ Teinture Mère Fumeterre : prendre 30 gouttes, 3 fois par jour.

➤ Arkogélules Fumeterre® (Arkopharma, *non rembour-sé*) : prendre 1 gélule, matin, midi et soir, avec un grand verre d'eau, avant les repas.

➤ Teinture Mère Aubier de tilleul : prendre 30 à 40 gout-tes, 3 fois par jour.

➤ Arkogélules Aubier de tilleul® (Arkopharma, *non rem-boursé*) : prendre 1 gélule, matin, midi et soir, avec un grand verre d'eau, avant les repas.

Nervosité, stress, anxiété, angoisses, peurs, trac

Être angoissé, nerveux, inquiet à l'approche d'un examen,

ou parce que votre compte en banque est à découvert, est quelque chose de naturel.

Mais parfois, cette nervosité prend des proportions bien trop grandes, à tel point que l'anxiété, le trac modifient votre comportement.

Ainsi, certaines personnes, pourtant de valeur, paniquent dès qu'elles sont en face d'un examinateur et voient ainsi leur carrière ralentie ou entravée. C'est bien regrettable car, après tout, votre patron ou votre professeur sont des hommes ou des femmes comme les autres, et vous n'avez aucune raison d'éprouver une quelconque angoisse face à eux.

Voici comment votre nervosité n'empoisonnera plus votre vie sentimentale ou professionnelle

Ces mêmes peurs peuvent aussi empoisonner votre vie sentimentale. Si vous ne parvenez pas à déclarer votre flamme à celle que vous aimez, comment connaîtra-t-elle vos sentiments et comment pourra-t-elle y répondre ?

Contre les angoisses chroniques, permanentes, vous devez envisager de modifier votre mode de vie. Faites du sport, en pratiquant la natation, par exemple. Les douches (assez froides, si vous le supportez et sans attraper de mal !) donnent aussi de très bons résultats.

Contre un stress passager, justifié par un examen, un entretien d'embauche ou une préoccupation personnelle, les plantes peuvent vous aider à retrouver le calme et la sérénité que vous recherchez, sans créer l'accoutumance et les effets secondaires des médicaments chimiques.

LES PLANTES ANTI-NERVOSITÉ, ANTI-STRESS, ANTI-TRAC, ETC.

Aubépine : la meilleure solution si le trac fait battre votre cœur à tout rompre

Si vous êtes anxieux, nerveux, si vous dormez mal, l'aubépine *(Crataegus laevigata)* vous aidera à faire disparaître ces troubles.

Si vous avez des palpitations, l'aubépine peut les réduire. Si vous "sentez" en permanence les battements de votre cœur, l'aubépine vous aidera. C'est une grande amie de votre cœur. Elle ralentit votre cœur quand il bat trop vite ; elle l'accélère quand il bat trop lentement.

Et l'aubépine peut même être donnée aux enfants.

Cette plante ne crée aucune accoutumance et n'a pas d'effets secondaires. On l'utilise même parfois pour remplacer les benzodiazépines ou d'autres anxiolytiques chimiques.

L'aubépine est souvent associée à la valériane et/ou à la passiflore, deux plantes calmantes agissant d'une manière similaire. Ces trois plantes combinent leurs vertus très efficacement et, bien souvent, règlent en même temps problèmes de nervosité et d'insomnie.

➤ Tranquital® (Novartis Santé Familiale, *remboursé*) : composé d'aubépine et de valériane. Chez l'adulte, prendre 4 à 6 comprimés par jour.

➤ Spasmine Jolly® (Jolly-Jatel, *remboursé*) : composé d'aubépine et de valériane. Chez l'adulte, prendre 1 à 2 comprimés, 3 fois par jour. En cas de troubles du sommeil, prendre 2 à 4 comprimés au coucher. Chez l'enfant, prendre 1 à 3 comprimés par jour.

➤ Neuroflorine® (Fuca, *non remboursé*) : composé d'aubépine, de valériane et de passiflore. Chez l'adulte, prendre 2 ou 3 comprimés avec un verre d'eau, ou 1 ou 2 cuillerées à café, avant les repas. En cas de troubles du sommeil, prendre 4 à 6 comprimés ou 2 ou 3 cuillerées à café, 1 heure environ avant de vous coucher. Chez l'enfant de plus de 6 ans, prendre 1 à 3 comprimés ou 1 à 3 cuillerées à café par jour.

➤ Phytocalm® (Upsa, *non remboursé*) : composé d'aubépine, de valériane, de passiflore et de ballote. Chez l'adulte et l'enfant de plus de 13 ans, prendre 3 cuillerées à café de solution buvable par jour.

➤ Phytoneurol® (Pionneau, *non remboursé*) : composé notamment d'aubépine, de valériane et de passiflore. Prendre 1 cuillerée à café, 3 fois par jour. En cas de troubles du sommeil, prendre 1 cuillerée à café au coucher.

➤ Passinévryl® (Thera France, *non remboursé*) : composé notamment d'aubépine, de valériane et de passiflore. Chez l'adulte, prendre 2 comprimés, 3 fois par jour.

➤ Teinture Mère Aubépine : prendre 30 gouttes, 3 fois par jour.

➤ Arkogélules Aubépine® (Arkopharma, *non remboursé*) : prendre 1 gélule, matin, midi et soir, avec un grand verre d'eau, au moment des repas.

➤ Élusanes Aubépine® (Plantes et Médecines, *non remboursé*) : prendre 1 gélule, matin et soir, au cours des repas, avec un verre d'eau.

Mélisse : la plante "anti-déprime" qui soulage les angoisses

La mélisse (*Melissa officinalis L.*) vous calme, réduit vos angoisses et votre anxiété. Elle est si efficace qu'elle aide même les personnes déprimées.

Elle vous aide aussi à retrouver une digestion parfaite. Avec elle, crampes d'estomac, spasmes douloureux et colites d'origine nerveuse sont efficacement combattus et souvent vaincus.

➤ Infusion de Mélisse : faire infuser 5 g par litre d'eau.

➤ Arkogélules Mélisse® (Arkopharma, *non remboursé*) : chez l'adulte, prendre 1 gélule, matin, midi et soir, avec un grand verre d'eau, au moment des repas. Chez l'enfant, prendre 2 gélules par jour.

➤ Natura Medica Mélisse® (Dolisos, *non remboursé*) : prendre 1 ampoule, 2 fois par jour, dans un verre d'eau, au cours des repas. *Ne pas utiliser chez l'enfant.*

Ballote : réduisez, en douceur, nervosité et déprime...

Si vous dormez mal pour cause d'anxiété, la ballote (Ballota nigra L.) vous calmera et vous permettra de retrouver un sommeil beaucoup plus serein. Elle est conseillée aux enfants, mais aussi pour remplacer les benzodiazépines, ces calmants chimiques pas toujours dénués d'effets indésirables.

Cette plante apaise aussi les quintes de toux de manière étonnante. Elle est d'ailleurs recommandée surtout pour ses propriétés sédatives et calmantes.

La ballote lutte aussi contre la nervosité et la déprime. Si vous êtes une femme en pleine ménopause, la ballote peut aussi vous aider en cas de troubles nerveux.

Par ailleurs, elle calme les spasmes, favorise votre digestion et combat les vers intestinaux tels que les ascaris ou les oxyures.

➤ Teinture Mère Ballote : prendre 30 gouttes, 3 fois par jour.

➤ Arkogélules Ballote® (Arkopharma, *non remboursé*) :

prendre 1 gélule, matin, midi et soir, avec un grand verre d'eau, au moment des repas.

➤ Natura Medica Ballote® (Dolisos, *non remboursé*) : prendre 1 ampoule, 2 fois par jour, dans un verre d'eau, au cours des repas. *Ne pas utiliser chez l'enfant.*

Houblon : retrouvez un sommeil apaisant et réparateur

Le houblon (*Humulus lupulus L.*) est bien connu, surtout dans le nord de l'Europe, pour favoriser le sommeil, notamment celui des enfants agités.

Si vous êtes anxieux, nerveux, ou si vous êtes déprimé, le houblon vous aidera à retrouver une meilleure humeur. Bien sûr, il vous permettra aussi de jouir d'un sommeil à la fois apaisant et réparateur.

Cette plante, on vient de le découvrir, lutte aussi contre les problèmes féminins tels que les règles douloureuses ou insuffisantes et les troubles de la ménopause. Elle favorise aussi la montée de lait.

➤ Teinture Mère Houblon : prendre 20 à 30 gouttes, 3 fois par jour.

➤ Arkogélules Houblon® (Arkopharma, *non remboursé*) : prendre 2 gélules au repas du soir et au coucher, avec un grand verre d'eau.

Coquelicot : cette belle fleur vous aide à mieux dormir et calme vos palpitations

Le coquelicot (*Papaver rhoeas L.*) n'est pas seulement cette belle fleur de couleur rouge qui perd ses pétales quand on la cueille.

Cette plante est avant tout un remède de grande qualité

contre les problèmes d'insomnie, en particulier si vous êtes émotif, anxieux, sensible, etc.

Le coquelicot, contrairement à tant de remèdes chimiques, ne crée aucune accoutumance. Cela fait de lui un remède que l'on n'hésite pas à donner, même aux enfants et aux personnes âgées.

Par ailleurs, si vous toussez, le coquelicot adoucit votre gorge et apaise les irritations. Et en plus, le coquelicot calme les palpitations cardiaques.

➤ Teinture Mère Coquelicot : prendre 25 gouttes, 3 fois par jour.

➤ Arkogélules Coquelicot® (Arkopharma, *non remboursé*) : chez l'adulte, prendre 2 gélules au repas du soir puis 2 autres, au coucher. Chez l'enfant, prendre 1 gélule au repas du soir puis, 1 autre au coucher.

➤ Nocvalène® (Arkopharma, *non remboursé*) : composé d'aubépine, de coquelicot et de passiflore, il combat la nervosité chez l'adulte et l'enfant. Chez l'adulte, prendre 1 ou 2 gélules par jour. Chez l'enfant, demander conseil à votre médecin ou à votre pharmacien.

Nez (Saignement de), épistaxis

Épistaxis : c'est comme cela que l'on appelle le saignement de nez dans les dictionnaires médicaux.

Un coup sur le nez, un gros rhume, l'habitude de se moucher "trop fort" peuvent provoquer cet écoulement de sang.

Un truc d'expert pour arrêter très vite un saignement de nez

Ne paniquez pas. Introduisez un petit morceau de coton

dans votre narine. Prenez une poche de glace (ou mettez quelques glaçons dans un sac plastique) et appliquez-la sur votre nuque.

C'est un truc qui marche très bien. Le froid a en effet une action sur les vaisseaux sanguins qui se resserrent. Par contre, il est inutile de pencher la tête en arrière. Le saignement doit s'arrêter en quelques minutes.

Ce truc est très utile pour les enfants qui aiment bien "mettre leur doigt dans le nez" et qui, par conséquent, saignent de temps en temps.

Les saignements de nez trop fréquents peuvent cacher un problème plus sérieux. Dans ce cas, consultez votre médecin.

LES PLANTES QUI ARRÊTENT LES SAIGNEMENTS DE NEZ

Chardon-Marie : pour tous ceux qui saignent souvent du nez

Le chardon-Marie (*Silybum marianum L.*) est une excellente plante hémostatique ; en d'autres termes, elle arrête les écoulements de sang.

C'est d'ailleurs pour cela qu'on le recommande aux personnes qui saignent souvent du nez.

Par ailleurs, si vous avez des règles trop abondantes, le chardon-Marie vous rendra de grands services aussi.

Le chardon-Marie possède un pouvoir extraordinaire : celui de reconstruire votre foie. Cette plante est utilisée contre les cirrhoses et les hépatites, dont elle favorise et accélère la guérison.

Le chardon-Marie est aussi un excellent "reconstructeur" du foie, en cas de foie paresseux, de constipation, de jaunisse, et même de cirrhose.

➤ Teinture Mère Chardon-Marie : prendre 30 gouttes, 3 fois par jour.

➤ Arkogélules Chardon-Marie® (Arkopharma, *non remboursé*) : prendre 1 gélule, matin, midi et soir, avec un grand verre d'eau, au moment des repas.

Hamamélis, mélilot : ils renforcent vos petits vaisseaux et réduisent les risques de nouveaux saignements

Si vous saignez facilement du nez, c'est que vos petits vaisseaux sanguins sont fragiles. Il convient donc de les renforcer pour prévenir de nouveaux saignements.

L'hamamélis (*Hamamelis virginiana L.*) et le mélilot (*Melilotus officinalis L.*) renforcent vos capillaires, réduisant ainsi les risques de saignements.

Vous pouvez essayer l'un ou l'autre, au choix.

➤ Teinture Mère Mélilot : prendre 35 gouttes, 3 fois par jour.

➤ Arkogélules Mélilot® (Arkopharma, *non remboursé*) : prendre 1 gélule, matin, midi et soir, avec un grand verre d'eau, au moment des repas. Vous pouvez prendre jusqu'à 5 gélules par jour.

➤ Teinture Mère Hamamélis : prendre 30 gouttes, 3 fois par jour.

➤ Arkogélules Hamamélis® (Arkopharma, *non remboursé*) : prendre 1 gélule, matin, midi et soir, avec un grand verre d'eau, au moment des repas.

Œdème, rétention d'eau

Un œdème est une infiltration de liquide dans les tissus de votre corps. Certains sont bénins, d'autres graves.

⬩ L'œdème pulmonaire (vous avez de plus en plus de mal à respirer et vous crachez des sécrétions couleur saumon) et l'œdème de Quincke (réaction allergique qui provoque le gonflement de votre gorge et de votre visage) sont des œdèmes graves pour lesquels vous devez appeler une ambulance de toute urgence.

En cas d'œdème bénin, vous devez éliminer le sel (pensez à manger du pain sans sel) et boire peu.

LES PLANTES QUI SOIGNENT L'ŒDÈME

Ananas : une puissante plante pour résorber les œdèmes bénins

L'ananas (*Ananas comosus L.*) est une puissante plante "anti-œdème".

Sa tige contient en effet de la bromélaïne, très efficace contre les œdèmes localisés ainsi que contre l'inflammation.

L'ananas rend aussi de grands services en cas de traumatismes tels que foulure, entorse, hématome, etc., car il réduit l'inflammation.

La bromélaïne sert enfin à favoriser la dissolution des capitons graisseux (la fameuse "peau d'orange"), propres à la cellulite.

➤ Arkogélules Ananas® (Arkopharma, *non remboursé*) : prendre 3 gélules par jour, entre les repas.

➤ Extranase® (Rottapharm, *remboursé*) : composé de bromélaïnes extraites de l'ananas. Chez l'adulte, prendre

3 comprimés, 3 fois par jour, avec un peu d'eau ; chez l'enfant de 6 à 15 ans, réduire à 1 comprimé seulement, 3 fois par jour. *Ne pas utiliser chez l'enfant de moins de 6 ans.*

Bouleau : voici quoi faire si vous faites de la rétention d'eau à l'approche de vos règles

Le bouleau (*Betula pendula L.*) lutte efficacement contre la rétention d'eau et les œdèmes.

En cas de syndrome prémenstruel, qui provoque fréquemment ces deux problèmes de santé, le bouleau pourra aussi vous aider.

Si vous souffrez de la goutte ou d'un excès d'acide urique, voici une plante qui facilite l'élimination de l'acide urique et des chlorures. Elle est donc très utile pour prévenir les récidives des attaques de goutte.

Le bouleau vous aidera aussi à ne plus souffrir de calculs urinaires, car il prévient leur formation.

➤ Teinture Mère Bouleau : prendre 40 gouttes, 3 fois par jour.

➤ Arkogélules Bouleau® (Arkopharma, *non remboursé*) : prendre 2 gélules au petit déjeuner et au déjeuner.

LES AUTRES BIOMÉDICAMENTS

Beaucoup d'autres plantes, notamment **la piloselle, la reine-des-prés, la busserole, les queues de cerises,** favorisent l'élimination de l'eau et la disparition des œdèmes :

➤ Teinture Mère Piloselle : prendre 50 gouttes, 3 fois par jour.

➤ Arkogélules Piloselle® (Arkopharma, *non remboursé*) : prendre 2 gélules au petit déjeuner et au déjeuner.

➤ Pilosuryl® (Pierre Fabre Santé, *remboursé*) : composé de piloselle. Prendre 2 à 3 cuillerées à café, dans un verre d'eau, avant les repas de midi et du soir.

➤ Teinture Mère Reine-des-prés : prendre 40 gouttes, 3 fois par jour.

➤ Arkogélules Reine-des-prés® (Arkopharma, *non remboursé*) : prendre 1 gélule, matin, midi et soir, avec un grand verre d'eau, au moment des repas.

➤ Médiflor Tisane Diurétique N° 4® (Monot, *non remboursé*) : composé de frêne et de reine-des-prés notamment. Boire 1 tasse d'infusion, le matin à jeun et à la fin des repas de midi et du soir.

➤ Arkogélules Queues de cerise® (Arkopharma, *non remboursé*) : prendre 2 gélules, matin et midi.

➤ Paliuryl® (Richelet, *remboursé*) : composé de paliure. Boire 30 gouttes, diluées dans un verre d'eau, 20 minutes avant les repas, 3 fois par jour.

➤ Lespénéphryl® (Darcy, *non remboursé*) : composé de *Lespedeza capitata*. Prendre 1 à 4 cuillerées à café de solution buvable par jour, dans un verre d'eau, avant les repas.

➤ Élusanes Busserole® (Plantes et Médecines, *non remboursé*) : prendre 1 gélule, matin et soir, au cours des repas, avec un verre d'eau.

Ongles fragiles, cassants

Vos ongles, comme vos cheveux, sont le reflet de votre état général.

S'ils se cassent facilement, se dédoublent, sont tachés de

338

blanc, vous avez sans doute un problème de santé. Le plus banal est certainement la carence en vitamines. Il est possible d'ailleurs que vous ayez aussi les cheveux fragiles. Vous avez peut-être aussi le foie fatigué ou bien un début de décalcification.

Ce que doit faire toute femme qui veut avoir de beaux ongles, solides comme le roc

Pour les fortifier, recouvrez-les de temps en temps d'huile d'olive ; et, si vous êtes une femme, abstenez-vous pendant quelque temps de les recouvrir de vernis. Ainsi, vous les fortifierez et retrouverez rapidement de beaux ongles, solides.

LES PLANTES QUI RENFORCENT ET EMBELLISSENT VOS ONGLES

Levure de bière : pour tous ceux qui ont les ongles et les cheveux en mauvais état

La levure de bière (*Saccharomyces cerevisiae*) n'est pas une plante, c'est un champignon microscopique, très riche en vitamines et minéraux.

La liste de ses bienfaits est innombrable : elle stimule vos défenses naturelles, vous protégeant mieux des infections hivernales ; elle reconstitue votre flore intestinale en cas de diarrhée ou de constipation ; elle vous rend moins vulnérable à la fatigue et vous donne du tonus ; elle soigne un grand nombre de problèmes de peau.

Si votre peau est sèche ou terne, si vos cheveux ou vos ongles se cassent facilement, la levure de bière peut sûrement beaucoup pour vous.

➤ Arkogélules Levure de bière revivifiable® (Arkopharma, *non remboursé*) : prendre 1 gélule, matin, midi et soir, avec un grand verre d'eau, avant les repas.

➤ Élusanes Levure de bière® (Plantes et Médecines, *non remboursé*) : 2 gélules, 2 fois par jour, à prendre avec un verre d'eau.

Ortie : grâce à elle, dans 6 mois, vous pouvez avoir des ongles plus solides que jamais

Une cure de feuille d'ortie (*Urtica dioica L.*) ne peut que vous faire du bien si vous souffrez d'ongles ou de cheveux cassants. En 6 mois, vous devriez obtenir un bon résultat, durable.

L'ortie (ou feuille d'ortie) est très riche en vitamines, minéraux, oligo-éléments, acides aminés essentiels, protéines et chlorophylle.

On l'utilise aussi en cas de chute de cheveux.

L'ortie est également très bénéfique en cas de problèmes de peau et d'arthrose.

La feuille d'ortie rend vos cheveux plus solides. S'ils ont tendance à tomber, en les renforçant, elle contribuera à en stopper la chute, et elle peut même aider leur repousse. Vos ongles, qui sont aussi des phanères, seront renforcés de la même manière, surtout s'ils se cassent facilement.

➤ Teinture Mère Ortie : prendre 40 gouttes, 3 fois par jour.

➤ Arkogélules Ortie® (Arkopharma, *non remboursé*) : 1 gélule matin, midi et soir, à prendre avec un grand verre d'eau, avant les repas.

➤ Élusanes Ortie® (Plantes et Médecines, *non remboursé*) : prendre 1 gélule, matin et soir, au cours des repas, avec un verre d'eau.

LES AUTRES BIOMÉDICAMENTS

L'alfalfa, la prêle et le bambou sont d'excellents reminéralisants qui peuvent aussi vous redonner des ongles très solides :

➤ Teinture Mère Alfalfa : prendre 40 gouttes, 3 fois par jour.

➤ Arkogélules Alfalfa® (Arkopharma, *non remboursé*) : prendre 1 gélule, matin, midi et soir, avec un grand verre d'eau, au moment des repas.

➤ Teinture Mère Prêle : prendre 2 cuillerées à café, 3 fois par jour.

➤ Arkogélules Prêle® (Arkopharma, *non remboursé*) : prendre 1 gélule, matin, midi et soir, avec un grand verre d'eau, au moment des repas.

➤ Arkogélules Bambou® (Arkopharma, *non remboursé*) : prendre 1 gélule, matin, midi et soir, avec un grand verre d'eau, au moment des repas.

Ostéoporose, décalcification, déminéralisation

L'ostéoporose peut-elle être évitée ?

Cette maladie, qui touche surtout les femmes, consiste en une diminution de la masse osseuse du squelette. Vos os deviennent plus fragiles. Ils se cassent plus facilement.

La solution la plus efficace pour ne jamais souffrir d'ostéoporose, ni des douloureuses fractures qu'elle provoque souvent

On peut lutter contre l'ostéoporose, mais il faut le faire tôt.

Dès l'adolescence, les jeunes filles doivent pratiquer une

activité physique et bien se nourrir pour se constituer un squelette fort qui résistera à l'injure du temps.

À cet égard, de nombreux médecins affirment que la recherche de la minceur à tout prix à cet âge-là (et la "minceur" est souvent de la maigreur chez les jeunes filles d'aujourd'hui !) est dangereuse pour la santé future.

Si vous êtes à l'âge de la ménopause, vous pouvez tout de même réduire les risques d'ostéoporose. Faites de l'exercice, modérément mais avec régularité. Mangez des aliments riches en calcium.

LES PLANTES QUI RENFORCENT VOS OS ET LES RENDENT PLUS SOLIDES

Prêle : en cas de fracture, elle vous aide à guérir plus vite

Contre les douleurs articulaires, telles que les rhumatismes ou l'arthrose, la prêle (*Equisetum arvense L.*) fait merveille. C'est une plante reminéralisante d'une grande efficacité : elle favorise la "reconstruction" de vos cartilages usés.

Sous l'action de la prêle, vos tendons deviennent plus souples. Si vous faites du sport, elle vous protégera contre les tendinites. Si vous avez déjà une tendinite, elle accélérera votre guérison.

Riche en silice, la prêle compense les carences en silicium qui sont d'autant plus fréquentes que votre âge augmente.

En cas de fracture, la prêle favorise la consolidation et accélère la guérison.

Des cures de prêle peuvent vous aider à garder et même à retrouver des os en excellente santé.

➤ Teinture Mère Prêle : prendre 2 cuillerées à café, 3 fois par jour.

➤ Arkogélules Prêle® (Arkopharma, *non remboursé*) : prendre 1 gélule, matin, midi et soir, avec un grand verre d'eau, au moment des repas.

➤ Élusanes Prêle® (Plantes et Médecines, *non remboursé*) : prendre 1 gélule, matin et soir, au cours des repas, avec un verre d'eau.

Alfalfa : ses "œstrogènes végétaux" renforcent les os des femmes

L'alfalfa (*Allium sativum L.*), qui est le nom savant de la luzerne, est une plante qui aime les femmes.

Elle contient un "œstrogène végétal" qui aide à lutter contre les troubles de la ménopause, notamment l'ostéoporose.

Par ailleurs, cette merveilleuse plante, très riche en protéines, acides aminés, vitamines et minéraux, rend les cheveux plus brillants et les ongles plus solides. De plus, on a découvert récemment qu'elle prévenait l'excès de cholestérol et l'athérosclérose.

➤ Teinture Mère Alfalfa : prendre 40 gouttes, 3 fois par jour.

➤ Arkogélules Alfalfa® (Arkopharma, *non remboursé*) : prendre 1 gélule, matin, midi et soir, avec un grand verre d'eau, au moment des repas.

Bambou : il rend des services prodigieux aux femmes qui craignent l'ostéoporose

Le bambou (*Bambousa arundinacea*) est un roseau très riche en silice. Grâce à lui, vos os et votre tissu conjonctif produisent davantage de collagène et favorisent la reconstruction de vos cartilages abîmés.

C'est une plante "miracle" en cas de problèmes articulaires, car elle a un effet reminéralisant. Elle rend aussi des services prodigieux aux femmes au moment de la ménopause, car elle aide à combattre plus efficacement l'ostéoporose.

Si vous avez mal au dos, le bambou est sans doute indiqué car les douleurs au dos sont souvent d'origine articulaire, et la haute teneur du bambou en silice ne peut que vous faire grand bien.

Le bambou aidera enfin tous ceux qui souffrent d'une fracture et ont besoin d'un bon reminéralisant pour aider la reconstruction de leurs os brisés.

➤ Arkogélules Bambou® (Arkopharma, *non remboursé*) : prendre 1 gélule, matin, midi et soir, avec un grand verre d'eau, au moment des repas.

Lithothame : cette algue vous aide à lutter plus efficacement contre l'ostéoporose

L'excès d'acidité est aussi en cause dans de nombreux problèmes tels que l'ostéoporose, l'arthrose, les rhumatismes, l'arthrite, les tendinites, les crampes, les gingivites, les sciatiques, la fatigue chronique, etc.

Le lithothame (*Lithothamnium calcareum*) est une algue. C'est un puissant anti-acide. Il vous aidera à retrouver un bon équilibre acido-basique. Cela devrait contribuer à lutter contre l'ostéoporose plus efficacement.

Si vous prenez de la cortisone ou des anti-inflammatoires, le lithothame protégera votre estomac des effets néfastes de ces médicaments.

➤ Arkogélules Lithothame® (Arkopharma, *non remboursé*) : prendre 1 gélule, matin, midi et soir, avec un grand verre d'eau, au moment des repas.

Huile de foie de morue : protégez vos os et conservez toute votre vie un squelette solide

L'huile de foie de morue, malgré son goût horrible, favorise la croissance et la construction d'os solides.

Grâce à la vitamine D qu'elle contient, le calcium est mieux assimilé, et les os deviennent plus forts.

L'huile de foie de morue est recommandée pour lutter contre l'ostéoporose. Car, en matière d'os, ce qui est bon pour les enfants l'est aussi pour les personnes plus âgées qui doivent conserver un squelette solide quand la vieillesse approche.

L'huile de foie de morue sert aussi en cas de fracture pour favoriser la consolidation : c'est vraiment une merveille de santé.

➤ Arkogélules Huile de foie de morue® (Arkopharma, *non remboursé*) : chez l'adulte, prendre 4 à 6 gélules par jour. Chez l'enfant de 10 à 15 ans, prendre 4 gélules par jour. Chez l'enfant de moins de 10 ans, prendre 1 ou 2 gélules par jour.

UN AUTRE BIOMÉDICAMENT

En cas de douleurs articulaires, le remède suivant pourra vous soulager :

➤ Rumafit® (Arkopharma, *non remboursé*) : composé d'harpagophytum, cassis et reine-des-prés. Prendre 1 sachet, au cours du repas de midi, dans un verre d'eau.

Palpitations

Tout à coup, votre cœur s'emballe, il bat à tout rompre. Vous avez du mal à respirer. Puis il se calme, votre souffle redevient normal, et tout rentre dans l'ordre.

Vous avez des palpitations. Cela peut arriver à l'occasion d'une contrariété, une peur, un chagrin, une émotion en général.

Les 3 meilleurs remèdes (sans médicament !) contre les palpitations occasionnelles

Ce trouble est bénin à condition qu'il soit rare. Si les palpitations deviennent fréquentes, vous devez consulter votre médecin qui recherchera une éventuelle maladie cardiaque.

Pour calmer des palpitations occasionnelles, dues au stress par exemple, l'idéal est de prendre des vacances, de revoir vos habitudes alimentaires (supprimez alcool, café et tabac) et de pratiquer un peu de relaxation.

Prenez la vie du bon côté. Se faire du souci n'a jamais résolu aucun problème.

LES PLANTES QUI CALMENT LES PALPITATIONS

Aubépine : elle ralentit votre cœur quand il bat trop vite

L'aubépine (*Crataegus laevigata*) lutte efficacement contre les palpitations.

Si vous êtes anxieux et "sentez" en permanence les battements de votre cœur, l'aubépine vous aidera.

L'aubépine ralentit votre cœur, s'il bat trop vite, et l'accélère, s'il bat trop lentement. Elle soulage votre cœur, dilate vos artères coronaires et prévient les crises d'angine de poitrine.

Cette plante fait aussi baisser votre tension artérielle, si elle est trop élevée.

De plus, grâce à l'aubépine, vous dormirez mieux, sans besoin de prendre des somnifères chimiques aux effets secondaires parfois dangereux.

➤ Teinture Mère Aubépine : prendre 30 gouttes, 3 fois par jour.

➤ Arkogélules Aubépine® (Arkopharma, *non remboursé*) : prendre 1 gélule, matin, midi et soir, avec un grand verre d'eau, au moment des repas.

➤ Élusanes Aubépine® (Plantes et Médecines, *non remboursé*) : prendre 1 gélule, matin et soir, au cours des repas, avec un verre d'eau.

➤ Aubenol® (Arkomédica, *non remboursé*) : prendre 20 à 50 gouttes, 2 à 3 fois par jour, diluées dans un peu d'eau, au début des repas.

➤ Aubépine Boiron® (Boiron, *non remboursé*) : prendre 1 gélule, 3 à 6 fois par jour, avec un grand verre d'eau.

➤ Crataegol® (Mercurochrome, *remboursé*) : chez l'adulte, prendre 15 gouttes diluées dans un peu d'eau, 5 fois par jour, en cas de palpitations ; ou 15 gouttes au dîner ou au coucher, en cas de troubles du sommeil. Chez l'enfant, consulter le pharmacien.

Les biomédicaments qui suivent sont tous composés d'aubépine. Ils contiennent aussi une ou plusieurs autres plantes calmantes, telles que la valériane, la passiflore, la ballote, le coquelicot, le tilleul ou l'eschscholtzia. La plupart sont aussi très utiles en cas de troubles du sommeil (consultez la notice).

- **Composé d'aubépine, de valériane, de passiflore et de ballote** :

  ➤ Phytocalm® (Upsa, *non remboursé*) : chez l'adulte et l'enfant de plus de 13 ans, prendre 3 cuillerées à café par jour, dans un verre d'eau.

- **Composés d'aubépine, de passiflore et de valériane** :

  ➤ Passinévryl® (Thera France, *non remboursé*) : chez l'adulte, prendre 2 comprimés, 3 fois par jour.

  ➤ Phytoneurol® (Pionneau, *non remboursé*) : chez l'adulte, prendre 1 cuillerée à café, 3 fois par jour. En cas de troubles du sommeil, prendre 1 cuillerée à café au coucher.

  ➤ Neuroflorine® (Fuca, *non remboursé*) : chez l'adulte, prendre 2 ou 3 comprimés avec un verre d'eau, ou 1 ou 2 cuillerées à café, avant les repas. En cas de troubles du sommeil, prendre 4 à 6 comprimés ou 2 à 3 cuillerées à café, 1 heure environ avant de vous coucher. Chez l'enfant de plus de 6 ans, prendre 1 à 3 comprimés ou 1 à 3 cuillerées à café par jour.

- **Composés d'aubépine et d'eschscholtzia** notamment :

  ➤ Calmafit® (Arkopharma, *non remboursé*) : chez l'enfant de 10 à 15 ans, prendre 1 ou 2 sachets le matin, en cas de nervosité ; ou le soir, au moment du repas, en cas de troubles du sommeil. Chez l'enfant de 2 à 10 ans, réduire la dose à 1 sachet maximum.

  ➤ Sedalozia® (Plantes Tropicales, *non remboursé*) : chez l'adulte, prendre 3 comprimés, 1 ou 2 fois par jour. Chez l'enfant de plus de 12 ans, prendre 1 à 3 comprimés par jour.

- **Composé d'aubépine et de tilleul** notamment :

348

➤ Noctisan® (Dolisos, *non remboursé*) : prendre 1 ou 2 comprimés, avec un verre d'eau, 1 à 3 fois par jour.

● **Composé d'aubépine et de coquelicot** notamment :

➤ Nocvalène® (Arkopharma, *non remboursé*) : chez l'adulte, prendre 1 ou 2 gélules "adulte" le soir, avec un verre d'eau.

Houblon : il a, dans certains cas, le pouvoir de complètement faire disparaître vos palpitations

Le houblon (*Humulus lupulus L.*) sert traditionnellement en cas d'anxiété, de nervosité.

Cette plante est bien connue, surtout dans le nord de l'Europe, pour favoriser le sommeil.

Plus calme, vos palpitations seront atténuées, et peut-être disparaîtront-elles complètement.

➤ Teinture Mère Houblon : prendre 20 à 30 gouttes, 3 fois par jour.

➤ Arkogélules Houblon® (Arkopharma, *non remboursé*) : prendre 2 gélules au repas du soir et au coucher, avec un grand verre d'eau.

Parasites intestinaux, taenia, oxyures, ascaris

Les parasites intestinaux sont de plusieurs sortes, le plus "célèbre" d'entre eux est le fameux "ver solitaire", dont le nom scientifique est taenia solium.

Cette créature loge dans vos intestins et peut mesurer jusqu'à dix mètres de long. Le taenia solium est transmis par la viande de porc mal cuite ; son "cousin", le taenia saginata, est transmis dans les mêmes conditions par la viande de bœuf.

Un jour, constipation, et le lendemain, diarrhée : auriez-vous attrapé le ver solitaire ?

Ces vers, lorsqu'ils sont transmis à l'homme, provoquent des douleurs dans la région de l'abdomen, des vomissements, des nausées. La contamination s'accompagne tantôt de constipation, tantôt de diarrhée.

Si vous souffrez de ces problèmes et retrouvez sur vos sous-vêtements ou dans votre lit, des anneaux détachés de couleur blanche, vous êtes vraisemblablement atteint d'un de ces vers.

Fruits et légumes mal lavés : ce que vous risquez

Les ascaris sont une autre sorte de vers intestinaux. Ils se transmettent par les fruits et légumes ; c'est pourquoi il est toujours très important de bien laver les crudités et d'éplucher les fruits. Les symptômes de la contamination sont similaires à ceux du taenia.

Les oxyures sont d'autres parasites intestinaux. Ils logent dans les replis de l'anus où ils provoquent des démangeaisons. Il est important de bien vous limer les ongles (à ras !) si vous êtes contaminé par ces vilaines petites bestioles.

LES PLANTES QUI COMBATTENT LES VERS INTESTINAUX

Ail : il purifie votre corps et a le pouvoir de tuer les parasites intestinaux

L'ail (*Allium sativum L.*) est une grande plante de santé. On l'utilise depuis l'Antiquité.

C'est notamment un puissant vermifuge, capable de détruire le ver solitaire et les autres parasites intestinaux.

Il nettoie votre corps des produits toxiques que vous ingérez quotidiennement malgré vous, conséquence, hélas inévitable, de notre industrialisation moderne. Additifs et colorants alimentaires, pesticides, engrais sont éliminés plus facilement grâce au concours de l'ail. De même, le plomb et le mercure, métaux lourds néfastes à votre santé, sont plus facilement neutralisés.

L'action purificatrice de l'ail s'étend en outre aux voies digestives. D'une façon générale, l'ail renforce vos défenses immunitaires et vous rend plus fort contre la maladie.

Consommer régulièrement de l'ail améliorera votre circulation sanguine et réduira votre tension artérielle. Il abaisse également le taux de sucre sanguin et joue un rôle efficace contre l'excès de cholestérol.

En outre, il est désormais prouvé que l'ail a le pouvoir de détruire les microbes. C'est aussi un anti-inflammatoire puissant.

Récemment, on a même découvert qu'il augmentait la fertilité des hommes.

➤ Teinture Mère Ail : prendre 40 à 50 gouttes, 3 fois par jour.

➤ Arkogélules Ail® (Arkopharma, *non remboursé*) : 1 gélule matin, midi et soir, à prendre dans un grand verre d'eau, au moment des repas.

➤ Élusanes Ail® (Plantes et Médecines, *non remboursé*) : 1 gélule, 2 fois par jour, à prendre matin et soir, accompagnée d'un grand verre d'eau.

Thym : une excellente façon de réagir en cas de vers intestinaux

Le thym (*Thymus vulgaris L.*) n'est pas seulement une excellente épice, c'est aussi un puissant antiseptique.

Vous pourrez le constater si vous souffrez de vers intestinaux ou de diarrhée.

Le thym est si puissant qu'on pense qu'il peut même détruire le virus de la grippe, ce à quoi les plus puissants antibiotiques ne parviennent pas !

En cas de vers intestinaux, vous pouvez compter sur lui, généralement en association avec l'ail.

➤ Teinture Mère Thym : prendre 40 gouttes, 3 fois par jour.

➤ Arkogélules Thym® (Arkopharma, *non remboursé*) : prendre 1 gélule, matin, midi et soir, avec un grand verre d'eau, avant les repas.

UN AUTRE BIOMÉDICAMENT

Le biomédicament suivant, **composé de semen-contra, de mousse de Corse, de séné et de cascara,** favorise la destruction des oxyures et ascaris et leur élimination. Notez cependant qu'il contient deux laxatifs stimulants (séné et cascara) :

➤ Vermifuge Végétal du Massif de Chartreuse® (Grande Chartreuse, *non remboursé*) : chez l'adulte et l'enfant de plus de 13 ans, prendre 2 cuillerées à soupe par jour pendant 3 jours, le matin à jeun. Renouveler le traitement le cas échéant, 2 ou 3 semaines plus tard.

Peau, beauté de la peau, boutons, peau sèche et terne, vieillissement

Une belle peau, jeune, fraîche, rayonnante, tout le monde en rêve : sans doute vous aussi... Eh bien, c'est possible !

Si le regard est le miroir de l'âme, la peau est celui de votre santé. Il n'est pas rare que les premiers signes d'une maladie se traduisent par un teint terne ou terreux. Au contraire, une belle peau, pleine de vie, signale généralement une santé parfaite.

Voici par quoi commencer pour avoir une peau parfaite

Pour avoir une belle peau, exempte de boutons, rougeurs et autres détails disgracieux, il est important que vous adoptiez une bonne alimentation. Si vous mangez mal, si vous éliminez mal, si vous êtes constipé, l'état de votre peau s'en ressentira probablement.

Buvez beaucoup d'eau, de préférence entre les repas pour éviter les ballonnements. Abreuvez-vous des jus de fruits que vous aimez (et s'il sont frais, c'est-à-dire pressés par vos soins ou bien achetés au rayon frais de votre supermarché, c'est encore mieux !).

Les 5 légumes préférés de votre peau : ils la rendent plus lisse et plus éclatante

Mangez des carottes, du céleri, des épinards, des endives et du persil : ce sont les cinq légumes préférés de votre peau.

Votre peau a aussi besoin d'être bien nettoyée et hydratée. Prenez garde au maquillage qui, en recouvrant votre peau, l'asphyxie peu à peu. Les eaux de toilette, de Cologne et autres parfums, doivent toujours être vaporisés sur vos vêtements plus que sur votre peau.

Le truc qui vous protège d'une allergie au rouge à lèvres

Voici un truc pour éviter une allergie au rouge à lèvres : quand vous en essayez un nouveau, appliquez-le sur votre bras et laissez-le pendant 24 heures. Si une rougeur apparaît, vous avez intérêt à en choisir un autre.

LES PLANTES QUI DONNENT UNE PEAU PARFAITE

Huile de germe de blé : elle est votre meilleure alliée contre la peau sèche

L'huile de germe de blé (*Triticum sativum Lam.*) est connue pour lutter contre l'excès de cholestérol.

Riche en acides gras essentiels et en vitamine E, elle est aussi votre alliée si vous avez la peau sèche. Elle peut aussi vous aider à retarder l'apparition des rides.

> ➤ Arkogélules Huile de germe de blé® (Arkopharma, *non remboursé*) : 2 gélules, matin et soir, avec un grand verre d'eau, au moment des repas.

Levure de bière : elle agit sur votre peau en même temps qu'elle purifie votre corps en profondeur

La levure de bière (*Saccharomyces cerevisiae*) est excellente pour soigner les problèmes de peau : ses composants anti-bactériens, très utiles contre l'acné, agissent aussi en profondeur contre les abcès et les furoncles. Elle est généralement associée à la bardane pour lutter plus efficacement contre ces derniers.

Elle stimule aussi vos défenses naturelles, reconstitue

votre flore intestinale, vous rend moins vulnérable à la fatigue et vous donne du tonus : et comme vous le savez, meilleure est votre santé, plus belle est votre peau.

Si votre peau est sèche ou terne, si vos cheveux ou vos ongles se cassent facilement, la levure de bière peut sûrement beaucoup pour vous.

➤ Arkogélules Levure de bière revivifiable® (Arkopharma, *non remboursé*) : 1 gélule matin, midi et soir, à prendre avec un grand verre d'eau, avant les repas.

➤ Élusanes Levure de bière® (Plantes et Médecines, *non remboursé*) : 2 gélules, 2 fois par jour, à prendre avec un verre d'eau.

Huile de bourrache : elle ralentit le vieillissement de votre peau et combat les rides

L'huile de bourrache (*Borago officinalis L.*) contient deux merveilleux composants : deux acides gras polyinsaturés qui ralentissent le vieillissement de votre peau, favorisent l'hydratation de votre peau et luttent contre la formation des rides.

Pour garder plus longtemps que les autres une belle peau, dépourvue de rides et bien hydratée, l'huile de bourrache est tout indiquée.

Si vous avez déjà des rides, la peau sèche, ou même des vergetures, l'huile de bourrache vous apportera sans doute un amélioration notable. Votre peau sera plus souple, plus résistante. Même vos ongles et vos cheveux seront renforcés par une cure de bourrache.

➤ Teinture Mère Bourrache : prendre 30 gouttes, 3 fois par jour.

➤ Arkogélules Huile de bourrache (Arkopharma, *non remboursé*) : prendre 1 ou 2 gélules, matin et soir.

Pensée sauvage : elle favorise la disparition de nombreux problèmes de peau tels que démangeaisons, eczéma, acné, urticaire, psoriasis...

On l'appelle aussi la "violette des champs". Plante bienfaitrice de votre peau, la pensée sauvage (*Viola tricolor L.*) la nettoie, favorise l'élimination des impuretés et accélère la cicatrisation.

En stimulant vos fonctions d'élimination, ainsi qu'en vous apportant de la vitamine E, elle favorise la disparition de nombreux problèmes de peau : eczéma, acné, démangeaisons, urticaire, psoriasis. Elle vous sera aussi très utile si vous souffrez d'herpès.

Vous pouvez compter sur elle si vous souffrez d'une acné modérée ou si vous avez la peau grasse. Les tanins qu'elle vous transmet réduisent en effet la sécrétion de sébum et luttent ainsi contre l'acné.

Par ailleurs, comme les boutons sont en général causés par une élimination insuffisante des toxines, la pensée sauvage est tout indiquée : elle contribue à l'expulsion des toxines par les reins et le foie. Elle favorise également votre transit intestinal. Ainsi, en urinant mieux et en allant plus facilement à la selle, vous désintoxiquez votre organisme et facilitez la disparition définitive de vos boutons.

Riche en vitamine E aux remarquables propriétés antioxydantes, la pensée sauvage est souvent recommandée en cure de printemps.

➤ Teinture Mère Pensée sauvage : prendre 50 gouttes, 3 fois par jour.

➤ Arkogélules Pensée sauvage® (Arkopharma, *non remboursé*) : 1 gélule matin, midi et soir, à prendre avec un grand verre d'eau, au moment des repas.

➤ Élusanes Pensée sauvage® (Plantes et Médecines, *non*

remboursé) : 1 gélule, matin et soir, à prendre avec un grand verre d'eau.

LES AUTRES BIOMÉDICAMENTS

- **La bardane** rend votre peau plus nette. Elle est très efficace contre l'acné, les furoncles et l'eczéma :
  - ➤ Teinture Mère Bardane : prendre 40 à 50 gouttes, 3 fois par jour.
  - ➤ Élusanes Bardane® (Plantes et Médecines, *non remboursé*) : prendre 1 gélule, matin et soir, au cours des repas, avec un verre d'eau.
  - ➤ Effidose Bardane® (Chefaro-Ardeval, *non remboursé*) : prendre 1 récipient unidose par jour, dilué dans un demi-verre d'eau. *Ne pas utiliser chez l'enfant de moins de 15 ans.*

- En cas de brûlure, **le calendula** est souverain pour soulager la douleur et calmer les démangeaisons :
  - ➤ Pommade au Calendula LHF® (Boiron, *remboursé*) : appliquer la pommade.
  - ➤ Crème au Calendula® (Boiron, *non remboursé*) : appliquer 2 fois par jour, après avoir soigneusement nettoyé la zone à traiter.

- **La Centella asiatica** accélère la cicatrisation et traite en douceur les ulcérations de la peau :
  - ➤ Madécassol Comprimé® (Roche Nicholas, *remboursé*) : chez l'adulte, prendre 1 ou 2 comprimés, 3 fois par jour, avec un verre d'eau, pendant les repas. Chez l'enfant, réduire à 1 à 3 comprimés par jour.
  - ➤ Madécassol Poudre et Crème® (Roche Nicholas, *remboursé*) : appliquer 1 à 2 fois par jour.

Pertes blanches, leucorrhées

Les pertes blanches, appelées aussi leucorrhées, sont un écoulement vaginal. Un liquide clair, parfois purulent, est sécrété dans le vagin, sans raison apparente.

En général, les lèvres sont enflammées. Les femmes qui en souffrent se plaignent aussi de douleurs du bas-ventre.

Écoulements vaginaux : comment savoir s'ils sont le signe d'une infection

Certains écoulements, même abondants, sont normaux. Mais lorsque l'écoulement est de couleur jaunâtre ou verdâtre, vous devez vous demander si vous n'avez pas une infection, surtout si les sécrétions ont une odeur désagréable et que vous ressentez des démangeaisons.

Comme pour tout problème gynécologique, il est prudent de consulter un médecin.

Pertes blanches : ce que vous devez faire et ce que vous devez éviter

En attendant son diagnostic, vous pouvez prendre un bain de siège.

Et surtout, abstenez-vous de rapports sexuels, même avec préservatif : ce n'est pas le moment d'aggraver votre problème ou, pire, de contaminer votre partenaire avec une éventuelle maladie sexuellement transmissible.

LA PLANTE QUI SOULAGE LES PERTES BLANCHES

Lamier blanc : il réduit pertes blanches et saignements vaginaux

Le lamier blanc (*Lamium album L.*) est aussi connu sous le nom d'ortie blanche.

Il joue un rôle très efficace en cas de pertes blanches et de saignements intervenant entre les règles ou chez les femmes ménopausées.

Il aide aussi vos reins à mieux éliminer l'acide urique. Excellent remède naturel contre la goutte, il est évidemment très efficace pour empêcher son apparition.

➤ Teinture Mère Lamier blanc : prendre 40 gouttes, 3 fois par jour.

➤ Arkogélules Lamier blanc® (Arkopharma, *non remboursé*) : prendre 1 gélule, matin, midi et soir, avec un grand verre d'eau, au moment des repas.

Phlébite (Risque de)

On reconnaît généralement la phlébite aux violentes douleurs localisées dans les jambes. Elle est causée par l'inflammation d'une veine malade, voire par son obstruction par un caillot de sang.

C'est un problème grave : il existe, en cas de phlébite, un risque d'embolie pulmonaire, qui peut entraîner la mort. Vous devez donc consulter un médecin d'urgence.

Attention ! Masser la jambe atteinte peut être dangereux

Masser la jambe est dangereux. Si un caillot obstrue la veine, le massage pourrait le libérer, lui ouvrant ainsi libre passage jusqu'au cœur, avec les conséquences gravissimes indiquées plus haut.

Si la phlébite est consécutive à un problème de varices, il conviendra de suivre un traitement approprié pour le résoudre.

LES PLANTES QUI VOUS PROTÈGENT DES PHLÉBITES

Mélilot : il contient un anti-coagulant qui réduit les risques de caillot

Si vous êtes sujet aux phlébites, le mélilot (*Melilotus offici-nalis L.*) est peut-être la plante que vous attendiez depuis longtemps.

Cette plante contient en effet un anti-coagulant léger qui rend votre sang plus fluide et vous protège des phlébites. En cas de varices, le mélilot qui renforce vos veines est également très appréciable. De plus, il lutte contre l'inflammation et l'œdème.

Si vos vaisseaux cutanés sont fragiles, s'ils se rompent facilement, vous devriez peut-être essayer le mélilot.

Par ailleurs, le mélilot calme les maux de ventre liés à la digestion.

➤ Teinture Mère Mélilot : prendre 35 gouttes, 3 fois par jour.

➤ Arkogélules Mélilot® (Arkopharma, *non remboursé*) : prendre 1 gélule, matin, midi et soir, avec un grand verre d'eau, au moment des repas. Vous pouvez prendre jusqu'à 5 gélules par jour.

➤ Élusanes Mélilot® (Plantes et Médecines, *non rembour-sé*) : prendre 1 gélule, matin et soir, au cours des repas, avec un verre d'eau.

➤ Veinosane® (Dolisos, *non remboursé*) : composé de mélilot et de vigne rouge. Prendre 1 ou 2 comprimés, 1 à 3 fois par jour, avec un verre d'eau.

➤ Veinofit® (Arkopharma, *non remboursé*) : composé de mélilot, d'hamamélis et de fragon. Prendre 1 ou 2 sa-chets par jour, au moment des repas.

Ail : un trésor de santé pour toutes celles qui sont sujettes aux phlébites

On ne présente plus l'ail (*Allium sativum L.*). Plante aux multiples vertus de guérison, on l'utilisait déjà dans l'Égypte ancienne. Les gens du Moyen-Âge pensaient qu'il protégeait de la peste.

L'ail est un trésor de santé. L'un de ses composants, les ajoènes, joue le rôle d'un anti-agrégant plaquettaire, très protecteur pour vos vaisseaux et vos artères.

Consommer régulièrement de l'ail améliorera votre circulation sanguine et réduira votre tension artérielle. Cela aidera aussi à la dilatation de vos vaisseaux sanguins. Votre sang sera plus fluide. Tout cela peut prévenir la phlébite.

N'oubliez pas que l'ail favorise la circulation sanguine dans les artères ainsi que la microcirculation, la baisse du taux de sucre sanguin, et la baisse du taux de mauvais cholestérol.

L'ail est aussi un anti-inflammatoire puissant.

➤ Teinture Mère Ail : prendre 40 à 50 gouttes, 3 fois par jour.

➤ Arkogélules Ail® (Arkopharma, *non remboursé*) : 1 gélule matin, midi et soir à prendre dans un grand verre d'eau au moment des repas.

➤ Élusanes Ail® (Plantes et Médecines, *non remboursé*) : 1 gélule 2 fois par jour, à prendre matin et soir, accompagnée d'un grand verre d'eau.

➤ Inod'Ail® (Arkopharma, *non remboursé*) : prendre 1 ou 2 gélules, 2 fois par jour, avec un grand verre d'eau.

LES AUTRES BIOMÉDICAMENTS

Le marronnier d'Inde, la vigne rouge et le cyprès, pour

leurs effets veinotoniques, sont parfois conseillés pour prévenir les risques de phlébite :

➤ Marron d'Inde Boiron® (Boiron, *non remboursé*) : prendre 1 ou 2 gélules, 3 fois par jour, avec un grand verre d'eau.

➤ Veinophytum® (Arkopharma, *non remboursé*) : composé de marronnier d'Inde et de vigne rouge. Prendre 2 gélules, matin et soir, avec un verre d'eau.

➤ Natura Medica Cyprès® (Dolisos, *non remboursé*) : prendre 1 ampoule, 2 fois par jour, dans un verre d'eau, au cours des repas. *Ne pas utiliser chez l'enfant.*

Prostate

Après 50 ans, les hommes rencontrent souvent des problèmes de prostate.

La prostate est une petite glande, spécifique aux hommes, qui est située sous la vessie, devant le rectum. Elle a une fonction primordiale pour la reproduction : elle fabrique en effet le liquide prostatique, composant essentiel du sperme.

Troubles de la miction : parmi ces 3 problèmes, duquel souffrez-vous ?

Arrivée à la cinquantaine, la moitié des hommes souffrent de problèmes prostatiques. On peut les diviser en trois types : la prostatite (ou inflammation de la prostate), l'adénome bénin de la prostate (que votre médecin appelle peut-être hyperplasie bénigne ou hypertrophie bénigne) et, enfin, le cancer de la prostate.

Grâce au Ciel, les plus fréquentes sont les deux premières : on peut d'ailleurs les traiter avec beaucoup de réussite, à l'aide de biomédicaments.

L'inflammation de la prostate, ou prostatite, se traduit par plusieurs symptômes : vous avez souvent envie d'uriner mais seules quelques gouttes sortent, vous avez des douleurs en allant à la selle, vous avez du mal à éjaculer. Parfois des frissons, ou même de la fièvre, se manifestent.

En général, la cause de cette inflammation est une infection : bactéries, champignons, etc. Il est prudent de consulter votre médecin pour préciser le diagnostic, car les symptômes de tous les troubles de la prostate sont très ressemblants.

Hypertrophie de la prostate : voici le signe que vous devez savoir reconnaître

L'adénome bénin de la prostate se traduit par des symptômes similaires : votre prostate augmente de volume et comprime la vessie et l'urètre. Cela se traduit par des difficultés à uriner (malgré des envies fréquentes), un jet intermittent, la sensation que la vessie n'est pas vidée. Vous remarquerez peut-être aussi du sang dans l'urine ou le sperme. Les levers nocturnes pour uriner sont l'indice le plus fréquent de l'hypertrophie de la prostate.

LES PLANTES QUI SOIGNENT LES PROBLÈMES DE PROSTATE

Racine d'ortie : elle réduit l'augmentation de volume de la prostate

Tout d'abord, signalons qu'il ne faut pas confondre la racine d'ortie, qui soigne certains troubles de la prostate et la feuille d'ortie qui, elle, est très utile en cas d'ongles cassants, de cheveux fragiles, d'acné, etc.

La racine d'ortie (*Urtica dioica L.*), de nombreuses études le prouvent, joue un rôle tout à fait favorable sur certains troubles de la prostate.

Les hommes qui souffrent d'un adénome bénin de la prostate (également appelé hypertrophie prostatique) connaissent, parmi d'autres problèmes, des troubles de la miction : ils urinent souvent et éprouvent la sensation désagréable de n'avoir pas complètement vidé leur vessie.

Les études de ces dernières années ont permis de démontrer que la racine d'ortie, et en particulier l'un de ses composants, le béta-sitostérol, limite l'augmentation de volume de la prostate et réduit donc les symptômes désagréables qui en découlent d'habitude.

Si vous êtes un homme de plus de 50 ans et que vous souffrez de ce problème, vous devriez uriner davantage lorsque vous vous rendez aux toilettes et donc éprouver moins souvent l'"envie de faire pipi", que ce soit de jour ou de nuit.

Autre effet intéressant de la racine d'ortie et de ses précieux composants : après avoir uriné, vous n'aurez plus cette sensation très désagréable de n'avoir pas vidé intégralement votre vessie.

➤ Arkogélules Racine d'ortie® (Arkopharma, *non remboursé*) : 1 gélule, matin et midi, à prendre avec un grand verre d'eau, au moment des repas. ***Réservé à l'adulte.***

➤ Racine d'ortie : faire bouillir 50 g de racine d'ortie dans 1 litre d'eau, pendant 10 minutes, et en boire 3 fois par jour.

Prunier d'Afrique ou Pygeum : les médecins prescrivent cette plante 8 fois sur 10

Le pygeum (*Pygeum Africanum, Prunus africana Kalkm.*)

est un arbre à feuilles persistantes originaire d'Afrique, d'où son autre nom de prunier d'Afrique.

Son écorce a été testée cliniquement en France depuis près de 40 ans : ses effets sur l'hypertrophie de la prostate sont donc désormais reconnus. Dans ce pays, 80 % des prescriptions pour la prostate sont d'ailleurs à base de cette plante.

Dans le monde entier, c'est aussi la principale plante utilisée pour l'adénome bénin de la prostate.

"Associé à d'autres plantes, le pygeum pourrait contribuer au traitement du cancer de la prostate", affirme l'Encyclopédie Larousse des plantes médicinales.[11]

> ➤ Tadenan® (Debat, *remboursé*) : prendre 1 capsule, matin et soir, avec un verre d'eau, avant les repas.

Sabal : il combat les troubles de la prostate ainsi que l'impuissance et la baisse du désir sexuel

Le Sabal (*Sabal serrulata L., Serenoa repens*) est un petit palmier d'Amérique du Nord en forme d'éventail. Ses baies sont utilisées en médecine pour son action anabolisante (c'est-à-dire qu'elles favorisent la croissance et l'augmentation du poids) ainsi que pour ses effets hormonaux dans les troubles sexuels : impuissance, baisse du désir sexuel, développement des seins chez la femme, hypertrophie de la prostate chez l'homme.

Cette plante est aussi efficace en cas d'inflammation de la prostate. C'est également un bon diurétique.

> ➤ Permixon® (Pierre Fabre Médicament, *remboursé*) : prendre 1 gélule, matin et soir, avec un verre d'eau, au cours des repas.

---

11 Encyclopédie Larousse des plantes médicinales, Paris, 1997, p. 257.

➤ Teinture Mère Sabal : prendre 5 gouttes, 3 fois par jour.

➤ Infusion Sabal® : faire infuser 1 cuillerée à dessert de sabal par tasse, 2 fois par jour.

Épilobe : l'intervention chirurgicale de la prostate a pu être retardée ou évitée

L'épilobe *(Epilobium angustifolium L.)* est extrêmement populaire à l'heure actuelle en Allemagne, en Suisse et en Autriche pour soigner les symptômes de l'hypertrophie bénigne de la prostate.

Cette plante était déjà connue et utilisée dans l'Antiquité par Théophraste, Dioscoride et Pline l'Ancien.

Maria Treben, la célèbre herboriste autrichienne, recommande des infusions d'épilobe en cas de troubles de la miction liés à l'hypertrophie bénigne de la prostate.

"Des témoignages de patients et de médecins montrent que l'intervention chirurgicale a pu être retardée dans certains cas et évitée dans d'autres", explique le professeur Hostettmann, de l'Université de Genève.[12]

"L'intervalle entre les mictions nocturnes s'est allongé sensiblement pour la moitié des patients. La force du jet urinaire et le débit urinaire sont également améliorés. Aucun patient ne s'est plaint d'effets indésirables", poursuit cet éminent chercheur.

L'épilobe, dont les Suisses consomment plusieurs tonnes par an, est donc un remède tout à fait recommandable pour réduire vos symptômes.

➤ Infusion Épilobe : faire infuser 1 cuillerée à café par tasse d'eau bouillante.

---

12 Professeur Kurt Hostettmann, op. cit., p. 201.

➤ Décoction Épilobe : préparer une décoction avec 20 g de plante par litre d'eau.

LES AUTRES BIOMÉDICAMENTS

● **Les graines de courge ou de citrouille** (*Cucurbita pepo L.*) sont également utilisées pour prévenir l'inflammation de la prostate et l'adénome bénin de la prostate. Très riche en zinc, elles renforcent la vessie et aident à uriner plus facilement. Elles sont donc un précieux allié de votre prostate.

➤ Graines de courge : prendre 10 graines par jour, au cours du principal repas. Disponible en magasin de diététique.

● **La prêle** est aussi utilisée comme complément au traitement de l'inflammation de la prostate, sa haute teneur en silice ayant un effet très bénéfique sur le système génito-urinaire.

➤ Teinture Mère Prêle : prendre 2 cuillerées à café, 3 fois par jour.

➤ Arkogélules Prêle® (Arkopharma, *non remboursé*) : prendre 1 gélule, matin, midi et soir, avec un grand verre d'eau, au moment des repas.

➤ Élusanes Prêle® (Plantes et Médecines, *non remboursé*) : prendre 1 gélule, matin et soir, au cours des repas, avec un verre d'eau.

● Des expériences cliniques ont démontré les effets positifs d'autres produits naturels sur les affections prostatiques, notamment **le pollen de seigle, le thé de Kombucha** (champignon originaire d'Europe centrale), **la gelée royale, l'huile d'onagre et tous les aliments riches en zinc** (courge, huîtres, etc.). À quelques exceptions près, ces substances sont surtout disponibles en magasin de diététique.

➤ Arkogélules Gelée royale lyophilisée® (Arkopharma, *non remboursé*) : prendre 1 gélule, matin, midi et soir, avec un grand verre d'eau, au moment des repas.

➤ Arkogélules Huile d'Onagre® (Arkopharma, *non remboursé*) : prendre 3 gélules le matin et 2 autres le soir, pendant la seconde moitié du cycle, pendant 10 jours.

➤ Oligosol Zinc® (Labcatal, *non remboursé*) : prendre 1 ou 2 ampoules par jour. *Ne pas utiliser pendant plus d'un mois sans l'avis de votre médecin ou de votre pharmacien.*

➤ Oligostim Zinc® (Dolisos, *non remboursé*) : prendre 1 ou 2 comprimés par jour. *Ne pas utiliser pendant plus d'un mois sans l'avis de votre médecin ou de votre pharmacien.*

Psoriasis

Le psoriasis est souvent d'origine héréditaire. Si votre père ou votre mère en souffre, votre risque d'en avoir aussi est plus grand.

Votre peau se couvre de croûtes disgracieuses, souvent au niveau des coudes et des genoux. Les plaques peuvent ensuite s'étendre à tout le corps.

C'est une maladie qui récidive fréquemment. Ses causes sont mal connues, mais on constate que les poussées et récidives surviennent souvent après une contrariété ou un stress.

LES PLANTES QUI RÉDUISENT LE PSORIASIS

Eschscholtzia : en combattant votre stress, elle réduit votre psoriasis

Voici une plante qui vous aidera à vous endormir plus facilement, à passer des nuits paisibles et à mieux récupérer.

Comme le psoriasis est souvent lié au stress ou à la mauvaise humeur, l'eschscholtzia (*Eschscholtzia californica Cham.*) qui réduit l'anxiété et la nervosité vous fera sûrement le plus grand bien.

De plus, en cas de douleurs ou de spasmes intestinaux, souvent d'origine nerveuse, vous pouvez aussi compter sur l'eschscholtzia.

➤ Teinture Mère Eschscholtzia : prendre 30 à 40 gouttes, 3 fois par jour.

➤ Arkogélules Eschscholtzia® (Arkopharma, *non remboursé*) : chez l'adulte, prendre 2 gélules le soir et 2 autres, au coucher. Chez l'enfant, prendre 1 gélule le soir, puis 1 autre, au coucher.

➤ Élusanes Eschscholtzia® (Plantes et Médecines, *non remboursé*) : prendre 1 gélule, matin et soir, au cours des repas, avec un verre d'eau.

UN AUTRE BIOMÉDICAMENT

L'huile de saumon favorise aussi la disparition du psoriasis :

➤ Arkogélules Huile de saumon® (Arkopharma, *non remboursé*) : prendre 2 gélules, matin et soir, au milieu des repas.

Règles trop abondantes, douloureuses, trop fréquentes, insuffisantes ou irrégulières, syndrome prémenstruel

Dans l'idéal, vous avez vos règles tous les vingt-huit jours, elles ne vous causent aucun tracas, ni avant, ni pendant, vous n'éprouvez aucune douleur, elles ne sont ni insuffisantes, ni trop abondantes...

Malheureusement, dans la réalité, c'est rarement comme cela. Peu de femmes peuvent se réjouir d'avoir toujours des règles parfaites.

Les règles douloureuses (ou dysménorrhées) sont fréquentes chez les jeunes filles. Si c'est rare, cela ne doit pas être un sujet d'inquiétude. Par contre, si cela se reproduit chaque mois, vous avez intérêt à consulter un gynécologue.

Comment ne plus souffrir du syndrome prémenstruel

Pour d'autres femmes, il n'est même pas nécessaire de compter les jours pour savoir que leurs règles approchent.

Peut-être êtes vous concernée par ce fameux "syndrome prémenstruel" ?

Dans ce cas, pour vous, c'est chaque mois la même chose. À l'approche de vos menstruations, vous sentez vos seins gonfler et devenir douloureux, vous faites de la rétention d'eau, vous prenez même du poids et, d'une manière générale, vous êtes irritable. Un rien vous agace et les différents troubles que vous ressentez ne sont pas là pour arranger les choses.

Heureusement, dans ce cas, les plantes se révèlent souvent extrêmement efficaces, même sur une longue durée.

Disparition des règles : que faire si vous n'êtes pas enceinte ni ménopausée

L'absence de règles est normal en cas de grossesse ainsi qu'à partir de la ménopause. Si vous avez un retard de règles de plus d'une semaine, le plus logique est de faire un test de grossesse.

Mais l'absence de règles peut aussi avoir une cause psychologique, telle qu'un deuil ou un licenciement.

Quoi qu'il en soit, si vos règles disparaissent et que vous n'êtes ni enceinte ni à l'âge de la ménopause, il y a lieu de consulter votre gynécologue.

LES PLANTES QUI SOULAGENT LES PROBLÈMES FÉMININS

Houblon : pour toutes les femmes qui souffrent d'un déficit en œstrogènes (règles douloureuses ou insuffisantes, ménopause)

Le houblon (*Humulus lupulus L.*), la même plante dont on fait la bière, est très utile en cas de règles douloureuses ou insuffisantes, ainsi que pour combattre les troubles de la ménopause.

Des études ont en effet montré que le houblon contient des substances qui agissent de la même manière que les œstrogènes. Pour cette raison, cette plante apporte souvent un réel soulagement aux femmes qui souffrent d'un déficit en œstrogènes.

➤ Teinture Mère Houblon : prendre 20 à 30 gouttes, 3 fois par jour.

➤ Arkogélules Houblon® (Arkopharma, *non remboursé*) :

prendre 2 gélules au repas du soir et au coucher, avec un grand verre d'eau.

Huile d'onagre : à l'approche des règles, elle diminue l'irritabilité, les douleurs mammaires, les maux de ventre et de tête, etc.

L'huile d'onagre (*Oenothera biennis*) apporte de grands bienfaits aux femmes qui souffrent de syndrome prémenstruel.

C'est prouvé. On a récemment constaté que les désagréments bien connus tels que l'irritabilité, la dépression, les douleurs aux seins, les maux de ventre, les maux de tête et la rétention d'eau, diminuent dans une grande proportion si vous prenez de l'huile d'onagre pendant la deuxième moitié de votre cycle.

Vous n'aurez plus à appréhender l'arrivée de vos règles chaque mois comme une période difficile.

Par ailleurs, l'huile d'onagre fait baisser votre taux de cholestérol et de votre tension artérielle s'il sont trop élevés.

➤ Extrait fluide Onagre : prendre 5 à 30 gouttes.

➤ Arkogélules Huile d'onagre® (Arkopharma, *non remboursé*) : prendre 3 gélules le matin et 2 autres le soir, pendant la seconde moitié du cycle, durant 10 jours.

Armoise : elle rend votre cycle plus régulier, réduit les spasmes de l'utérus et soulage le syndrome prémenstruel

L'armoise (*Artemisia vulgaris L.*) doit son nom à Artémis, la déesse grecque des vierges. Cette plante soulage en effet un grand nombre de problèmes féminins.

Elle rend les règles moins douloureuses chez les femmes qui souffrent de ce problème, car elle réduit les spasmes des muscles de l'utérus, responsables de ces douleurs.

Si votre cycle est irrégulier, elle le régularise et vous permet souvent de trouver ou de retrouver un cycle régulier, dont on sait qu'il est un critère de bonne santé chez la femme adulte.

Si, enfin, vous êtes sujette au syndrome prémenstruel, l'armoise a le pouvoir d'apaiser vos troubles, de calmer ses manifestations : irritabilité, rétention d'eau, prise de poids, seins gonflés et douloureux.

➤ Teinture Mère Armoise : prendre 30 gouttes, 3 fois par jour.

➤ Arkogélules Armoise® (Arkopharma, *non remboursé*) : prendre 1 gélule, matin, midi et soir, avec un grand verre d'eau, avant les repas, du 15e jour de votre cycle au 1er jour du cycle suivant.

➤ Santane V 3® (Iphym, *non remboursé*) : composé d'armoise, de sauge et de cyprès. Boire 1 à 4 tasses d'infusion par jour.

Sauge : elle diminue bouffées de chaleur et transpiration excessive

Pour les femmes, la sauge (*Salvia lavandulifolia*) fait parfois des "miracles". Elle contient en effet des "œstrogènes végétaux" : vos règles deviennent plus régulières, moins douloureuses. Au moment de la ménopause, la sauge diminue les bouffées de chaleur et la transpiration excessive.

➤ Teinture Mère Sauge : prendre 25 gouttes, 3 fois par jour.

➤ Arkogélules Sauge® (Arkopharma, *non remboursé*) : prendre 1 gélule, matin, midi et soir, avec un grand verre d'eau, au moment des repas.

➤ Santane V 3® (Iphym, *non remboursé*) : composé d'armoise, de sauge et de cyprès. Boire 1 à 4 tasses d'infusion par jour.

Passiflore : pour calmer les règles douloureuses

Si, pour vous, les règles sont chaque mois synonyme de douleurs, de spasmes, la passiflore (*Passiflora incarnata L.*) vous aidera.

C'est une plante calmante, grâce à laquelle vous dormirez mieux, vous serez moins stressée, vous récupérerez mieux de la fatigue.

La passiflore ne crée pas d'accoutumance : vous pouvez sans crainte en prendre pendant de longues périodes.

➤ Teinture Mère Passiflore : prendre 25 gouttes, 3 fois par jour. Le cas échéant, prendre 50 gouttes au coucher.

➤ Arkogélules Passiflore® (Arkopharma, *non remboursé*). Adultes : en cas d'insomnie, 2 gélules avant le dîner puis 2 au coucher, à prendre avec un grand verre d'eau ; en cas de nervosité, 1 gélule matin, midi et soir, au moment des repas. Enfants : 1 gélule le soir et 1 gélule au coucher, à prendre en cas de troubles du sommeil.

➤ Élusanes Passiflore® (Plantes et Médecines, *non remboursé*) : 1 gélule, matin et soir, à prendre avec un verre d'eau.

➤ Médiflor Tisane Troubles du Sommeil N° 14® (Monot, *non remboursé*) : composé de passiflore et d'autres plantes calmantes. En cas de nervosité, boire 1 tasse d'infusion, 3 à 5 fois par jour. En cas de troubles du sommeil, boire 1 tasse d'infusion, à la fin du repas du soir, et 1 autre, au coucher.

➤ Phytoneurol® (Pionneau, *non remboursé*) : composé de

passiflore et d'autres plantes calmantes. Chez l'adulte, prendre 1 cuillerée à café, 3 fois par jour. En cas de troubles du sommeil, prendre 1 cuillerée à café, au coucher.

Cyprès, marronnier d'Inde, hamamélis : pour réduire les flux trop abondants et les saignements survenant entre les règles

- **Le marronnier d'Inde** (*Aesculus hippocastanum*) est un tonique veineux, il a un effet vasoconstricteur et anti-inflammatoire. Cette plante est utilisée en cas de varices, d'hémorroïdes, de fragilité capillaire, de saignements de nez (épistaxis), d'ecchymoses. Elle sert aussi et c'est ce qui nous intéresse ici, en cas de métrorragies : c'est-à-dire d'écoulements sanguins survenant entre les règles. Généralement, le marronnier d'Inde agit très rapidement.

- **Le cyprès** (*Cupressus sempervivens L.*), fort de ses propriétés veinotoniques, vasoprotectrices et hémostatiques, est très utile pour les femmes ayant des règles difficiles. Il est utile en traitement d'appoint des métrorragies et des règles trop abondantes.

- **L'hamamélis** (*Hamamelis virginiana L.*), fort des mêmes propriétés, sert aussi à traiter les métrorragies et les règles trop abondantes.

  - ➤ Veinostase® (Richelet, *remboursé*) : composé de cyprès, d'hamamélis et de marronnier d'Inde. Chez l'adulte, prendre 1 ampoule, matin, midi et soir, avec un verre d'eau.

  - ➤ Climaxol® (Lehning, *remboursé*) : composé de marronnier d'Inde et d'hamamélis. Prendre 20 à 25 gouttes, 2 ou 3 fois par jour, avec un verre d'eau, avant les repas.

  - ➤ P. Veinos® (Augot, *non remboursé*) : composé de

cyprès, d'hamamélis et de marronnier d'Inde. Prendre de 30 à 100 gouttes, 3 fois par jour, dans un verre d'eau sucrée.

➤ Veinotonyl® (Lipha Santé, *remboursé*) : composé de marronnier d'Inde. Prendre 1 gélule, 2 fois par jour.

➤ Opo-Veinogène® (Thera France, *remboursé*) : composé de marronnier d'Inde. Prendre 2 ou 3 cuillerées par jour, avec un verre d'eau, avant les repas.

➤ Médiflor Tisane Circulation du sang N° 12® (Monot, *non remboursé*) : composé, entre autres, de marronnier d'Inde, d'hamamélis et de cyprès. Boire 1 tasse d'infusion, 4 ou 5 fois par jour, en dehors des repas. *Ne pas utiliser de manière prolongée sans avis médical, ni chez la femme enceinte ou qui allaite.*

➤ Phytomélis® (Lehning, *non remboursé*) : composé de marronnier d'Inde et d'hamamélis. Chez l'adulte, prendre 30 gouttes, 2 fois par jour, en dehors des repas. Chez l'enfant, prendre 15 gouttes, 2 fois par jour.

➤ Veinophytum® (Arkopharma, *non remboursé*) : composé de marronnier d'Inde et de vigne rouge. Prendre 2 gélules, matin et soir, avec un verre d'eau.

➤ Marron d'Inde Boiron® (Boiron, *non remboursé*) : prendre 1 ou 2 gélules, 3 fois par jour, avec un grand verre d'eau.

LES AUTRES BIOMÉDICAMENTS

Contre le syndrome prémenstruel et ses symptômes, **l'aubépine,** parfois associée à **la valériane,** peut aussi vous soulager :

➤ Aubenol® (Arkomedica, *non remboursé*) : composé

d'aubépine. Prendre de 20 à 50 gouttes, 2 à 3 fois par jour, diluées dans un peu d'eau, au début des repas.

➤ Crataegus GMET® (Upsa, *non remboursé*) : composé d'aubépine. Prendre 3 comprimés, 2 fois par jour, avec un peu d'eau. Si nécessaire, porter la posologie quotidienne jusqu'à 9 comprimés.

➤ Tranquital® (Novartis Santé Familiale, *remboursé*) : composé d'aubépine et de valériane. Chez l'adulte, prendre 4 à 6 comprimés par jour, avec un verre d'eau.

Rhume de cerveau, rhinite, coryza

Le rhume est la maladie aux 200 virus.

Lorsque les Espagnols conquirent l'Amérique, ils provoquèrent malgré eux la mort de milliers d'Indiens. Ils avaient apporté le rhume avec eux, et les Indiens qui ne connaissaient pas cette maladie y succombèrent.

Heureusement, en Europe comme en Amérique c'est désormais une maladie bénigne qui guérit spontanément en quelques jours. Très fréquente, l'adulte en souffre en moyenne 3 fois par an.

Le secret de ceux qui évitent les rhumes chaque hiver... ou presque !

Le rhume de cerveau se complique parfois d'une sinusite, occasionnant maux de tête et fièvre.

Voici une astuce pour éviter les rhumes en hiver : gargarisez-vous chaque matin avec de l'eau additionnée de sel et nettoyez vos narines avec la même préparation.

LES PLANTES QUI VOUS DÉLIVRENT DES RHUMES

Éphédra : voici comment respirer mieux, diminuer vos sécrétions et déboucher votre nez

L'éphédra (*Ephedra sinica Stapf.*) contient de l'éphédrine naturelle : elle dilate vos bronches, vous aide à avoir une meilleure respiration et est donc utile pour soigner l'asthme et la bronchite chronique.

En cas de rhume, de rhume des foins ou de sinusite, grâce à l'éphédra, vous respirez mieux, vos sécrétions diminuent. Ainsi vous n'avez plus le nez bouché.

Pour tous les problèmes respiratoires concernés, l'éphédra produit ses effets de façon permanente tout au long de la journée, vous soulageant ainsi encore davantage.

De plus, cette plante a le pouvoir de faire fondre la graisse. Elle oblige votre organisme à brûler davantage de calories. Si vous avez des kilos en trop, l'éphédra vous aidera donc à maigrir et à retrouver une belle silhouette et une meilleure santé.

> ➤ Teinture Mère Éphédra : prendre 30 gouttes, 3 fois par jour.

> ➤ Arkogélules Éphédra® (Arkopharma, *non remboursé*) : prendre 1 gélule, matin, midi et soir, avec un grand verre d'eau, au moment des repas.

Propolis : elle combat les microbes et renforce votre système immunitaire

La propolis prévient et soigne nombre de maladies respiratoires.

En cas d'angine, de bronchite, de grippe, de pharyngite, de rhume ou de rhume des foins, la propolis combat les microbes et champignons, calme l'inflammation et accélère la cicatrisation.

Comme, en plus, elle renforce votre système immunitaire, la propolis est très utile aussi pour combattre l'herpès.

➤ Arkogélules Propolis® (Arkopharma, *non remboursé*) : prendre 1 gélule, matin, midi et soir, avec un grand verre d'eau, avant les repas.

LES AUTRES BIOMÉDICAMENTS

- **Composé d'eucalyptus et de benjoin**, voici un excellent biomédicament qui traite la plupart des affections des voies respiratoires. Il décongestionne les muqueuses :

  ➤ Fumigalène® (RPR Cooper, *remboursé*) : faire 1 à 3 inhalations par jour, avec 1 cuillerée à café de solution dans un bol d'eau très chaude ou un inhalateur. *Ne pas utiliser chez l'enfant de moins de 12 ans.*

- **L'eucalyptus** est aussi excellent pour nettoyer vos voies respiratoires et chasser les microbes :

  ➤ Teinture Mère Eucalyptus : prendre de 20 à 35 gouttes, 3 fois par jour.

  ➤ Natura Medica Eucalyptus® (Dolisos, *non remboursé*) : prendre 1 ampoule, 2 fois par jour, dans un verre d'eau, au cours des repas. *Ne pas utiliser chez l'enfant.*

- Composée, notamment de **thym**, la pommade suivante soulage rhinites (c'est-à-dire rhumes de cerveau), rhino-pharyngites et sinusites :

  ➤ Nazinette Pommade® (PPDH, *non remboursé*) : chez l'adulte, appliquer la pommade 1 à 3 fois par jour, après s'être mouché avec soin. Chez l'enfant, appliquer 1 fois par jour seulement. *Ne pas utiliser chez l'enfant de moins de 30 mois, ni chez la femme enceinte ou qui allaite.*

- **Le camphre** (synthétique) de ce médicament et ses autres composants naturels soignent efficacement les rhumes de cerveau :

  ➤ Euvanol® (Monot, *non remboursé*) : après s'être mouché avec soin, faire 1 pulvérisation par narine, 4 à 6 fois par jour, pendant quelques jours au maximum. Ne pas utiliser chez l'enfant de moins de 30 mois, ni, sauf avis médical, chez celui de moins de 7 ans.

Rhume des foins, rhinite allergique

Vous éternuez... puis vous re-éternuez... puis vous re-re-éternuez...

Des éternuements sans fin : vous avez le rhume des foins.

Le rhume des foins est en réalité le symptôme d'une allergie. Vous respirez des pollens, poussières, poils d'animaux et ceux-ci provoquent une réaction de rejet, qui se traduit par des éternuements. Votre nez coule, vous larmoyez, votre nez vous démange.

Les acariens, présents même dans les maisons les plus propres, sont souvent en cause. Votre rhume des foins vous indique qu'il est temps de procéder à un traitement anti-acariens du lieu où vous vivez et de votre chambre à coucher en particulier.

LES PLANTES QUI CALMENT VOTRE RHUME DES FOINS

Plantain : sans le moindre doute, la plante la plus puissante contre le rhume des foins

Si vous souffrez d'une allergie respiratoire, le plantain *(Plantago major L.)* sera peut-être pour vous la "plante miracle".

Cette merveilleuse plante est un anti-inflammatoire et un anti-allergique. De plus, en cas d'asthme, de rhume des foins, de toux ou de sinusite, il calme la toux, nettoie les voies respiratoires et adoucit votre gorge.

En cas de bronchite, de pharyngite ou de laryngite, le plantain calme l'inflammation.

➤ Teinture Mère Plantain : prendre 30 gouttes, 3 fois par jour.

➤ Arkogélules Plantain® (Arkopharma, *non remboursé*) : prendre 1 gélule, matin, midi et soir, avec un grand verre d'eau, au moment des repas.

Éphédra : fini le nez qui coule !

L'éphédra *(Ephedra sinica Stapf.)*, que de nombreuses personnes utilisent pour maigrir, est une plante qui dissout la graisse, mais elle soigne aussi efficacement le rhume des foins.

Elle contient en effet de l'éphédrine naturelle qui dilate vos bronches et vous aide à mieux respirer. C'est très utile pour soigner l'asthme et la bronchite chronique.

En cas de rhume, de rhume des foins ou de sinusite, grâce à l'éphédra, vous respirez mieux, vos sécrétions diminuent. Ainsi vous n'avez plus le nez bouché.

Pour tous les problèmes respiratoires concernés, l'éphédra

produit ses effets de façon permanente tout au long de la journée, soulageant encore davantage.

➤ Teinture Mère Éphédra : prendre 30 gouttes, 3 fois par jour.

➤ Arkogélules Éphédra® (Arkopharma, *non remboursé*) : prendre 1 gélule, matin, midi et soir, avec un grand verre d'eau, au moment des repas.

LES AUTRES BIOMÉDICAMENTS

Voici également des remèdes pour décongestionner et nettoyer rapidement vos voies respiratoires :

➤ Aromasol® (Plantes et Médecines, *non remboursé*) : composé de menthe, de lavande, de romarin et de serpolet, notamment. En inhalation, mettre 50 gouttes dans un bol d'eau très chaude ou dans un inhalateur, 3 fois par jour. *Ne pas avaler. N'utiliser en aérosol que sur l'avis du médecin.*

➤ Gouttes Aux Essences® (Plantes et Médecines, *non remboursé*) : composé de menthe, de girofle, de thym et de lavande, notamment. Chez l'adulte, prendre 25 gouttes, 3 à 4 fois par jour, dans une boisson chaude. Chez l'enfant de 6 à 15 ans (20 à 50 kg), prendre 10 gouttes, 3 ou 4 fois par jour. Chez l'enfant de 30 mois à 6 ans (12 à 20 kg), prendre 5 gouttes, 3 ou 4 fois par jour. *Ne pas utiliser chez l'enfant de moins de 30 mois.*

Rides

Pourquoi votre meilleure amie, qui a pourtant le même âge que vous, a-t-elle beaucoup moins de rides que vous ?

Les rides sont en principe inévitables ; à mesure que l'on avance en âge, elles apparaissent peu à peu. Malheureusement, tout le monde n'est pas égal devant leur apparition.

7 secrets antirides qui ont fait leurs preuves

C'est qu'il existe des secrets antirides. Les voici :

- Premier secret antirides : vous devez dormir. Un bon sommeil favorise le repos de votre peau et sa régénération.
- Deuxième secret antirides : vous devez vous méfier du soleil. Le bronzage fait un joli teint à court terme, mais à la longue, les expositions répétées au soleil (ou pire, les lampes à bronzer !) détériorent les fibres de collagène qui composent votre peau et favorisent les rides.
- Troisième secret antirides : buvez beaucoup d'eau. L'eau hydrate vos cellules et ralentit leur vieillissement.
- Quatrième secret antirides : utilisez une crème hydratante pour la peau. Une peau sèche se ride plus facilement qu'une peau bien hydratée.
- Cinquième secret antirides : lavez-vous le visage à l'eau tiède avec un savon au pH neutre.
- Sixième secret antirides : le maquillage doit être utilisé avec modération. Les composants des produits cosmétiques sont souvent néfastes pour votre peau.
- Septième secret antirides : soyez joyeux, prenez la vie du bon côté. Les gens heureux vieillissent moins vite et ont moins de rides que les autres.

LES PLANTES QUI AIDENT À EFFACER VOS RIDES

Huile de germe de blé : elle a le pouvoir de retarder l'apparition des rides

L'huile de germe de blé (*Triticum sativum Lam.*) peut vous aider à retarder l'apparition des rides.

Cette huile lutte efficacement contre la sécheresse de la peau. Riche en vitamine E et en acides gras essentiels, c'est un puissant antioxydant naturel.

➤ Arkogélules Huile de germe de blé® (Arkopharma, *non remboursé*) : 2 gélules, matin et soir, avec un grand verre d'eau, au moment des repas.

Huile de bourrache : elle hydrate votre peau et la rend plus souple et plus lisse

L'huile de bourrache (*Borago officinalis L.*) contient deux merveilleux composants : deux acides gras polyinsaturés qui ralentissent le vieillissement de votre peau, favorisent son hydratation et luttent contre la formation des rides.

Pour garder plus longtemps que les autres une belle peau, dépourvue de rides et bien hydratée, l'huile de bourrache est tout indiquée.

Si vous avez déjà des rides, la peau sèche, ou même des vergetures, l'huile de bourrache vous apportera sans doute une amélioration notable. Votre peau sera plus souple, plus résistante. Même vos ongles et vos cheveux seront renforcés par une cure de bourrache.

➤ Teinture Mère Bourrache : prendre 30 gouttes, 3 fois par jour.

➤ Arkogélules Huile de Bourrache® (Arkopharma, *non remboursé*) : prendre 1 ou 2 gélules, matin et soir.

LES AUTRES BIOMÉDICAMENTS

- **La *Centella asiatica*** stimule la formation du collagène, les fibres qui soutiennent votre peau et dont l'affaissement favorise les rides :

  ➤ Madécassol Comprimé® (Roche Nicholas, *remboursé*) : chez l'adulte, prendre 1 ou 2 comprimés, 3 fois par jour, avec un verre d'eau, pendant les repas. Chez l'enfant, réduire à 1 à 3 comprimés par jour.

- **La carotte, la levure de bière et la pensée sauvage** vous aident aussi à avoir une belle peau, ferme et sans rides :

  ➤ Arkogélules Carotte® (Arkopharma, *non remboursé*) : prendre 1 gélule, matin, midi et soir, avec un grand verre d'eau, avant les repas.

  ➤ Arkogélules Levure de bière revivifiable® (Arkopharma, *non remboursé*) : prendre 1 gélule, matin, midi et soir, avec un grand verre d'eau, avant les repas.

  ➤ Teinture Mère Pensée sauvage : prendre 50 gouttes, 3 fois par jour.

  ➤ Arkogélules Pensée sauvage® (Arkopharma, *non remboursé*) : prendre 1 gélule, matin, midi et soir, avec un grand verre d'eau, au moment des repas.

Sciatique

La sciatique, tous ceux qui en ont souffert un jour ou l'autre le savent, est très douloureuse.

Elle est provoquée par un pincement du nerf sciatique, qui se situe au bas de votre colonne vertébrale. La douleur peut s'étendre à la fesse, à la cuisse et même au pied ; et, si elle peut disparaître en quelques minutes, elle peut aussi, malheureusement, se prolonger pendant plusieurs semaines...

Voici comment il serait possible d'éviter 9 sciatiques sur 10

Neuf fois sur dix, ce sont de mauvaises postures répétées et prolongées qui en sont à l'origine. Il serait donc facile d'éviter 90 % des sciatiques en prenant soin de bien se tenir.

Si vous êtes une femme, vous devez renoncer aux talons, qui peu à peu affaiblissent votre dos.

Ce que vous devez absolument faire en cas de crise de sciatique

En cas de crise aiguë, le plus raisonnable est de rester au lit. Les cataplasmes de moutarde peuvent soulager votre douleur ; placez-en un pendant 10 minutes dans le creux de la fesse.

Si vous êtes sujet à la sciatique, il est important que vous perdiez du poids, que vous évitiez les efforts violents (si un ami vous demande de l'aider dans son déménagement, refusez poliment mais fermement !) et que vous preniez garde aux mouvements brusques.

LES PLANTES QUI SOULAGENT LA SCIATIQUE

Harpagophytum : il a cette propriété extraordinaire de combattre en même temps la douleur et l'inflammation

L'harpagophytum (*Harpagophytum procumbens DC*) est un anti-inflammatoire naturel, très puissant.

Il a cette propriété extraordinaire de combattre en même temps la douleur et l'inflammation.

En cas de sciatique, comme en cas de douleurs lombaires,

de lumbago ou de rhumatismes, vous apprécierez sa grande efficacité.

C'est un puissant calmant, qui stimule aussi le foie et combat l'excès de cholestérol et d'acide urique.

➤ Teinture Mère Harpagophytum : prendre 20 à 40 gouttes, 3 fois par jour.

➤ Arkogélules Harpagophytum® (Arkopharma, *non remboursé*) : en traitement d'attaque, 2 gélules matin, midi et soir, au moment des repas ; en traitement de fond, 1 gélule matin, midi et soir, au moment des repas.

➤ Harpagophytum Boiron® (Boiron, *non remboursé*) : prendre 1 ou 2 gélules, 2 ou 3 fois par jour, avec un grand verre d'eau.

➤ Élusanes Harpagésic® (Plantes et Médecines, *non remboursé*) : composé d'harpagophytum. Prendre 1 gélule 2 fois par jour, matin et soir, accompagnée d'un grand verre d'eau.

➤ Élusanes Harpagésic gel® (Plantes et Médecines, *non remboursé*) : composé d'harpagophytum. Effectuer 3 applications par jour en léger massage.

Cassis : il réduit l'inflammation sans agresser votre estomac

Le cassis (*Ribes nigrum L.*) vous aidera en cas de sciatique, car c'est un anti-inflammatoire naturel.

Cette plante soulage les rhumatismes. Ses feuilles réduisent en effet l'inflammation de manière douce, bien moins agressive, surtout pour l'estomac, que les médicaments classiques.

En favorisant l'élimination des déchets de votre corps, le cassis l'assainit et accentue encore le soulagement. On le conseille d'ailleurs également en cas de goutte.

➤ Arkogélules Cassis® (Arkopharma, *non remboursé*) : 1 gélule matin, midi et soir à prendre avec un grand verre d'eau au moment des repas. La posologie peut être portée à 5 gélules si nécessaire.

➤ Élusanes Cassis® (Plantes et Médecines, *non remboursé*) : prendre 1 gélule, matin et soir, au cours des repas, avec un verre d'eau.

LES AUTRES BIOMÉDICAMENTS

Voici également deux remèdes à appliquer localement pour soulager votre sciatique. Essayez l'un ou l'autre :

➤ Ouate Le Thermogène® (Le Thermogène, *non remboursé*) : composé de capsicum, qui est en fait du piment de la Jamaïque. Appliquer matin et soir et recouvrir d'une bande. *Ne pas utiliser chez l'enfant, ni sur une plaie ou une muqueuse.*

➤ Pneumoplasme® (Augot, *non remboursé*) : composé de moutarde noire. Chez l'adulte, faire 1 cataplasme, 1 ou 2 fois par jour, sur le dos ou la poitrine.

Sinusite

Provoquant des douleurs aux alentours du nez, du front et des tempes, la sinusite est due à une infection des sinus ou bien à une allergie.

Comment savoir si votre sinusite est microbienne ou allergique et comment réagir

En cas d'infection bactérienne ou virale, vos sécrétions nasales sont purulentes et s'accompagnent souvent de fièvre.

En cas d'allergie, il faut bien sûr éliminer la cause de l'allergie, ce qui n'est pas toujours aisé.

Le bouillon de poulet est excellent pour vous aider à décongestionner vos narines.

LES PLANTES QUI SOULAGENT LA SINUSITE

Marrube blanc : respirez plus profondément et plus facilement

Le marrube blanc (*Marrubium vulgare L.*) vous aide à mieux respirer, plus profondément et plus facilement, surtout en cas de sinusite, d'asthme ou de bronchite.

Cette plante rend vos sécrétions plus fluides, ainsi vous les crachez plus facilement. Votre toux, même forte, se calme, et l'inflammation diminue.

Le marrube blanc dilate vos bronches et cela rend votre respiration bien plus agréable.

Et en plus, elle repose le cœur, luttant contre les palpitations et les extrasystoles.

- ➤ Teinture Mère Marrube blanc : prendre 30 gouttes, 3 fois par jour.
- ➤ Arkogélules Marrube blanc® (Arkopharma, *non remboursé*) : prendre 1 gélule, matin, midi et soir, avec un grand verre d'eau, avant les repas. Vous pouvez prendre jusqu'à 5 gélules par jour.
- ➤ Élusanes Marrube blanc® (Plantes et Médecines, *non remboursé*) : prendre 1 gélule, matin et soir, au cours des repas, avec un verre d'eau.

Bourgeon de pin : excellent contre les infections hivernales, rhumes, sinusites et autres bronchites

Le bourgeon de pin (*Pinus sylvestris L.*) est excellent contre les infections hivernales, rhumes, sinusites et autres bronchites. Il rend vos sécrétions plus fluides, vous aide donc à mieux vous en débarrasser, et en plus, calme l'irritation. C'est en effet un excellent antiseptique.

D'une manière générale, le bourgeon de pin vous fera le plus grand bien en cas de toux.

➤ Teinture Mère Pin : prendre 30 gouttes, 3 fois par jour.

➤ Arkogélules Bourgeon de pin® (Arkopharma, *non remboursé*) : prendre 1 gélule, matin, midi et soir, avec un grand verre d'eau, avant les repas. Vous pouvez prendre jusqu'à 5 gélules par jour, si nécessaire.

LES AUTRES BIOMÉDICAMENTS

● **Composé d'eucalyptus et de benjoin,** voici un excellent biomédicament qui traite la plupart des affections des voies respiratoires. Il décongestionne les muqueuses :

➤ Fumigalène® (RPR Cooper, *remboursé*) : faire 1 à 3 inhalations par jour, avec 1 cuillerée à café de solution dans un bol d'eau très chaude ou un inhalateur. *Ne pas utiliser chez l'enfant de moins de 12 ans.*

● Les remèdes suivants tirent leurs bienfaits de **l'eucalyptus** ou du **camphre** :

➤ Nazinette Nébuliseur® (PPDH, *non remboursé*) : composé d'eucalyptus et de romarin, notamment. Faire une pulvérisation dans les 2 narines, 5 ou 6 fois par jour. *Ne pas utiliser pendant plus de quelques jours, ni chez l'enfant, sauf avis médical.*

➤ Euvanol® (Monot, *non remboursé*) : composé de camphre, notamment. Après s'être mouché avec soin, faire 1 pulvérisation par narine, 4 à 6 fois par jour, pendant quelques jours au maximum. *Ne pas utiliser chez l'en-*

fant de moins de 30 mois, ni, sauf avis médical, chez celui de moins de 7 ans.

Spasmophilie, tétanie

Officiellement, la spasmophilie n'existe pas.

En effet, ses symptômes (fourmis au bout des doigts, contractures, troubles digestifs injustifiés, petits malaises, etc.) ne trouvent aucune explication lors de l'analyse de sang : les taux de calcium et de magnésium sont normaux.

Cependant, de nombreux médecins prescrivent du magnésium en cas de spasmophilie ou de tétanie.

Si vous êtes une femme, vous avez cinq fois plus de risques d'être atteinte de spasmophilie qu'un homme.

Les plantes donnent de bons résultats contre la spasmophilie et les crises de tétanie.

LES PLANTES QUI SOULAGENT LA SPASMOPHILIE

Coquelicot : pour retrouver calme et sérénité

Le coquelicot (*Papaver rhoeas L.*) vous aidera sûrement en cas de spasmophilie.

C'est un remède de grande qualité contre les problèmes d'insomnie, en particulier si vous êtes émotif, anxieux, etc.

Le coquelicot, contrairement à tant de remèdes chimiques, ne crée aucune accoutumance. Cela fait de lui un remède que l'on n'hésite pas à donner aux enfants et aux personnes âgées.

Par ailleurs, si vous toussez, le coquelicot adoucit votre gorge et apaise les irritations. De plus, le coquelicot calme les palpitations cardiaques.

➤ Teinture Mère Coquelicot : prendre 25 gouttes, 3 fois par jour.

➤ Arkogélules Coquelicot® (Arkopharma, *non rembour-sé*) : chez l'adulte, prendre 2 gélules au repas du soir, puis 2 autres, au coucher. Chez l'enfant, prendre 1 gé-lule au repas du soir, puis 1 autre, au coucher.

Lithothame : retrouvez votre équilibre acido-basique et débarrassez-vous des symptômes de la spasmophilie

Le lithothame (*Lithothamnium calcareum*) vous aide à retrouver un bon équilibre acido-basique.

La spasmophilie étant une maladie "introuvable" malgré la présence de symptômes très gênants, il est important de tout faire pour retrouver votre équilibre.

Puissant anti-acide, cette algue combat l'acidité gastrique et ses effets courants : brûlures d'estomac, douleurs, renvois aigres. En même temps, elle lutte contre de nombreux maux où l'excès d'acidité est en cause : l'arthrose, les rhumatismes, l'arthrite, les tendinites, les crampes, les gingivites, les sciatiques, la fatigue chronique, etc. On la recommande même contre les aphtes et les cystites.

➤ Arkogélules Lithothame® (Arkopharma, *non rembour-sé*) : prendre 1 gélule, matin, midi et soir, avec un grand verre d'eau, au moment des repas.

LES AUTRES BIOMÉDICAMENTS

Grâce à ses vertus calmantes, **l'aubépine** est souvent bien utile aux personnes qui souffrent de spasmophilie :

➤ Teinture Mère Aubépine : prendre 30 gouttes, 3 fois par jour.

➤ Arkogélules Aubépine® (Arkopharma, *non rembour-*

sé) : prendre 1 gélule, matin, midi et soir, avec un grand verre d'eau, au moment des repas.

➤ Élusanes Aubépine® (Plantes et Médecines, *non remboursé*) : prendre 1 gélule, matin et soir, au cours des repas, avec un verre d'eau.

Tabagisme, arrêter de fumer

Nous n'allons pas vous répéter ce que vous savez déjà : le tabac donne le cancer, il favorise les maladies cardiaques, il diminue l'espérance de vie, il intoxique les poumons de vos enfants et de votre entourage, il pollue, il accélère le vieillissement, il abîme les yeux, il rend impuissant, etc.

Le tabac fait partie des habitudes anciennes : à la cour de Louis XIV, il était de bon ton de fumer. Même les femmes fumaient le cigare !

Le tabac : un symbole de virilité et d'indépendance qui provoque bien des dégâts

Le tabagisme n'est pourtant pas complètement la faute des consommateurs. Il n'y a pas si longtemps que cela, dans les années 50, notamment aux États-Unis, de nombreux pères pensaient que, pour un garçon de 15 ou 16 ans, c'était se comporter comme un homme que de fumer. Aussi, au lieu de combattre cette mauvaise habitude, ils l'encourageaient.

Le tabac demeure, aujourd'hui encore, une sorte de signe de virilité, de force et d'indépendance. Les femmes ne se sont-elles pas mises à fumer justement à l'époque où elles ont commencé à revendiquer leur égalité avec les hommes ?

À notre époque, la plupart des nouveaux fumeurs sont de

jeunes adolescents qui, de cette manière, revendiquent indépendance et égalité avec leurs parents.

Aussi, tant que le tabac gardera cette "aura", tant qu'il demeurera un symbole de virilité et de maturité, le tabagisme est sûr d'avoir encore de beaux jours devant lui.

Comment "décrocher" sans devenir nerveux, ni grossir : c'est possible et ce n'est pas aussi difficile que les fumeurs le croient

Mais, vous qui voulez "décrocher", qui avez pris conscience de ces dangers, comment arrêter de fumer sans devenir nerveux et irritable, ni grossir ?

Car le problème est là. Le tabac crée une dépendance et le sevrage rend nerveux et irritable. Pour combattre cette situation, le réflexe de beaucoup de fumeurs qui tentent d'arrêter est de se reporter sur les pâtisseries, sucreries, café, coca-cola®, etc.

Ces aliments, riches en sucres ou en caféine (ou même les deux, dans le cas du coca-cola®), favorisent, plus qu'ils ne la calment, la fringale de sucre et la prise de poids. La tentation est alors très grande de revenir au tabac. Le café, qui est un excitant, favorise même directement l'envie d'une cigarette pour son effet calmant.

En arrêtant de fumer, vous vous privez brutalement d'un calmant que vous absorbiez tout au long de la journée : vous devez donc, pour compenser, éviter au maximum tous les excitants tels que café bien sûr, mais aussi thé, coca-cola®, alcool, épices, etc.

Un truc simple mais très efficace pour couper la faim en cas de fringale

Si vous êtes pris d'une "fringale", buvez un ou deux grands verres d'eau.

C'est un truc très simple mais très efficace pour couper la faim. Vous pouvez aussi manger un fruit, de la soupe de légumes, un yaourt (sans sucre !) ou un œuf dur.

... et un autre truc pour faciliter votre arrêt du tabac

Un autre truc pour faciliter votre arrêt du tabac : essayez de le faire coïncider avec le commencement d'une activité que vous avez envie de pratiquer depuis longtemps, quelque chose qui vous passionne.

Dites-vous que l'arrêt du tabac vous fait économiser entre 600 et 1.200 F par mois : consacrez cette somme pour vous inscrire à un club de tir à l'arc, d'informatique, d'investisseurs amateurs en bourse ou de ce que vous voudrez. De cette manière, mentalement, vous associerez l'arrêt du tabac à ce nouveau plaisir, à la rencontre de nouveaux amis.

Les fumeurs cherchent souvent à se valoriser ; en arrêtant le tabac, vous devez le remplacer par une activité saine, qui vous valorise à vos propres yeux.

LES PLANTES QUI AIDENT À ARRÊTER DE FUMER PLUS FACILEMENT

Café vert : ce café "spécial" vous désintoxique peu à peu

Le café vert (*Coffea arabica L.*) est du café non torréfié. On le recommande aux fumeurs et aux personnes qui vivent avec eux.

Riche en caféine, il contient deux substances qui disparaissent ensuite, au moment de la torréfaction : le cafestol et le kahweol.

Ces deux composants favorisent la désintoxication de votre corps. Grâce à eux, votre corps produit plus de GST, une enzyme qui a le pouvoir de rendre inoffensifs les produits toxiques que la pollution d'aujourd'hui nous amène à côtoyer sans même que nous les sentions : gaz d'échappement, insecticides, fumées toxiques, produits de nettoyage, tabac, etc.

Le café vert vous permet aussi de mieux lutter contre les radicaux libres. Polluants et radicaux libres étant souvent une cause de fatigue inexpliquée, le café vert vous rend votre tonus et votre énergie.

➤ Arkogélules Café vert® (Arkopharma, *non remboursé*) : prendre 1 gélule, matin, midi et soir, avec un grand verre d'eau, au moment des repas.

Valériane : avec elle, vous allez perdre tout plaisir de fumer

La valériane (*Valeriana officinalis L.*) est une merveilleuse plante calmante.

Si vous tentez d'arrêter de fumer, la valériane peut vous rendre un grand service : elle donne à la cigarette un goût différent et peu agréable. De plus, elle vous soulage de l'agacement que connaissent généralement les fumeurs qui tentent de "décrocher".

Si vous êtes angoissé ou anxieux, elle vous calme et vous prépare ainsi à trouver un bon sommeil réparateur.

Très puissante mais sans effets secondaires, ni accoutumance, la valériane aide aussi les épileptiques à prévenir les crises.

➤ Teinture Mère Valériane : prendre 100 gouttes au coucher.

➤ Arkogélules Valériane® (Arkopharma, *non remboursé*) : chez l'adulte, contre l'insomnie, prendre 2 gélules avant le dîner, puis 2 autres, au coucher ; en cas de nervosité, prendre 1 gélule matin, midi et soir. Chez l'enfant qui dort mal, prendre 1 gélule au repas du soir, et 1 autre, au coucher.

➤ Élusanes Valériane® (Plantes et Médecines, *non remboursé*) : prendre 1 gélule, matin et soir, au cours des repas, avec un verre d'eau.

LES AUTRES BIOMÉDICAMENTS

- **L'eucalyptus** vous aidera à purifier vos bronches après l'arrêt du tabac :
  ➤ Teinture Mère Eucalyptus : prendre 20 à 35 gouttes, 3 fois par jour.
  ➤ Arkogélules Eucalyptus® (Arkopharma, *non remboursé*) : prendre 1 gélule, matin, midi et soir, avec un grand verre d'eau, avant les repas.
- **L'aubépine**, plante du cœur par excellence, régule le rythme cardiaque et diminue la nervosité après l'arrêt du tabac :
  ➤ Teinture Mère Aubépine : prendre 30 gouttes, 3 fois par jour.
  ➤ Arkogélules Aubépine® (Arkopharma, *non remboursé*) : prendre 1 gélule, matin, midi et soir, avec un grand verre d'eau, au moment des repas.

Toux grasse, toux sèche

D'où vient cette toux qui vous gêne et comment vous en débarrasser ?

La toux n'a rien d'une maladie, c'est un symptôme.

Si votre toux est grasse, que vous expectorez des sécrétions, vous avez sûrement une infection des voies respiratoi-res et votre corps tente d'en expulser les germes.

En cas de toux sèche, c'est que votre gorge est irritée. La toux sèche est fréquente après une grippe, ainsi qu'en cas d'allergie.

Sirops contre la toux : la grande erreur à ne jamais commettre

Une toux qui apparaît subitement, sans raison apparente, et qui se prolonge pendant plusieurs semaines, peut révéler une maladie grave : consultez votre médecin rapidement.

Les sirops contre la toux grasse ne doivent jamais être utilisés pour soigner une toux sèche, et vice-versa.

LES PLANTES QUI SOIGNENT VOTRE TOUX

Eucalyptus : elle calme la toux grasse et combat l'infection

En cas de toux, en particulier de toux grasse, de bronchite, de rhume, de sinusite, l'eucalyptus (*Eucalyptus globulus La-bill.*) est souvent tout indiqué.

Cette plante, qui sent très bon, calme votre toux et dimi-nue l'irritation de vos bronches. De plus, elle rend vos sé-crétions plus fluides, vous permettant ainsi de mieux les expectorer. L'eucalyptus a des effets antibiotiques que vous apprécierez si votre toux est due à une infection.

➤ Teinture Mère Eucalyptus : prendre 20 à 35 gouttes, 3 fois par jour.

➤ Arkogélules Eucalyptus® (Arkopharma, *non rembour-sé*) : prendre 1 gélule, matin, midi et soir, avec un grand verre d'eau, avant les repas.

➤ Pastilles Salmon® (RPR Cooper, *non remboursé*) : composé d'eucalyptus notamment. Chez l'adulte, sucer

1 pastille, 10 à 12 fois par jour. Chez l'enfant de plus de 3 ans, sucer 1 pastille, 3 à 6 fois par jour. *Ne pas utiliser chez l'enfant de moins de 3 ans, ni en cas d'asthme ou d'insuffisance respiratoire. Déconseillé chez la femme enceinte ou qui allaite.*

➤ Bronchodermine® (Tissot, *remboursé*) : composé d'eucalyptol. Chez l'adulte, faire 2 ou 3 applications de pommade par jour. Chez l'enfant de plus de 30 mois, faire 1 ou 2 applications de pommade par jour, pendant 3 jours maximum. *Ne pas utiliser chez l'enfant de moins de 30 mois, ni chez la femme enceinte ou qui allaite.*

Marrube blanc : pour mieux respirer et reposer le cœur

Le marrube blanc (*Marrubium vulgare L.*) vous aide à mieux respirer, plus profondément, plus facilement, surtout en cas d'asthme ou de bronchite.

Cette plante rend vos sécrétions plus fluides, ainsi vous les crachez plus facilement. Votre toux, même forte, se calme, et l'inflammation diminue.

Le marrube blanc dilate vos bronches et cela rend votre respiration bien plus agréable si vous souffrez d'asthme.

Et en plus, elle repose le cœur, luttant contre les palpitations et extrasystoles.

➤ Teinture Mère Marrube blanc : prendre 30 gouttes, 3 fois par jour.

➤ Arkogélules Marrube blanc® (Arkopharma, *non remboursé*) : prendre 1 gélule, matin, midi et soir, avec un grand verre d'eau, avant les repas. Vous pouvez prendre jusqu'à 5 gélules par jour.

➤ Élusanes Marrube blanc® (Plantes et Médecines, *non*

remboursé) : prendre 1 gélule, matin et soir, au cours des repas, avec un verre d'eau.

Mauve : débarrassez-vous de la toux sèche

La mauve (*Malva sylvestris L.*) combat la toux et l'inflammation.

Elle adoucit votre gorge et vos voies respiratoires. Cette plante vous fait le plus grand bien en cas de bronchite, de toux sèche, si vous êtes enroué, ainsi qu'en cas de laryngite et de rhinopharyngite.

De plus, elle combat la constipation et les douleurs dues aux colites.

➤ Teinture Mère Mauve : prendre 40 gouttes, 3 fois par jour.

➤ Arkogélules Mauve® (Arkopharma, *non remboursé*) : prendre 1 gélule, matin, midi et soir, avec un grand verre d'eau, avant les repas. Vous pouvez prendre jusqu'à 5 gélules par jour.

➤ Médiflor Tisane Pectorale d'Alsace N° 8® (Monot, *non remboursé*) : composé de mauve, de guimauve et de bouillon blanc, entre autres. Boire 1 tasse d'infusion, 3 fois par jour.

Thym : ce grand antiseptique soigne les infections des poumons et détruit certains virus

Le thym (*Thymus vulgaris L.*), que les provençaux utilisent abondamment dans leurs préparations culinaires, est un antiseptique de grande valeur.

Vous pouvez recourir à lui en cas d'infection pulmonaire. De plus, il calme la toux, en particulier les quintes, ce qui fait qu'on le conseille souvent aux personnes qui souffrent de la coqueluche ou même d'emphysème. Le thym diminue aussi les sécrétions nasales, ce qui est bien utile quand vous avez le nez bouché.

On dit même que le thym est capable de détruire le virus de la grippe. Pour la même raison (son action anti-virale), le thym est utile aussi en cas d'herpès et de zona, pour prévenir les récidives.

En cas de troubles de l'intestin tels que ballonnements ou aérophagie, vous pouvez comptez sur lui, généralement en association avec le charbon végétal.

Le thym soulage aussi en cas de diarrhée ou de vers intestinaux.

➤ Teinture Mère Thym : prendre 40 gouttes, 3 fois par jour.

➤ Arkogélules Thym® (Arkopharma, *non remboursé*) : prendre 1 gélule, matin, midi et soir, avec un grand verre d'eau, avant les repas.

LES AUTRES BIOMÉDICAMENTS

● **Le bouillon blanc** est aussi une plante classique pour traiter la toux. Elle réduit l'inflammation et combat les microbes :

➤ Teinture Mère Bouillon blanc : prendre 40 gouttes, 3 fois par jour.

➤ Arkogélules Bouillon blanc® (Arkopharma, *non remboursé*) : prendre 1 gélule, matin, midi et soir, avec un grand verre d'eau, au moment des repas.

➤ Natura Medica Bouillon blanc® (Dolisos, *non remboursé*) : prendre 1 ampoule, 2 fois par jour, dans un verre d'eau, au cours des repas. *Ne pas utiliser chez l'enfant.*

● **La propolis** stimule vos défenses immunitaires et combat l'inflammation :

➤ Arkogélules Propolis® (Arkopharma, *non remboursé*) : prendre 1 gélule, matin, midi et soir, avec un grand verre d'eau, avant les repas.

Transpiration excessive

Nous ne sommes pas tous égaux devant la transpiration.

Certains transpirent peu, d'autres beaucoup. C'est un phénomène naturel et bénéfique : en transpirant, vous éliminez vos toxines et purifiez votre organisme.

Odeurs corporelles trop fortes : qu'est-ce que cela cache vraiment ?

Mais parfois, les odeurs corporelles qui l'accompagnent sont bien incommodantes. C'est le signe que votre corps a beaucoup (trop ?) de toxines à éliminer. Aidez-le en améliorant votre alimentation (moins de sucres et de graisses, moins d'alcool et de café) et en faisant davantage d'exercice physique.

La sauge est la plante anti-transpiration par excellence. Buvez-la en infusion.

LES PLANTES QUI DIMINUENT LA TRANSPIRATION

Sauge : elle réduit la transpiration, surtout chez les femmes au moment de la ménopause

La sauge (*Salvia lavandulifolia*) est une plante très populaire dans le midi de la France où un proverbe affirme : "Qui a de la sauge dans son jardin n'a pas besoin de médecin !"

Elle combat la transpiration excessive, grâce aux œstrogènes végétaux qu'elle contient.

Les femmes qui traversent cette difficile période qu'est la ménopause l'apprécient beaucoup car elle diminue les bouffées de chaleur. Elle aide aussi les femmes qui ont des règles douloureuses ou irrégulières.

Si vous souffrez de digestion lente, de ballonnements ou de renvois désagréables, la sauge vous apportera sûrement un réel soulagement. Votre digestion deviendra alors un vrai plaisir.

➤ Teinture Mère Sauge : prendre 25 gouttes, 3 fois par jour.

➤ Arkogélules Sauge® (Arkopharma, *non remboursé*) : prendre 1 gélule, matin, midi et soir, avec un grand verre d'eau, au moment des repas.

Ulcère gastrique

Un ulcère est un problème de santé grave, qui nécessite toujours un suivi médical. Vous devez donc consulter votre médecin si vous craignez d'être atteint d'un ulcère.

On connaît mal l'origine des ulcères de l'estomac. Si vous êtes souvent contrarié, si vous travaillez trop, si vous prenez souvent de l'aspirine ou de la cortisone, si vous aimez beaucoup le vinaigre et les plats aigres, vous êtes peut-être bien le candidat idéal à l'ulcère de l'estomac.

Mangez de ces 3 aliments "anti-ulcère"
Un ulcère de l'estomac cause des douleurs surtout lorsque ce dernier est vide : la douleur se calme en mangeant. Si vous avez mal dans cette région le matin à jeun ou long-

temps après les repas, c'est un signe que vous ne devez jamais négliger.

Voici 3 aliments anti-ulcère : les bananes, le jus de carottes et le miel (de lavande et de romarin).

LES PLANTES QUI SOULAGENT L'ULCÈRE GASTRIQUE

Argile blanche : il "tapisse" votre estomac et accélère la cicatrisation

L'argile blanche est sans doute le meilleur remède naturel pour protéger votre estomac.

En tapissant la muqueuse de votre estomac et de vos intestins, l'argile blanche, très riche en silice, aluminium et sels minéraux, lutte contre les maux d'estomac et favorise la cicatrisation de votre ulcère gastrique. Bien sûr, elle combat aussi les brûlures d'estomac et vous donne un ventre beaucoup plus plat.

Comme l'argile blanche absorbe les toxines logées dans votre tube digestif, elle est très utile en cas de diarrhée ou d'infection intestinale.

➤ Arkogélules Argile blanche® (Arkopharma, *non remboursé*) : prendre 3 gélules par jour, avec un grand verre d'eau, entre les repas.

Lithothame : ce puissant anti-acide est d'un grand secours en cas d'ulcère

Le lithothame (*Lithothamnium calcareum*) est un puissant anti-acide. Cette merveilleuse algue combat l'acidité gastrique et ses effets courants : brûlures d'estomac, douleurs, renvois aigres. Grâce à elle, vous allez retrouver une digestion agréable sans ces tracas que sont les reflux acides et autres brûlures.

Évidemment, lutter contre l'acidité gastrique ne peut que faciliter la cicatrisation de votre ulcère gastrique.

Si vous prenez de la cortisone ou des anti-inflammatoires, le lithothame protégera votre estomac des effets néfastes de ces médicaments.

➤ Arkogélules Lithothame® (Arkopharma, *non rembour-sé*) : prendre 1 gélule, matin, midi et soir, avec un grand verre d'eau, au moment des repas.

UN AUTRE BIOMÉDICAMENT

La mélisse, dont l'action calmante est reconnue, a un effet anti-inflammatoire. Elle calme aussi les spasmes.

➤ Infusion de Mélisse : faire infuser 5 g par litre d'eau.

➤ Natura Medica Mélisse® (Dolisos, *non remboursé*) : prendre 1 ampoule, 2 fois par jour, dans un verre d'eau, au cours des repas. *Ne pas utiliser chez l'enfant.*

➤ Arkogélules Mélisse® (Arkopharma, *non remboursé*) : chez l'adulte, prendre 1 gélule, matin, midi et soir, avec un grand verre d'eau, au moment des repas. Chez l'enfant, prendre 2 gélules par jour.

Vergetures

Les vergetures ressemblent à de petites stries étroites et allongées à la surface de la peau. Elles se forment quand les tissus sous-cutanés se développent plus vite que l'épiderme, à l'occasion d'une grossesse, par exemple. Les femmes sont les victimes les plus fréquentes de cet "ornement" fort disgracieux.

Êtes-vous le "candidat" idéal aux vergetures ? L'erreur à ne pas commettre

Si vous alternez régimes amaigrissants et reprises de poids, vous êtes aussi un candidat idéal aux vergetures.

Pour limiter l'apparition des vergetures ou même pour les atténuer, les médecins recommandent aux femmes enceintes d'appliquer de l'huile d'olive ou d'amande douce sur leur ventre, leurs hanches et leur poitrine.

LES PLANTES QUI EFFACENT LES VERGETURES

Huile de bourrache : elle aide à faire disparaître les vergetures

L'huile de bourrache (*Borago officinalis L.*) rend votre peau plus belle.

Elle contient, en effet, deux acides gras polyinsaturés qui ralentissent le vieillissement de votre peau, favorisent son hydratation et luttent contre la formation des rides.

Pour garder plus longtemps que les autres une belle peau, dépourvue de rides et bien hydratée, l'huile de bourrache est tout indiquée.

Contre les vergetures, l'huile de bourrache vous apportera sans doute une notable amélioration.

D'ailleurs, même vos ongles et vos cheveux seront renforcés par une cure de bourrache.

➤ Teinture Mère Bourrache : prendre 30 gouttes, 3 fois par jour.

➤ Arkogélules Huile de bourrache (Arkopharma, *non remboursé*) : prendre 1 ou 2 gélules, matin et soir.

406

UN AUTRE BIOMÉDICAMENT

L'huile de germe de blé favorise aussi la disparition des vergetures :

> ➤ Arkogélules Huile de germe de blé® (Arkopharma, *non remboursé*) : prendre 2 gélules, matin et soir.

Vertiges

Les vertiges ne sont pas seulement désagréables ; ils peuvent aussi vous mettre en danger s'ils vous surprennent dans la rue ou pendant que vous conduisez.

Si vous avez de l'hypertension sans le savoir, si vous avez les oreilles bouchées par du cérumen, si vous buvez beaucoup d'alcool ou fumez trop – les causes possibles sont innombrables –, vous pouvez avoir des vertiges. L'important est d'en rechercher la cause, de préférence avec l'aide d'un médecin.

Si vos vertiges s'accompagnent de vomissements, vous devez absolument consulter votre médecin sans tarder.

LES PLANTES QUI VOUS AIDENT À NE PLUS SOUFFRIR DE VERTIGES

Ginkgo : en améliorant votre circulation cérébrale, il réduit les risques de vertiges

Le ginkgo (*Ginkgo biloba L.*) améliore votre circulation cérébrale et lutte contre les vertiges et troubles de l'équilibre. C'est la plante anti-vieillissement.

Il ralentit le vieillissement de votre cerveau. Grâce à lui, vous avez une meilleure mémoire, vos facultés d'attention s'améliorent et votre humeur est toujours au beau fixe.

Les personnes qui souffrent de troubles de l'équilibre apprécient ses bienfaits.

Chez les sujets âgés, il aide à lutter contre les tremblements, les problèmes d'équilibre et les pertes de l'audition.

➤ Tanakan® (Ipsen, *remboursé*) : composé de ginkgo biloba. Prendre 1 dose ou 1 comprimé, 3 fois par jour.

➤ Tramisal® (Urpac Astier, *remboursé*) : composé de ginkgo biloba. Prendre 1 dose, 3 fois par jour.

➤ Gingkogink® (Urpac Astier, *remboursé*) : composé de ginkgo biloba. Prendre 1 dose d'1 ml, 3 fois par jour, dans un demi-verre d'eau, pendant les repas.

➤ Extrait fluide Ginkgo : prendre 30 gouttes, plusieurs fois par jour.

➤ Arkogélules Ginkgo® (Arkopharma, *non remboursé*) : prendre 1 gélule, matin, midi et soir, avec un grand verre d'eau, au moment des repas.

Petite pervenche : en améliorant l'oxygénation de votre cerveau, elle atténue vertiges et pertes d'équilibre

La petite pervenche (*Vinca minor L.*) était déjà connue à l'époque de Louis XIV comme une plante de santé.

Elle dilate vos artères coronaires, prend soin de vos capillaires cérébraux et facilite donc l'oxygénation de votre cerveau : vertiges et pertes d'équilibre s'atténuent.

Vous avez une meilleure mémoire, vous êtes moins irritable, vous entendez et voyez mieux. Vous vous concentrez plus facilement.

➤ Teinture Mère Petite pervenche : prendre 50 gouttes, 3 fois par jour.

➤ Arkogélules Petite pervenche® (Arkopharma, *non rem-*

boursé) : 1 gélule matin, midi et soir, à prendre avec un grand verre d'eau, au moment des repas.

UN AUTRE BIOMÉDICAMENT

La lécithine de soja, en améliorant l'état de votre système circulatoire, favorise la disparition ou l'espacement des vertiges :

➤ Arkogélules Lécithine de soja® (Arkopharma, *non remboursé*) : prendre 1 gélule, matin, midi et soir, avec un grand verre d'eau, au moment des repas.

Vieillissement, vieillissement cérébral, vieillissement de la peau

---

Le vieillissement est un processus biologique normal. Nos cellules naissent, vivent et meurent. Comme nous sommes constitués de cellules, nous naissons, vivons et mourons aussi. Mais il faut nous en réjouir car, en fait, vieillir est le seul moyen de vivre longtemps !

Quoi qu'il en soit, accepter cette réalité que le temps passe ne signifie pas que les années doivent peu à peu altérer nos facultés physiques et mentales ainsi que notre aspect.

Luttez contre le vieillissement et conservez très longtemps jeunesse et vitalité

Toujours jeune, est-ce possible ? Oui, vous pouvez lutter contre le vieillissement et conserver très longtemps, et pourquoi pas toute votre vie, un aspect jeune et une vitalité de jeune homme ou de jeune femme.

Regardez autour de vous : vous connaissez sûrement des personnes dites âgées qui paraissent 10 ou 20 ans de moins qu'elles n'ont en réalité et qui ont la vigueur de jeunes adultes. Elles sont toujours d'un côté ou d'un autre, toujours souriantes, de bonne humeur et resplendissantes de vie.

Vous aussi pouvez être en excellente santé même à 60, 70 ou 80 ans.

LES PLANTES QUI LUTTENT CONTRE LE VIEILLISSEMENT

Ginkgo : la plante anti-vieillissement par excellence

Le ginkgo (*Ginkgo biloba L.*) est la plante anti-vieillissement par excellence. C'est un arbre préhistorique, vieux de 250 millions d'années. Il peut d'ailleurs vivre mille ans.

Le ginkgo ralentit le vieillissement cérébral. Grâce à lui, vous avez une meilleure mémoire, vos facultés d'attention s'améliorent et votre humeur est toujours au beau fixe. Les personnes qui souffrent de troubles de l'équilibre apprécient ses bienfaits.

Chez la femme jeune qui prend la pilule contraceptive, il réduit les problèmes circulatoires. Chez les personnes âgées, il aide à lutter contre les tremblements, les problèmes d'équilibre et les pertes de l'audition.

Le ginkgo vous permet de voir mieux et plus longtemps car il ralentit le vieillissement de la rétine.

➤ Extrait fluide Ginkgo : prendre 30 gouttes, plusieurs fois par jour.

➤ Arkogélules Ginkgo® (Arkopharma, *non remboursé*) : prendre 1 gélule, matin, midi et soir, avec un grand verre d'eau, au moment des repas.

➤ Tanakan® (Ipsen, *remboursé*) : composé de ginkgo bi-loba. Prendre 1 dose ou 1 comprimé, 3 fois par jour.

➤ Tramisal® (Urpac Astier, *remboursé*) : composé de ginkgo biloba. Prendre 1 dose, 3 fois par jour.

➤ Ginkogink® (Urpac Astier, *remboursé*) : composé de ginkgo biloba. Prendre 1 dose d'1 ml, 3 fois par jour, dans un demi-verre d'eau, pendant les repas.

Petite pervenche : avec un cerveau mieux irrigué, votre ouïe est plus fine, votre regard plus perçant et votre mémoire plus fidèle

La petite pervenche (*Vinca minor L.*) est une grande plante "anti-vieillissement".

Elle favorise l'oxygénation de votre cerveau en dilatant vos artères coronaires et vos capillaires cérébraux.

Grâce à elle, vous avez une meilleure mémoire, vous entendez mieux, votre regard est plus perçant. Vous évitez aussi de désagréables pertes d'équilibre ou vertiges.

Cette plante est très utile en cas de diabète.

➤ Teinture Mère Petite pervenche : prendre 50 gouttes, 3 fois par jour.

➤ Arkogélules Petite pervenche® (Arkopharma, *non remboursé*) : 1 gélule matin, midi et soir, à prendre avec un grand verre d'eau, au moment des repas.

Huile de germe de blé : un cerveau jeune et performant, un cœur fort et vigoureux, une peau lisse et éclatante

Hautement utile pour maintenir un taux de cholestérol idéal, l'huile de germe de blé (*Triticum sativum Lam.*) vous aide ainsi à conserver un cerveau jeune et performant, malgré les années qui passent.

Cette huile contient des acides gras essentiels qui protègent vos artères et préviennent l'artériosclérose. Très riche en vitamine E, elle renforce les parois de vos vaisseaux et fait baisser votre taux de cholestérol sanguin.

L'huile de germe de blé est un excellent remède naturel contre l'excès de cholestérol et la prévention des maladies cardio-vasculaires, en particulier l'athérosclérose.

Enfin, avantage supplémentaire, elle lutte efficacement contre la sécheresse de la peau et peut vous aider à retarder l'apparition des rides. Elle lutte ainsi contre le vieillissement de la peau.

> ➤ Arkogélules Huile de germe de blé® (Arkopharma, *non rembours*é) : 2 gélules, matin et soir, avec un grand verre d'eau, au moment des repas.

Huile de bourrache : si vous avez des rides, cette huile peut les atténuer

L'huile de bourrache (*Borago officinalis L.*) prend soin de votre peau, pour qu'elle reste belle et souple malgré le temps qui passe.

Elle contient deux acides gras polyinsaturés qui ralentissent le vieillissement de votre peau, favorisent son hydratation et luttent contre la formation des rides.

Si vous avez déjà des rides, la peau sèche, ou même des vergetures, l'huile de bourrache vous aidera à améliorer l'état de votre épiderme. Votre peau sera plus souple, plus résistante. Même vos ongles et vos cheveux seront renforcés par une cure de bourrache.

Pour garder plus longtemps que les autres une belle peau, dépourvue de rides, bien hydratée, l'huile de bourrache est tout indiquée.

➤ Teinture Mère Bourrache : prendre 30 gouttes, 3 fois par jour.

➤ Arkogélules Huile de bourrache® (Arkopharma, *non remboursé*) : prendre 1 ou 2 gélules, matin et soir.

UN AUTRE BIOMÉDICAMENT

La lécithine de soja agit indirectement sur le vieillissement. Elle lutte contre l'excès de cholestérol et prévient le vieillissement des artères :

➤ Arkogélules Lécithine de soja® (Arkopharma, *non remboursé*) : prendre 1 gélule, matin, midi et soir, avec un grand verre d'eau, au moment des repas.

Zona

Le zona est la varicelle des adultes. C'est le même virus qui provoque les deux maladies.

Si vous sentez comme une brûlure d'un seul côté du thorax, au niveau des côtes, que des vésicules apparaissent, accompagnées de fièvre et de maux de tête, vous avez tous les symptômes d'un zona.

Le zona n'est généralement pas grave, mais il peut affecter les yeux. Il est important de consulter rapidement votre médecin.

Voici comment calmer les douleurs

Pour calmer les douleurs, le gel d'aloe vera donne souvent des résultats surprenants.

LES PLANTES QUI SOIGNENT LE ZONA

Eupatoire : renforcez votre système immunitaire et faites disparaître le zona pour toujours

L'eupatoire (*Eupatorium cannabinum L.*) renforce votre système immunitaire et vous aide à prévenir les maladies virales telles que la grippe ou le zona, par exemple.

C'est un excellent anti-microbien, très utile si vous êtes sujet aux infections à répétition. Il calme également l'inflammation.

On recommande l'eupatoire aux convalescents d'une maladie infectieuse pour les aider à se reconstruire un système immunitaire puissant.

➤ Teinture Mère Eupatoire : prendre 30 gouttes, 3 fois par jour.

➤ Arkogélules Eupatoire® (Arkopharma, *non remboursé*) : prendre 1 gélule, matin, midi et soir, avec un grand verre d'eau, au moment des repas.

Thym : il réussit là où les autres traitements échouent parfois

Puissant anti-viral, le thym (*Thymus vulgaris L.*) lutte efficacement contre le zona qui est causé par un virus souvent rebelle aux traitements classiques.

Cette plante méditerranéenne est aussi utilisée en cas d'herpès.

C'est un grand antiseptique naturel. Vous pouvez d'ailleurs y recourir en cas d'infection pulmonaire.

Le thym calme la toux, en particulier les quintes, et diminue les sécrétions nasales. Plus de nez bouché !

➤ Teinture Mère Thym : prendre 40 gouttes, 3 fois par jour.

414

➤ Arkogélules Thym® (Arkopharma, *non remboursé*) : prendre 1 gélule, matin, midi et soir, avec un grand verre d'eau, avant les repas.

LES AUTRES BIOMÉDICAMENTS

L'échinacée et la salsepareille renforcent vos défenses immunitaires et vous aident à prévenir le zona :

➤ Teinture Mère Échinacée : prendre 30 gouttes, 3 fois par jour.

➤ Arkogélules Échinacée® (Arkopharma, *non remboursé*) : prendre 1 gélule, matin, midi et soir, avec un grand verre d'eau, au moment des repas.

➤ Teinture Mère Salsepareille : prendre 30 gouttes, 3 fois par jour.

➤ Arkogélules Salsepareille® (Arkopharma, *non remboursé*) : prendre 1 gélule, matin, midi et soir, avec un grand verre d'eau, au moment des repas.

BIBLIOGRAPHIE

ABC des plantes (L'), Nice, 1997.

Aikhenbaum (Jean) & Daszkiewicz (Piotr), *Le Pouvoir de guérir par la Nature*, Paris, 1996.

Berdonces i Serra (Dr Josep Lluís), *Gran Enciclopedia de las plantas medicinales*, Madrid, 1998.

Encyclopédie Larousse des plantes médicinales, Paris, 1997.

Giroud (Prof. Jean-Paul) & Hagège (Dr Charles), *Guide Giroud-Hagège de tous les médicaments avec ou sans ordonnance*, Monaco, 1997.

Guide pratique de la phytothérapie (Le), Cahors, 1997.

Hostettmann (Prof. Kurt), *Tout savoir sur le pouvoir des plantes sources de médicaments*, Lausanne, 1997.

Meyer (Sous la direction de Éric), *Encyclopédie familiale des plantes curatives*, Genève-Londres, 1988.

Roldán (Alfredo Ara), *100 plantas medicinales escogidas*, Madrid, 1997.

Rombi (Dr Max), *100 plantes médicinales*, deuxième édition, Nice, 1998.

Tocquet (Prof. Robert), *Guide pratique des remèdes naturels*, Paris, 1990.

Vidal de la famille, édition 1998, Paris, 1998.

Achevé d'imprime par N.I.I.A.G.
en Avril 2002
pour le compte de France Loisirs
Paris

N° éditeur: 36744
Dépôt légal: Mai 2002
Imprimé en Italie